鲸鱼航线

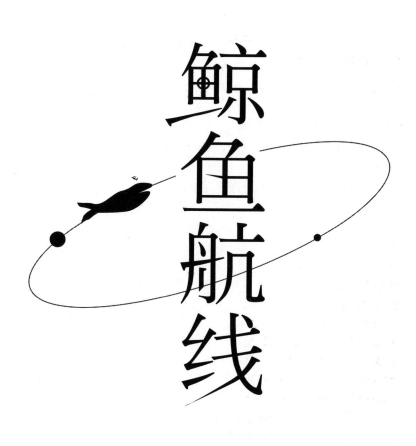

灰狐 ———

著

江苏凤凰文艺出版社
JIANGSU PHOENIX LITERATURE AND
ART PUBLISHING, LTD

图书在版编目（ＣＩＰ）数据

鲸鱼航线 / 灰狐著. -- 南京 ： 江苏凤凰文艺出版
社，2017.12
ISBN 978-7-5594-1224-9

Ⅰ．①鲸… Ⅱ．①灰… Ⅲ．①科学幻想小说－小说
集－中国－当代 Ⅳ．①I247.7

中国版本图书馆CIP数据核字(2017)第253480号

书　　　名　鲸鱼航线
作　　　者　灰　狐
筹 划 出 品　九志天达
责 任 编 辑　姚　丽
策 划 编 辑　刘　盼
责 任 监 制　刘　巍　江伟明
出 版 发 行　江苏凤凰文艺出版社
出版社地址　南京市中央路165号，邮编：210009
出版社网址　http://www.jswenyi.com
印　　　刷　三河市金泰源印务有限公司
开　　　本　880毫米×1230毫米　1/32
字　　　数　210千字
印　　　张　10.625
版　　　次　2018年1月第1版　2018年1月第1次印刷
标 准 书 号　ISBN 978-7-5594-1224-9
定　　　价　42.00元

江苏凤凰文艺版图书凡印制、装订错误可随时向承印厂调换

目　录

费客小传

1

　　我轻轻一推，皮质的手表盒滑过仿大理石的光滑桌面，稳稳地停在了桌子的另一端。

　　对面的人露出疑惑的表情，一条粗黑眉毛神经质地挑了挑。我忘了他的名字，姑且管他叫"浓眉"吧。

　　我伸手做个"请自便"的手势，他照办了。当他看到表盒里那块江诗丹顿牌手表时，疑惑变为不解，他眉头紧皱，眉毛似乎连在了一起。

　　他看着我，等待答案。

　　"这就是你想要的东西。"我试图给他一个安慰性的微笑，"当你和赵君华谈判时，戴上这块表。"

　　"为什么？"

　　"当一切谈得差不多的时候，你靠近他，假装看表。将表的侧面对准他，按下按钮——"我将手伸过桌子，轻轻敲打表盒，"然后你继续和他说话，大概一分钟。等他瞳孔放大、反应迟钝、口吃的时候，你要向他露出自然的微笑，说出你的条件——不要太过分，然后你和他握手，离开。"我吹了一声口哨，引起几个人回头看我，"你的合同就到手了。"

赵君华是某个跨国公司的亚洲部经理，几天之后会和浓眉进行一次采购谈判。浓眉找到我们，希望这次谈判能够万无一失。不管他从哪里得到了我们的消息，我只想说，这步棋他走得很对。

"这么容易？"浓眉仍然满脸怀疑。当然，我们帮助他取得这单合同，开价是一百万元，也许他想见到飞机大炮什么的才算够本。

他向后靠在椅子上，摆出一副"我要证据"的样子。

"告诉你也无妨。这块表经过小小的改装，当你按下按钮的时候，会有一粒小胶囊射进赵君华的皮肤，所以你最好对准点，因为只有一次机会。当胶囊被他的皮肤吸收后，在很短的时间里，他体内的多巴胺会大幅提高——他和他前三任老婆在一起时分泌的多巴胺加起来都没有这次的高。它们会在他脑子里掀起一阵小小的闪电风暴，简而言之，他会爱上你，尽管只有短短的几分钟时间。"

我停下来，欣赏着浓眉的面部表情由沉思到恍然大悟，接着又转成愤怒。如果不是亲眼见到，你很难想象两道毛毛虫一样的眉毛可以变换成那么多种姿态，我简直想要伸手摸摸看。

"这是很关键的几分钟。"我抬起一只手，在他发作前继续说下去，"它足以打消赵君华对你所有的疑虑，并且无条件地相信你，答应你提出的条件，最后签下合同。你知道，赵君华四十岁左右，有过三次不怎么愉快的婚姻，现在他正报复式地寻欢作乐，经常和名模、明星出入酒店，他认为自己已经没有真正的感情了。但是他对你的爱——你别急，这只是手段而已——他对你产生的感情，会让他在接下来的几个月甚至一年的时间里对自己的性取向产生怀疑，他会经过一段痛苦的自我否定和迷茫的时间，而且会刻意回避与你的信息。所以，你不但能够签下合同，还打消了后顾之忧。"这次轮到我向后靠着，摊开双手，"后面这些，是免费赠送给你的，不用客气。"

浓眉沉思片刻，点点头："这不是我想要的方法，但是可以接受。"

他站起身，准备离开。

"等等。"

"什么事？"

"还有一件事，"我向他手中的手表盒抬起下巴，"那只表是真的，售价十二万元，加上改装的费用，你还要多付二十万元。"

"我们说好的价格是一百万元的。"

"那也可以，请把表还给我，我们再想想看有没有'便宜'一点的方法。"

"好吧，好吧！"他不耐烦地挥挥手，答应了我的条件。

"还有……"

"还有什么？"可以看出，他已经愤怒到了极点。他一定不喜欢有人以这种方式和他说话，但是没关系，我喜欢。

"这笔合同可以给你带来很大的利润，并且和赵君华的合作会让其他公司对贵公司另眼相看，之后的订单会源源不断地飞来找你。不过请你记住，你们公司有三分之一的产品是婴儿用品，请一定以最高的标准对待，不要偷工减料。否则的话……"

"否则怎么样？你这是在威胁我？"

"不，我是在告诉你，请不要威胁到费客的名誉。"

他注视着我，突然毫无征兆地转身，快步离开咖啡馆。

我稍等了一会儿，喝完自己的咖啡，同时观察着四周，发现确实没人注意到我。于是我走进厕所，摘下墨镜，将双面夹克翻个面穿上，然后低头走出咖啡馆。

一路上，我换了三次出租车，两班公交车，又步行了一段路，回到绿岭小区，被谢默称为安全屋的地方。

我按了三次门铃，没人开门，我才掏出钥匙把门打开。不出我所料，谢默正若无其事地坐在沙发上看电子书。这样的情况重复了无数次，既然他坚持不给我开门，那么我就坚持按门铃烦他。

我一直认为我的性格很令人讨厌，因为我总爱用有意无意的行为激怒别人。直到遇到谢默我才发现自己只不过是一个有一点点缺陷的普通人，因为谢默几乎坐在那里不动就能把人气个半死。

"有必要让我这么谨慎吗？这又不是间谍片，没人会跟踪我的。"我把夹克扔在沙发上，一边用领子扇风，一边对谢默抱怨。

"谨慎是一种美德。"他说，目光没有离开电子书，大概是新出的《猎人X》的漫画，这都2049年了，全息动画都已经全面取代互动漫画了，他还对古板的黑白漫画感兴趣。

"除了不暴露我们的工作地点，对你也是一种保护，以你那种和人打交道的方式，被人用麻袋套头暴打的概率几乎达到100%。"

"观察他们的感情波动、表情变化还有肢体语言是非常有趣的事情。况且这又不是我的什么恶趣味，能够近距离观察人对我的演员事业也有很大作用。"

忘了说了，眼前这个死板的宅男才是真正的费客。而我只是暂时给他跑跑腿，为我将来的演艺事业打好基础。

"哦？你的演员事业？"谢默咳嗽一声，听起来像受惊的狗，"你有多久没有演戏了？"

"闭嘴，我现在累得很，最近一段时间总是腰酸腿痛。"我可不想在这个问题上和他纠缠。

"是583天！"他在我身后叫道。

当我换好衣服，拿着一罐啤酒回到客厅的时候，谢默已经挪到了他的电脑前面，正敲打着显示器等着我。这个动作意味着又有新的委托人了，而且挺有趣。

"说吧。"

"星期三上午十点，在中心公园喷泉东面的长椅上，和你联系的人会穿一件米黄色的长风衣，拎棕色皮包，扎一条淡绿色的围巾，围巾上有蝴蝶图案。"

一个女委托人。

总体来说，男委托人有着很强的目标性，大多是为了商业或者政治上的事情找到我们，而且付钱干脆。女性客户就不同了，她们的委托大多关系到爱情或者家庭，而且对费客理解不深，既期望我们能够全知全能，又觉得我们的工作龌龊见不得人。

"和我一起去吧。"我总是希望谢默能够出门走走，交个女朋友什么的，"这次应该没什么危险，你也该放放风了。"

"不去。"谢默侧过身，拍拍自己的大腿。他的腿脚不便，据说是少年时期曾经发生过什么事故，但是他不肯多说，我也没仔细打听。

"得了吧！"每当他找各种借口时，我就有些不耐烦，"你腿脚恢复得不错，都能和兔子赛跑了。"

"你在骂我是乌龟吗？"

"你就缩在壳里吧，我出门散散心。"外面其实也没什么可逛的，只不过我不想和谢默待在一个屋子里，免得负能量缠身。

"别忘了星期三早晨十点。"谢默的声音隔着门传出来。

即使是工作日，早晨十点的中心公园仍然人声鼎沸。锻炼身体的中老年人，接着电话匆匆走过的白领，旁若无人地卿卿我我的年轻情侣，踩着炫酷的电动滑板的孩子们。

我捧着热豆浆，一边喝一边观察他们，只有在满是陌生人的环境里，人们才会将真实的感情释放出来，而在私密亲近的人面前，却会戴上厚厚的面具，真是有趣。

一双黑色高跟鞋出现在我面前，我抬起头，米黄色的风衣，棕色皮包，印着蝴蝶的淡绿色围巾衬得她精巧的下巴更加白皙。再往上看，则是一副占据了脸部三分之二面积的墨镜，比我的还大。

她一定比我更见不得人，我想。

"额……你……就是……那个人吗？"她支支吾吾地问。

我点点头，但她没反应，我发现墨镜后的她似乎正警惕地打量四周的人。

"我就是。"我开口说，"这里说话不方便，我们找个安静的地方吧。"

我站起身，向广场一角的咖啡屋走去。她远远地跟在后面。

直到坐进咖啡屋最隐蔽的卡座，她才放松下来。我犹豫片刻，还是决定摘下墨镜，因为在这么暗的地方，两个戴着夸张墨镜的人面对面傻坐着，想不被人注意都难。

但是她好像没有以真面目示人的意思，仍然隔着墨镜看着我。

"好吧，你有……"我看着她，想谈谈她的委托。但是墨镜下的嘴和下巴给我一种熟悉的感觉。"宋雪亦？"我脱口而出。

宋雪亦是近几年出镜率极高的女演员，原本只是某个访谈节目的路人，但是因为面貌清秀，长相姣好，成了网上一时间的话题人物，甚至被很多男网友封为"五官最标准的女人"。后来又接拍了几个广告，镜头感不错，就这样误打误撞进了影视圈，从电视剧没台词的龙套，到最近两部小成本电影的女主角。一路走来，这个才23岁的小姑娘成了大家眼中最有潜力的女演员。

听到我叫出名字，我的委托人像遭到雷击一样，她猛地站起来，小声说："对不起，我还有事……"

真的是宋雪亦！这个结果把我也吓了一跳，我急忙拦住准备离开的她。

"别急别急。"我尽量用温和的语气说，"我事先并不知道是你，再说我们也曾有一面之缘，并不算是陌生人。"

宋雪亦看了我一会儿，慢慢地坐下。

"你还记得吗？那年《后宫鸡毛信》，你演一个丫鬟，我演一个小太监，你打了我一巴掌让我滚来着。"

"哦……你……你是那个……"

"齐飞。"

"对，对，我就看着你眼熟。你现在过得怎么样？"

"挺好的，我们还是谈正事吧。"我拦住拉家常的势头。当年同样在影视城外面排队领盒饭混日子的啊……

"我……有人跟我提起过你们，所以我……我实在没办法了……"宋雪亦低着头，手指在桌上乱画。感情问题？

"你直说吧，如果可以帮上忙我们一定尽力。"我就差拍胸脯打包票了，在没听到具体内容之前就说出大话，有些违反我的职业道德。但是管他呢，这是宋雪亦。

"最近王导有一部大制作的片子，我想争取演女一号。可是托人问了王导，他直接回绝了，说我不合适。"宋雪亦叹了口气，"我想自己去见见王导，看能不能说服他。"

"有需要我们的地方吗？"

"我听说……听说……你们有办法，可以……可以让人……"她的声音越来越小，到最后根本听不见她说的什么，但是我大概明白她的意思了。

"你该不会以为我是那种卖催情药的吧？"我笑着问。

"这个……"宋雪亦脖子红了，她低着头不再说话。

"我向你简单介绍一下吧，我们自称费客，也就是feelinghacker的意思。有时候会稍微改变一下别人的内分泌和激素水平，来控制他们的感情。不过我们是有原则的，可别把我们和接头卖粉末的小流氓混为一谈。"

"对不起。我之前真的不知道。那我该告辞了。"宋雪亦又叹了一口气，这次不但有失望，我还感觉到了一丝恐惧。她向上扶了扶墨镜，手臂上的袖子滑下，似乎有深紫色的印记在我眼前一闪。

虽然在戏里宋雪亦一直以小丫鬟、小秘书、邻家小妹这样的形象示人，但没想到她本人也是这么单纯，进入圈里这么多年了，完全是凭着任劳任怨和好运气走到现在吗？

"等一下。"这是今天犯的第二次规，"让你和导演潜规则这事我办不到，但是想上戏的话，也许我们能想想别的办法。"

"真的？"

"我只能说我尽力。"我尽量平静地回答，因为我没法让宋雪亦更安心，毕竟这个工作接不接，能不能办成，还是要取决于谢默。

"求你了，让我做什么都行。"宋雪亦的声音有些颤抖，我可以想象到在她的墨镜后面有眼泪在打转。是什么让她对这部戏这么在意？

"价钱在我们制定了方案之后会和你协商的。"我没法给宋雪亦更多的承诺，于是我摆回公事公办的表情，这让宋雪亦稍微冷静了些，

"一周后我会再联系你的。"

宋雪亦咬着嘴唇，似乎在极力控制自己的情绪。是失望还是感激？

"我先走了，你可以在这里稍坐一会儿，等心情好些了再走。"经过她身旁的时候，我想拍拍她的肩膀以示安慰，但最终还是没有做。

在回去的路上，我就下定决心帮她，不管违反多少条所谓的"费客法则"。我知道这一行的困难，而且大概是我想把自己对表演的憧憬寄托在她身上吧。

当我开门进屋，谢默的第一句话就是："说吧，你想求我做什么？"

"你怎么知道？"这个突然袭击打乱了我的阵脚，刚才想好的一大套说辞都忘了。

"你没有按三遍门铃。"

"好吧，是关于新客户的事。"我突然觉得嘴唇发干，没想到向谢默提请求并不是那么容易，"我想请你帮她，这个客户算得上我的一个熟人。"

谢默不置可否，我给自己倒了一杯水，开始向他讲述见面的经过，没想到刚说了一句话就被他打断了。

"你说是谁？"谢默猛地站起来，我突然发现他居然比我还高半头，"你说是宋雪亦？那个演过《进退两难》《懵懂岁月》的宋雪亦？"

"是……是的。"

"她有什么要求？"

"她想在一部戏里当女主角，但是那部戏的导演觉得她不太适合演那个角色。"

"怎么会不合适！哪个导演？要怎么才能让他同意？敲诈？威胁？

还是贿赂？这些都没问题……"

"嗨！"我打断谢默，我要为宋雪亦找一个冷静的费客，而他表现得像一个狂热的粉丝，不，也许疯狂更合适一些。"冷静一点，现在你需要的是坐下，听我讲完。"

谢默乖乖地坐下，让我讲完了见面的经过。

"她为什么非要接这部戏？"谢默问。

"这我也不知道。"

谢默思考片刻："那我们还是先做一下背景调查吧。"

"好的，我去向演艺圈的朋友打听打听。"做好了分工，我问谢默，"你是她的影迷？"

"她是我的女神。"谢默毫不犹豫地说。

出门之前，我又问了一遍："你可以为她做到什么地步。"

"我可以为了她让你去死。"这句话我在187路公交车上琢磨了三站地才想明白。

2

我用三天的时间收集了一些信息，王导的新电影算是一部警匪片，女一号是个有正义感的小警察。但是一次行动中同事因为上级的失误而牺牲了，她突然意识到只有身在高位才能贯彻真正的正义，于是为了争取升职，她放弃了原本坚守的原则，直到最后才幡然醒悟。题材老套，但是考验演技。

导演没看错，宋雪亦无论长相还是演出经历都是以青春少女的形象定位，和这部片子里的角色相差太远了。

而在私生活方面，圈里的人居然都说不出什么，只知道宋雪亦一直任劳任怨，只要有片子就接，基本上全年都在跑片场，根本没有私人生活的时间。

究竟是什么让她对这部戏如此执着？连一点线索都没有。

我把这些信息告诉谢默，和他从另一个渠道得来的消息差不多。看来只能从接戏这一步入手了。

下面的工作就要靠谢默制定帮助宋雪亦的方案。而我要做的，就是回避，让他好好思考。

第二天中午我接到谢默的电话，让我赶回绿岭小区。当我正准备按门铃的时候，门开了。谢默穿着红格子衬衣，浅蓝色牛仔裤，一双陈旧的休闲鞋，右脚内侧因为他的走路方式有了很严重的磨损。他正满头大汗地站在门口，为了显得更嬉皮一些，他还故意解开了三个扣子，露出苍白的胸口。

"你终于打算去相亲了？"

"不。我们是要去和宋雪亦谈谈方案的可行性。"

"你不与委托人见面这条规矩可以取消了？"

"见面的人还是你，我的角色是一个偶然发现她的路人。"

"你该不会是想问她要签名吧，现在都什么年代了。"

"当然不是，我已经订好了计划，我会在你和她说话时路过，偶然发现她。然后要求你帮忙，给我俩拍一张合影。记得要在我的脸上重点布光，不然会显得我有些黑。"

"好吧。"我只好接受这样的安排，"可是关于委托的方案呢？"

"我会在路上和你细说，赶快动身吧。我们要在三点之前到达银心商场的C门和她见面。"

因为从宋雪亦本身的性格和表演经历来说，与那个角色之间差得太远，谢默打算从根源上改变宋雪亦，就是说抑制宋雪亦的情感中枢，让她在理性冷酷的心态中体验生活，算是对演技的磨炼，也许会对她争取那个角色有帮助。但是说实话，其实这种事确实不适合让费客来干，这个方案的成功率连50%都不到。

我照实说出了我的看法。

"如果这样不行的话，"谢默胸有成竹地答道，"再考虑用威胁、敲诈或者贿赂，总之一定要帮宋雪亦抢到这个角色。"

在离银心商场还有两个路口的地方，我们下了车，分头向目的地走去。我不时回头看看谢默，人群中的他显得笨拙紧张。他挪着他受过伤的右腿，蹒跚地走着，脸上却带着控制不住的喜悦。

我站在商场门口的艺术雕塑下四处张望，没多久就看到了宋雪亦，她仍然戴着那副宽墨镜。我没有大声招呼，而是换了个醒目点的位置，她看到我，向我走来。谢默跛着脚，从侧面向我们走近，他嘴里不住地念念有词，不知道准备了什么样的开场白。

身后突然传来一阵骚乱的声音，一辆银灰色的电动面包车冲上人行道，向这边过来。我向旁边挪动两步，让开面包车前进的路线。

我转头看宋雪亦，她墨镜下的脸变得煞白，当我认出那是惊恐的表情时，身边响起刺耳的刹车声。一个大个子从车上下来，在我做出反应之前将什么东西套在我的头上。我记得的最后一个景象是谢默正带着天真的笑容走向宋雪亦，然后我眼前一黑，接着后脑重重地挨了一下。

我在机油、酒精和呕吐物的混合味道中醒来，后脑伴随着车子的颠簸一蹦一蹦的疼。

"你们是谁？为什么抓我？"

回答我的是胸口上的一拳。

这一拳让我清醒了不少，并且聪明了很多。接下来的路上我乖乖地闭上嘴，连喘气都不敢大声。套在我头上的东西又黏又酸，我试着想别的事情分散注意力，可是满脑子都是有关人质被撕票的新闻和电影画面。

幸好在我快要忍不住吐在头套里的时候，车停了。有人拉着我的胳膊把我拖下车。面罩里的光线亮了，走了一段路，一声让人牙酸的开门声之后，光线又暗了，我似乎被带进某个房间。

一个人把我按到一张椅子上，用塑料拉扣把我绑在椅子腿上。这种只卖五块钱一大包，随处都可以买到的东西真是大大方便了这些犯罪分子，如果罪犯界评什么最佳工具奖的话，塑料拉扣和AK47之间，应该会有一场白热化的拼搏。

头套被粗暴地扯掉，我眯着眼睛以适应突然的光亮。面前站着一个朦胧的人影。

"就是这小子吗？老四？你确定？"人影开口了，声音有些沙哑。

"肯定错不了。"那个抓我的大个子回答，原来他叫老四。

"别紧张，小伙子，以后我们有可能就是一家人了。"那个人影凑过来，我已经恢复了视力，可以看见他大概四十岁，满面油光的脸上都是粗大的毛孔，咧开的嘴里黄褐色的树桩一样的牙齿参差不齐地长着。他的下巴到衣领之间满是缭乱的青色纹身，脖子的一侧贴着银色的导电贴片。我没敢看他的眼睛。

我又看了看其他的两人——老四和面包车的司机，和这个人影打扮差不多。穿着廉价但是造型复杂的衣服，装饰着霓虹灯一样的氖气发光条和银色饰物，如同老式英雄片里走出来的人物。

二流混混。这种人都是流窜在城乡接合部的小流氓，平时做些强买强卖、碰瓷敲诈这样的勾当骗钱。他们就像是围着垃圾场转的野狗，靠咬脖子和闻屁股来和同类打交道。毫无疑问，那个人影的屁股是最香的。可是他们绑架我干什么。

"我叫周利。"人影自我介绍道，他拉过另一张椅子，倒骑着坐在我的对面。

我发现这两张椅子是这间屋子里仅有的第二个家具了，整个屋子弥漫着陈旧破败的霉味，墙上的涂料已经脱落大半，剩下的也都向外翘起，像死鱼身上的鳞片。房间的一角摆着两个已经看不出原形的装置，房顶上沿着墙横着一根管道，反射着潮湿的光，似乎什么地方还在往下滴水。看这些摆设，我现在似乎身处于一间废弃的工厂，这样的工厂在城郊有好几个。屋子里的光来自房间尽头的一块小气窗，窗玻璃已经碎了，剩下的玻璃茬向上戳着，仿佛野兽的牙齿，而我则像是早已被野兽吞下，正等待着被慢慢消化的食物。

周利伸手拍拍我的脸，把我从胡思乱想中唤回。我看看他，又看看他身后站着的老四，决定不开口为妙。

"那小丫头没跟你提过我？"周利说。

"谁？"我还是忍不住问了，随即用敬畏的目光看向老四，见他没有揍我的意思。我想话语权现在应该已经对我开放了。

"唉。"周利叹了一口气，"可以理解，你们可能还没有发展到见父母的环节。"他清清嗓子，"我是宋雪亦的父亲。嗯，你懂的，因为我娶了他妈。买一送一。"

周利发出不怀好意的笑声，老四和司机也跟着笑起来。

原来他是宋雪亦的继父，而且认为我是……她的男朋友？

"哦，您好……伯父……"我也陪着笑。

"嗯，很好。"周利把下巴放在椅背上，看着我，"告诉我，你们感情有多好？"

我知道，这些人尽管凶狠，但是却崇尚勇气，在他们面前唯唯诺诺还不如放松一些更好。

"误会了。"我干巴巴地笑道，"我和她只是那天偶然遇见，聊了两句而已。"

"没什么不好意思的，你就承认吧。"周利说，脸上闪烁着慈爱的光芒，就像我脸上的笑容一样真实。"我没打算为难你，其实我请你来，是想找你帮忙的。"

"好，没问题，我答应。"

"我还什么都没有说呢。"

"只要我能做到的，什么都答应。"我扭动肩膀，以表示我被绑得很紧，"我都这样了，还敢谈什么条件。"

"倒不需要你做什么，你知道，雪亦这孩子底子不错，以后肯定前途无量。在她成名之前我一直在资助她，可是那孩子太安于现状了，总是不成材。这不，我辛辛苦苦帮她打听了一部好戏，可是她不愿意去，你说说，不让她演些大片，我这么多年的投资什么时候才能见回报啊。"周利慷慨激昂地说着，好像以为有个养女当了演员自己也能拿奥斯卡了。这副做作的慈父模样连瞎子都骗不过。若换作平时，我一定会当场指出他表演的虚假之处，并且告诉他改进的方法，但是我现在知道了拳头是治话多的良药。

"你是说王导那部戏吧。"

"哦？你知道？"他眯起眼睛。

"其实她找我就是想让我给她帮忙的，你知道……"我试着耸耸肩，"我也是演艺圈的。"

"好，哈哈，好。"周利笑起来，这次是发自内心的，"这么说我有双重保障了，那小丫头不行的话还有你做保险呢。如果你们都办不成，那我就只能想别的办法了。你知道吗，凭她现在的名气，可是有不少人想花大价钱呢。"

"嘿嘿，是啊。"老四咧嘴笑了，"那丫头真不错呢。"

周利猛地站起来，回头一个勾拳打在老四的脸上，我还没有反应过来发生了什么事情，一米九几的老四已经应声倒地。周利俯视着他，"你说的是我女儿，给我注意点。"

"我的意思是说，把我放了的话机会更大一些。"当他再次看向我的时候，我清楚地表达了我这样的想法，并且努力不让自己的声音发抖。

"会放的，嘿嘿，会放的。"周利突然收起笑容，使劲扭动脖子，再看向我时，双眼里黯淡无光，脸上的皮肤似乎也松弛下垂了许多，像是很久没有睡觉了。我心里一凉，这个周利不仅是个暴徒，还是个严重的瘾君子。正是因为这样，他才把宋雪亦当成摇钱树，逼得她不停地赚钱，好来填满他这个无底洞。

"你们看好这个小子。"周利打个哈欠，转身走了。估计是急着要找个地方"过电"。

老四和司机此时似乎也有些疲倦，周利一出门，那个瘦皮猴一样的司机就连着打了几个哈欠。趁他们松懈，也许我能找到什么机会。

我偷偷地打量他们，希望能够找到些线索，换取点同情，或者自由。自由更好。

"你做这种事，你的女儿会怎么想？"我开口问道，眼睛盯着老四的左手无名指，那上面环绕着一个用塑料线管编制的手工戒指，线管已经褪色，戴了很长时间的样子。

老四和司机对视一眼："你什么意思？"他问道，然后他注意到了我的视线。他抬起手，看着戒指，表情迷茫，还有一些哀伤。

有门！

"你的本质不坏，只是做了些糊涂的选择。现在你还有做一个好人的机会。"我继续说。

"你是说这个戒指吗？"

我点点头。

"你还知道什么？"

"你的老婆离开了你，丢下一个女儿。你曾经一度迷失了方向，而拯救你的，正是你的女儿。你的女儿七八岁，是她编了那个戒指，你一直戴着，因为你要为了你的女儿能有一个更好的未来而坚强地活着。你一直没忘这个目标，但是现在你只是找不到好办法而已。"我说着，眼前浮现出一幅温暖的画面：被老婆抛弃的老四蜷缩在屋子的一角，脸上带着重度酒精依赖者特有的麻木，连自己的女儿叫他都没反应。穿着白纱裙的小女孩将那个戒指戴在他的手上，老四眼珠动了动，突然抱住女孩，父女俩抱头痛哭。

连我都忍不住快掉下眼泪了。

而老四只是大笑起来，那个司机更是笑得蹲在地上。

"我女儿？"老四止住笑，冷冰冰地看着我，"你编的故事比这个戒指还好看。"

我胸口上刚才挨打的位置突然开始一跳一跳地疼，我试着缩紧自己。

"这个戒指是我青梅竹马的女朋友给我编的，我一直戴着，计划用一个钻石戒指来还她这份礼物。可惜在我赚够钱之前她就跟别人跑了，还带走了我准备买钻戒的钱。"老四向我走近一步，"是一个演戏的小白脸把她给骗跑了，对了，你刚才说你是干什么的？"

是时候闭嘴了。我低着头，看着他的大号运动鞋又向我靠近了一步。等待挨揍的感觉比真挨打还难受。谢默说得不错，我早晚会因为这张嘴遭报应。

"老四，别吓唬这小子了。"这时候司机开口阻止了老四，"如果他真和老大的女儿成了一对，咱们就是自家人了，这时候可别做得太绝。”

我抬起头，送给司机一个感激的笑容。司机对我回以微笑，然后把手伸进我怀里，拿走了钱包。

“自家人，自家人。”我点着头说。

“这还不错，你老实待着。”司机晃晃我的钱包，拍拍老四的肩膀，“走吧，跟他干耗着也没意思，咱们也去放松放松。老大那下子可不轻啊……”

那两个人也走了，铁门在他们身后重重地关上，声音震耳欲聋。等嗡嗡的声音沉寂下来，房间里变得空荡荡的。

3

胸口又开始疼了，是不是被打断了肋骨？我明知道老四根本没有打到肋骨的位置，可就是禁不住去想。我想象着他们把我关在这里，胸口上的伤口溃烂化脓。每天吃着从门缝里塞进来一些发霉的饭和腥臭的水。每送一次饭我就在墙上画一道，直到墙上写满正字。他们从来没给我换过口味，不知道事先准备了多少烂饭……

尖利的金属摩擦声把我从半梦半醒中惊醒，一个穿着灰色耐克运动服套装的人被推进来。那个人趔着脚向前冲了几步，站稳了身体。

是谢默，我被绑架了，他却有时间换一身衣服。

“请将我绑起来吧，像他那样。”谢默礼貌地说。

站在门外的老四走过来，用拉扣把谢默绑在另一张椅子上，动作轻柔得像在抚摸一只猫。

“好了，打扰你们了。现在我被绑得很紧，你们可以放心去继续你们的娱乐了。"

老四沉思了片刻，似乎觉得谢默说得很有道理，他用空洞的眼神看了看我，然后迈着梦游般的步子离开了。

"东莨菪碱。"谢默解释。

"衣服不错啊。"我说。

"是啊，牛仔裤不方便，我专门回去换的。"谢默一边说，一边脱掉自己的鞋。

"这就是你的营救计划？请原谅我有点看不懂。"

"这才刚开始，我等这一天……"谢默猛地一扭身子，他身体的某个部分发出奇怪的摩擦声，好像有人正用指甲抓黑板，"我等这一天等了很长时间了。"刚才那个动作仿佛费了他不少力气，他喘着粗气说，额头上也有了汗珠。

"等什么……"我问了一半就停住了，因为我看见他的腿以一个十分诡异的角度转向后面，去够他被绑着的手。

"见鬼了，这是什么玩意。"

"我早就觉得总有一天会被人绑架，所以提前做了准备。"谢默好整以暇地看着我，那条腿探到身后，脚趾间夹着刀片，正在割拉扣。这场景只有粗糙的B级片里才会出现。

"什么？"

"我之前受过伤，半个骨盆和胯关节都换成了钛合金的。后来我用3D打印重新设计了我的骨盆，增加了一些功能，就是为了防备发生今天这种事。我的骨盆上现在有三个臼窝，现在用的是二挡。"他有些不满地看着我，"只可惜他们绑架的是你，如果是我就好了。"

"你这个变态，快把我解开，一会儿他们就该回来了。"

"不会的，我给他们加了点'调料'，他们睡得正香呢。"谢默解开了双手，又把腿抬起来，用脚指头挠耳朵，活像一只无耻的狗，"你看，我还能这样。"

"闭嘴，快点儿给我解开。"我吼道，哪怕老四回来揍我一顿我也不想再看谢默的表演了。

谢默站起来，迈着章鱼一样的步伐向我走来。

拉扣被切断了，我活动着发麻的双手，才想起来问他："你怎么找到我的？实时卫星？还是全市的天眼监控。"

谢默摇摇头，指着我的肚子："你的皮带扣里藏了一个防止猫狗走失的定位芯片。我从网上下载了一个APP，很容易就找到了。"

看在谢默这次救了我的分上，我忍了。

"来帮帮我，让这条腿恢复原位可不容易。"谢默抬起腿，示意我抓紧。他深吸一口气，身子猛地向后仰，他的腿"咔嗒"一声回到了原位。

我们还在以这种诡异的姿势纠缠在一起时，一个人推门走进房间，是周利。

周利冷冷地看着我们两个人，发现我们已经恢复了自由之后，才露出一个野兽般的微笑。他脱掉夹克，露出肌肉虬结的手臂，摆出一个准备搏击的姿势。

"他不是应该睡着了吗？"我瞪着谢默。

"我说不准，你知道，有的精神病患者脑部会有病变，也许我的抑制剂反而让他脑部其他的位置受到了刺激。"

"你说什么？"

"看他的样子好像正处在幻觉中，他想和你来一场公平的决斗。"

"公平？一个匪徒、瘾君子，而且还有可能是疯子的人要和我打架，你说这是公平？"

"不用怕，你身上的IGF-6已经用满两个疗程了。"

"什么玩意？从什么时候开始的？"

"一种生长因子，可以让你的肌肉更有力量，反应更快。"

"我要这种东西干什么？"

"我觉得你做动作明星也许潜力更大一些。"

"等等，你是觉得我太丑不适合做偶像派吗？"

狂躁的周利终于不耐烦了，他大吼一声，向我扑来。

尽管我曾经向动作指导学过那么一招半式，再加上那个IG什么鬼东西，我确实能够挡住周利的攻击。但是这依然改变不了我这一生从来没有向别人挥拳的事实。

我举起手臂防御，周利的拳头像攻城锤一样砸得我双臂生疼。我连连败退，周利再次向我的鼻子挥起一拳，我企图后仰躲过。但没想到却撞到躲在我身后的谢默身上，这一拳打在我的下巴，我顿时失去了对身体的控制，向后倒下，和谢默摔在一起。

获胜的周利缓步走来，他看着我，就像一只正在戏耍老鼠的猫。

突然，尖利的警报声在门外响起。

周利迟疑了，似乎在思考这声音所代表的意义。

这声音带给我的却是勇气和斗志，我条件反射般蹬出一脚，正中周利的脚踝，他失去重心向我倒下。在他落地之前，我的另一只脚又踹在他的脸上。

周利在半空中失去了意识。

我扶起谢默，走向门口。浑身疼得像是刚被一列火车撞过。

天色已晚，我们摸索着走过黑暗的走廊。我期待着门口有正义的警察，等待给我包扎伤口的护士，最好还有卖煎饼果子和烧烤的快餐车，我有点饿了。

可是外面的空地上，只有拿着扩音喇叭的宋雪亦。

"怎么是你？警察呢？"

"我从剧务大哥那里借来的道具。按这位……这位先生通知我的时间和地点过来的。"

"很好，你来得正是时候。"谢默一脸严肃地说。看他这副样子，谁能想象六个小时之前他听到宋雪亦的名字还激动得像见到骨头的狗一样。

"接下来怎么办？"我问。

"你做好准备了吗？"谢默没有回答我，而是问宋雪亦。

"我……"

"你的继父现在正在里面，还有另外两个小混混。我需要你报警，因为你的继父企图绑架这个年轻人，并且非法持有大量的违禁药品。"

"报警？我……不行不行。"宋雪亦连连摆手，"不行，我不能干这种事，我妈她……不行，那她一辈子都抬不起头来，还有我……"

"这样的人在你母亲的身边就相当于一个定时炸弹，正是因为你们母女俩的软弱才会让他这么嚣张。我会保证让他在里面待得时间长一点，你放心吧。"

"不行……"宋雪亦咬着嘴唇，最后干脆不说话了，只是站在那里流泪。

"好吧。"谢默双手轻轻地拍在宋雪亦的肩膀上，"你先冷静冷静。"

"你，过来。"谢默又转向我，把我拉到离宋雪亦稍远的地方，"一会儿你要和宋雪亦到警察局去做笔录，你现在要做的就是要编出一段合理的故事告诉警察，不过你们都是演员，应该没问题的。"

"我不去，我看见警察害怕。她也不想报警，我们给那个周利点颜色看看，让他不敢靠近宋雪亦就行了。"

"别忘了我们的委托，是帮助宋雪亦得到那个角色。如果有一个

'女演员大义灭亲主持正义'的新闻，再加上适当的炒作，对她有很大的帮助。而且那个人离宋雪亦越远越好，关在牢里最好。"

"让她做这种事，会不会太残忍了。"

"她会想通的。"谢默肯定地说。

就像是为了印证谢默的话，宋雪亦向我们走来，她面沉似水，脸上的泪早已擦干。

"现在打电话吗？"她问。

"随你。"

"那再等一等，我还有些事要办。"

谢默点点头，宋雪亦在空地上扫视一圈，然后捡起一根烂木棍，走进那间小屋。不一会儿，屋子里传来抽打什么的声音。

"到底怎么回事？"我想过去看看，可是浑身的疼痛让我懒得动。

"她被压抑的太久了，需要发泄一下而已。"

"在你的帮助下？"

"刚才拍她肩膀的时候，我在她脖子上贴了一剂药贴，一点感情中枢抑制剂，这是按原计划来的。"

"她明明不想这样做的，你不能操纵委托人的想法，这是你定的规则。"

"我们并没有操纵别人的想法，记住，我们只是帮助别人拨开迷雾，让他们正视自己的内心。好了，我得在警察过来之前离开。我还得去跟几个朋友联系一下，确保周利能够把牢坐稳，还要让人准备炒作这件事的稿子，你记得做完笔录赶紧回来给我帮忙。"

谢默挥挥手，一瘸一拐地走了。

我走进小屋，从宋雪亦手中拿走木棍，擦掉她的指纹，换上我的。然后我们靠着墙坐下，她面无表情地看着我，像机器人一样默记着我编的故事。我们一起等着警察的到来。

做完笔录，宋雪亦谢绝了我的陪同，她要自己回家，把这件事告诉她母亲。而我回到绿岭小区，按了三次门铃，然后开门进屋。

谢默正坐在电脑前，敲打着显示器等着我。

"见鬼，让我休息休息好不好。"

"放心，这次不是委托，是请柬，让你度假的。"

"什么？"

"韩谦给我们发来一张请柬。"

韩谦？那个浓眉？

"他下个月要和赵君华在伦敦举行婚礼，邀请我们做特别嘉宾。"

"他？和谁？赵君华？我们的委托不是……"

"我早就告诉你了，"谢默一副泰然处之的表情，"我们费客并不操纵别人的感情，我们只是帮助他们拨开迷雾，让他们正视自己的内心而已。"

弹震症

1

"你有一个做出正确选择的机会。"

韩均默读了两遍这句话，然后按下回车键。

"我明白，我知道要怎么做。"

回复来得很快，简洁、干脆。

韩均默默地点头，事情进行到这里，已经成功了一多半。

韩均潜伏在各大网站、论坛、自媒体评论区，发帖、留言，就为了找到这个ID叫作"毫不犹豫9527"的人。

通过长期观察，韩均知道这个人很忙，生活在平均值中等偏下一些，活跃时间通常是晚上十一点之后。他总是抱怨，脑袋里充满了理想主义和无休止的愤怒，还有，最关键的一点，他的道德模糊，并且愿意为一些虚无缥缈的理由付诸行动。

"制造工具是区分我们人类和动物的重要标志，也是千百年来无数劳动人民得以养家糊口的本领之一，我们的现代化社会就是靠工人制造的无数零件拼出来的。可是，3D打印机改变了这种平衡，它的出现将取代千百万工人的岗位，让数以千万计的工人失去工作，甚至无家可归。我们必须抵制3D打印机，这不是个人喜好的问题，这事关整个社会的平衡和发展。向制造了我们的电脑、我们的手机、我们的微波炉、我们的汽车……向制造这个社会的所有工人致敬。制造工具，是人类的特性，也是人类的权力！我们要捍卫我们的权力！！"韩均打出一串自己都不相信的空话。可是他知道，"毫不犹豫9527"会相信，一个字都不会怀疑。

"明天上午，10点整，工业园，新工业公司。""毫不犹豫9527"回复。

在网络的号召下，抵制3D工业化打印的人群将组织一场抗议，他们会像往常一样，拉条幅，喊口号。虽然他们诉诸的理由各不相同，但是反对3D打印让他们聚在一起。

得知这次抵制行动之后，那些做自媒体的拍客都蠢蠢欲动，希望拍到一些爆炸新闻以换取点击量。但韩均有自己的想法，他必须有的放矢。

"是的，做好准备。"

"明白。"

"你会穿什么衣服？"韩均故作随便地问，他必须能够在人群中认出这个陌生人，才能保持跟拍。尽管他无法预料网络另一面的人会做出什么样的行动，但是根据"毫不犹豫9527"平时的言行，韩均还是有很大的概率获得足够博人眼球的新闻。

"我会穿蓝白相间的衣服，很好认。"

"好的。"

韩均回复了最后一句，开始清理痕迹，他注销在这个网站建立的用户，删掉注册邮箱里所有的通信记录，现在，没有人能够通过"毫不犹豫9527"找到他了。

第二天韩均很早就到了滨江工业园，他躲过保安，爬上荣光制药厂的侧楼，从这里能够俯瞰到整个新工业公司的大门口。

3D打印机之前只是民用级别的小玩意，普通用户拿来做做餐具或者小玩具。但是新工业公司凭着自主专利技术将3D打印直接带进了工业量产化的水平，这确实给传统工业制造带来了冲击，但是并没有网络上说得那么严重。不过在很多人的推波助澜之下，工业3D打印简直成了洪水猛兽，它将是压垮传统工业、造成经济崩溃的最后一根稻草。

抗议的人群已经走过来了，有三四百人，这比韩均推测的还要多一些。虽然韩均始终在和这种人打交道，但是他到现在也没有搞清楚这些人的热情是从哪里来的。

韩均靠着楼顶的水泥墙坐好，戴上VR头盔，操纵飞行器起飞。

虚拟现实技术让他附身于那架仅有70厘米宽的飞行器上，如同飞翔的鸟。飞行器越过楼顶的女儿墙，向人群俯冲下去。

飞行器腹部的全方位摄像头实时地将拍摄到的画面传回VR头盔，韩均能够随时看到各个方向的景色，并且这段视频将会传到网络上，所有的VR系统用户都可以体验身临其境的感觉。

韩均跟在人群后面，保持七八米的高度，在这里没有人能够听到飞行器微声旋翼的声音，韩均观察着，打算等混乱开始再靠近些。

人们举着反对的牌子，沉默地走着，直到站在新工业门口才打起精神。三四个领头人站在队伍的最前面，挥舞着拳头，有节奏地喊着事先编好的、很押韵的口号。这时韩均发现了"毫不犹豫9527"，可是……

那身蓝白相间的衣服，是一件校服。

韩均一时间愣了，他没有想到精心挑选的对象竟然是一个孩子。

"毫不犹豫9527"看上去十五岁左右，身形不高，很瘦，黄黑相间的头发几乎盖住了眼睛，虽然穿着规矩的校服，但从"毫不犹豫9527"走路的姿势和喊口号的神态中都能看出他不是一个三好学生的样板。

不过他确实是个孩子。

这个年纪的孩子更加冲动，做事更加不考虑后果。

韩均窃喜，他操纵着飞行器靠近，心里已经开始编排那个孩子的故事：贫困的家庭，父亲因为3D打印的冲击下岗，母亲重病，孩子向新工业宣战……

新工业的人从办公楼里出来，一个负责人模样的中年人开始向抗议的人群讲话。韩均拍到了他脸上的特写，轻蔑、不屑、厌恶，所有能够加强对立的表情全部挤在这个愚蠢的负责人脸上。果然，不到一分钟，抗议的人群开始骚动，人们纷纷向前涌，新工业全副武装的保安举着有机玻璃盾牌挡在他们面前，飞行器从空中俯瞰，那场面像是潮水遇到礁石。

"毫不犹豫9527"也跟着人群向前涌，他瘦小的身材被挤得东倒西歪，但是他的气势毫不输给其他人。这个血气方刚的少年在人群中竟挤出一条路，他冲在最前面，高高跃起，一脚踹在防爆盾牌上，将那个保安踢得后退了一步，但是旁边一个保安补上了空缺，举着盾牌将"毫不犹豫9527"顶翻在地，人群中出现了一个微小的波澜。

这正是韩均等待的场面，他控制飞行器飞到侧面，让保安和抗议的人群分列两旁，镜头聚焦在"毫不犹豫9527"身上，前景和背景的人虚化成了模糊的脸谱。

这个构图太完美了，韩均自我感叹道。

"毫不犹豫9527"再次向盾牌冲击，像是义无反顾的西西弗斯。

几次之后，少年停了下来，他的额头不知道什么时候受伤了，血流下来，殷红了他半边脸庞。他抹了把脸，停下动作，等呼吸稍微均匀之后，少年掀起衣服，掏出一个玻璃瓶。瓶中装着无色的液体，瓶口用布塞着。

韩均意识到了那是什么——莫洛托夫鸡尾酒。

韩均的心中泛起一阵恐慌，他预料到了冲突，可能会有流血，但是……莫洛托夫鸡尾酒，操，这是武器。

少年点燃瓶口的布条，明黄色的火焰迅速跳跃在他手中。有的人意识到了这里的情况，向后退去，韩均的镜头中只剩下"毫不犹豫9527"。

一切在韩均的视野里变成了慢镜头，玻璃瓶脱离了少年的手，在空中旋转，弧形、多棱的瓶身反射着东边太阳的光芒，它砸在有机玻璃盾牌上，反弹回来，落在少年的脚边，碎了。

火焰迅速膨胀了好几十倍，随着泼洒出来的可燃液体爬上了"毫不犹豫9527"的身体。少年被吓傻了，他木讷地后退两步，火焰在他身上翻滚啃噬，这时他才感觉到疼痛。

明黄色的人形不辨方向地奔跑，所到之处自然形成一个真空的圈子，保安和抗议者远远地看着，没人上来抢救。少年摔倒了，撞破了腰间其他的瓶子，火焰再一次爆发出来。

韩均忘记了自己是在操纵无人机，他越靠越近，呆呆地看着这一切，VR头盔传来的图像让他身临其境。他的脸上发烫，仿佛感觉到了烈火的炙烤，虽然在拍摄之前已经关掉了声音，但是他却无法关掉自己无意识的哀号，是他煽动起了这一切，是他毁了这个孩子。

韩均默默地看着火焰在少年身上尽情舞蹈，闪亮的光烙进了他的脑海，他知道自己已经永远无法忘记这一幕。

"啊！"韩均大叫一声，从椅子上跳起来，周围的同事行动停滞了不到一秒，又开始继续做自己的事，显然对韩均午睡的时候还会做噩梦的毛病已经习以为常。

"又做噩梦了？"坐在邻座的同事徐清问。

韩均揉揉眼睛，挤出一个苦笑，从那天开始，这个梦已经纠缠了他四年。这是他的报应，他已经认命了。

"嗨，你真得去看看心理医生，你这么一惊一乍的，我们都快做噩梦了。"徐清靠在韩均的办公桌旁，俯视着他。

"几点了？"韩均看看电脑屏幕上的表，自己回答，"还有二十分钟呢，不行，我还得再休息一下。"

"别睡了，"徐清猛地一拍韩均的肩膀，凑过来悄悄地说，"你看公司最新的宣传片了吗？"

"什么宣传片？"韩均问。

"就是那个新项目啊，VR ARMOR。"

"不是离公布还有半年呢吗？宣传片都拍好了？"

"还没，不过宣传部的哥们给我发了一些粗片，你要不要看。"

"为什么要给我看？"韩均不解地问。

"这个太恐怖了，你只要看了，就会觉得你做的那些噩梦都不算什么了。"

"什么乱七八糟的，到底是公司的宣传片还是恐怖片。"韩均不屑地斜眼看同事。

"看了你就知道了。"徐清挤过来，用手机屏幕在电脑前一刷，视频开始通过串流播放。

韩均靠在椅子上，双手抱怀看着屏幕。

NETLORD天蓝色的Logo出现在屏幕上，然后是VR ARMOR泛着金属光泽的斜体字。

VR ARMOR是NETLORD公司计划新推出的全身式虚拟现实设备，像科幻游戏里常见的外骨骼，但它并不是让使用者到处走的，而是在内部放置了数不清的传感器和力回馈装置。

VR ARMOR比通常的头盔式VR设备更加封闭，能够让使用者完全沉浸在虚拟空间中。

随着VR系统将近十年的发展，在技术上和表现力上已经能够让使用者难以区分虚拟和现实。NETLORD公司就是凭借着自己开发的VR系统"ROOM"在这几年迅速崛起的，随着虚拟现实逐渐渗入到普通人的生活当中，ROOM系统在市场上的占有率几乎和微软的Windows系统持平，昔日的软件巨人因为错判了局势，在人体动作捕捉和识别方面耗费了太多的精力，现在想再夺回霸主的地位已经很难了。

但是NETLORD公司并未因此止步，它在VR系统体验上还想更进一步，VR ARMOR就是在"更真实、更虚幻"的理念下诞生的全新一代VR设备。单单是看到VR ARMOR这几个字，就让韩均心潮澎湃，因为这是身为NETLORD公司一员的他和其他人一起奋斗了无数个日日夜夜的成果，是他的骄傲。

但是在下一秒，画面变了，笑容凝固在韩均的脸上。

屏幕上出现一个粉色的球形物体，表面粗糙，坑坑洼洼的，有的地方还有或深或浅的色斑。几次呼吸之后，韩均意识到那是一张脸，一张被烧伤之后的脸。幻想中的火焰开始在韩均脑子里燃烧，以他的理智和勇气为燃料，火越烧越旺，吱吱作响。

"操，这……"

"他叫曾平，"视频的画外音响起，"四年前他在一场大火中幸存……"

那个像粉丝卷心菜一样的人转过来，直视着屏幕，从头部的下端裂开一条缝，那是曾平在笑。

"怎么样，公司……"徐清吐槽说，他声音很低，但是韩均猛地一震，仿佛五雷轰顶。他努力维持的理智崩溃了，就在他以为已经能够正常面对时刻纠缠他的噩梦时，噩梦回望着他，向他微笑。

韩均双腿发软，从办公椅上滑了下去。

"哎？你怎么了？"徐清发现韩均不见了，他弯下腰，发现韩均正蜷缩在桌子下面，双手揉着眼睛，力量大得简直要把眼珠子生生挖出来。

"快出来，你怎么了？"徐清伸出手把韩均拖了出来，让他靠着墙角坐好。韩均双手在脸上乱抹，好像想拼命搓掉什么东西。

"不可能，不可能。"韩均喃喃地念着同一句话，仿佛是某种咒语。

"你在说什么，来喝点水，嘿！"看到韩均歇斯底里地发作，徐清采取了最简单的方法：一巴掌扇在韩均脸上。

韩均停止了颤抖，他顺从地接过徐清塞给他的水杯，猛灌几口。一阵恶心的感觉涌上来，他推开同事，踉踉跄跄地向卫生间跑去。

但是韩均没有成功，几步之后，他张开嘴，全部吐在了公司光可鉴人的微晶石地砖上。口水、眼泪和鼻涕糊了韩均一脸，他听到身后窸窸窣窣的脚步声，其他人都聚了上来，但又谨慎地保持距离。徐清走到他身边，小心地不让自己的皮鞋沾到地上的呕吐物。

"你回去休息吧。"徐清拍着他的背说。

韩均没有回头，他胡乱抹了一把脸："替我请个假。"之后便狼狈地冲进安全通道，一路跑下楼梯。

回到自己的公寓，韩均从抽屉最里面找到了那张U盘，那次事件的全程录像就储存在那里面。但是韩均没有向任何人讲过，也没有向外传播过。尽管四年过去了，在那个少年身上起舞的火焰却从未熄灭，它一直在灼烧着韩均的良心。

在那之后，韩均就放弃了做VR自媒体的打算，开始四处投递简历，打算脚踏实地工作，永远不再接触那段往事。他幸运地被招进NETLORD公司，他有了朋友、有了同事、有了值得奋斗的梦想，还有了小小的成果，因为VR ARMOR的成功有他的一份功劳。

韩均把U盘连上电脑，鼠标移动到那段视频的图标上，突然开始苦笑。这四年来他每天都会梦到那个场景，连每一团火焰跳动的样子都记得清清楚楚，现在却要点开重看一遍。

但是转念一想他又开始骂自己傻：家里根本没有可以播放的VR设备。

VR系统的强大就在于用户拥有一个封闭的视觉空间，并且头盔内置的运动感应器可以根据用户头部转动来移动画面，给人真正身临其境的感觉。这也是VR自媒体兴起的原因，用户可以坐在自家的椅子上体验过山车的天旋地转，或者潜入海底欣赏遨游的鱼群……

或者，在半米之外看着一个少年被活活烧死。

那种真实的感觉给韩均留下了严重的后遗症，他不敢再靠近火焰，也不能再进入虚拟空间。

但是韩均想再看一遍当时的录像，他说不清为什么，只是单纯地想。

网上有将VR录像转换成二维电影的软件，韩均搜到一个破解版的，安装好，开始转换文件。

文件很大，屏幕上显示转换要一个半小时，根据韩均的经验，实际大概需要三个小时。

韩均站起来，摸摸肚子，早饭吐在公司的走廊上，现在临近中午，他的胃已经开始抗议。

如果韩均有VR设备，并且和他的同事们有着同样的消费习惯的话，他就可以进入虚拟街区，移动到商业街，在数字化的大堂点餐，然后静等送饭小哥上门服务。

但是韩均没有，所以他只好亲自走去饭馆，不过他不反感这样。

韩均溜达到两个路口外的商业街，找到一家小店点了一碗牛肉面。

虽然不是休息日，但是商业街上来来往往的人却也不少，尽管有预言家曾断定VR社区服务的兴起将会使实体商铺模式衰退，但这么多年过去也没看出来有什么影响。人类是最能够适应变化的生物，但骨子里还是传统。

当然那个做牛肉面的师傅除外，他戴着VR头盔和感应手套，双手在空中挥舞，操作着两米之外的料理机拉面、煮面、浇汤。

"明明可以直接用手操作，为什么要这样？"韩均问。

"这叫VR网络+，你见过穿着西装的厨子吗？这是我们店的特色。"厨师面对墙壁，却用收银台上的摄像头看着韩均。

韩均摇摇头，夹起一块牛肉，肉汁喷溅在嘴里，香气醇厚。

真实的就是真实的，永远不会改变。

黛西·冯（NETLORD公司的员工）深吸一口气，推开实验室的门，尽管已经来过无数次，但每次开门后，她仍然能感觉到一股冷风扑面，就像站在一个漆黑的山洞洞口，洞里藏着一头狼。

不过实验室里没有狼，只有半个人。

黛西走到电脑前，皱着眉看了看屏幕上的数据，犹豫几秒钟之后，她按下按键。

电脑旁一台类似VR ARMOR的盔甲式机器缓缓打开，露出里面使用者的……脸。

那张脸是平的，没有毛发，甚至连毛孔都没有。大火将他的皮肤烧成蜡一样的薄壳，五官只是那颗肉色蜡球上的几个空洞，眼睛在小坑里闪着光。黛西控制住自己没有往他的身上看去，因为那具身体比脸还要惨不忍睹，四肢被烧熔的皮肤粘连在一起，如同被皮肤缠裹起来的木乃伊，手和脚已经消失不见了，那场大火吞噬了它们。

两年前，NETLORD公司计划推出VR ARMOR全身感应型虚拟现实设备时，需要一个特别的代言人。黛西找到了这个叫曾平的可怜孩子，那时他像一只巨型蜘蛛的猎物，被各种管子和电线缠绕着，困在窄小的病床上，严重受伤的喉咙随着每一次呼吸发出尖利的啸声，好像一个人在荒野中绝望地吹着求生哨。NETLORD公司出资治疗了曾平，并且将他的康复和VR ARMOR开发计划结合在一起。在这两年中，他们拍了一系列的纪录片，在虚拟世界里，曾平可以行走了！曾平可以跑步了！曾平可以飞翔了！

在选择性测试的环节，随意挑选的潜在用户都被精心剪辑的纪录片感动得流下眼泪，表示一定会买一台VR ARMOR，好像他们买的不是一台虚拟现实设备，而是失去已久的良心。

纪录片传达了丰富的正能量信息，而在现实生活中，曾平的爸爸沉迷于酒精，妈妈无法面对自己的孩子变成这样。在收到NETLORD公司的合作款项后，他们消失了，将曾平留在公司。

黛西通过曾平的案子跻身公司高层，但从那时起，她也和曾平绑定在了一起。

"有什么事吗？"曾平问。

"你已经在里面待了六个小时了。"黛西说。

"哦，对，多亏你提醒，我应该去跑步了，麻烦帮我把球鞋拿来。"曾平抬起大腿，在空中晃了晃不存在的脚。

黛西没有理会曾平的讽刺："你不应该在里面待太久，测试系统的时候你要保持清醒。"

"你说得对，我总会混淆虚拟和现实，看，我在现实中是个废人啊！我真想保持清醒。"

"你……"黛西摇了摇头，暗骂自己怎么又被带入了这种状态。曾平像是一个阴郁和抱怨的黑洞，会把人的脑子向那个方向吸引，和他闲扯太多，总是能让人产生咬舌自尽的想法。

在恢复意识之后，曾平就对NETLORD公司提出要求，只和黛西沟通。于是黛西成了身兼保姆职能的克拉丽丝·史达林，而曾平是无耻、残废、丑陋版的汉尼拔·莱克特。

"这一版的VR ARMOR怎么样？"

"还行，不过……"尽管曾平是个浑蛋，但是他对虚拟现实系统的判断非常精准，并且时不时还会有异想天开而又切实可行的想法，事实证明，他的意见大多是正确的。

曾平说了十一点意见，黛西一一记下，打算稍后把这些交给程序员。

"等一下！"

"什么？"

"我说的那个……"

"你才17岁，VR性爱那部分功能不会向你开放的。"

随着VR ARMOR发布会的临近，公司内部铺天盖地都是曾平的纪录片。韩均在家躲着，十五天的年假很快用完了，在他面前有两个选择：辞职，或者回去上班。

韩均战战兢兢地回到公司，同事们都默契地对他吐在走廊那件事闭口不谈。也许他们在照顾韩均的感受，也许他们根本就不在乎，这就是做程序员的好处，大家都有怪毛病，不需要在人情世故上花太多心思。

治病最关键的是直面病因，看到纪录片中的曾平一天天"好转"起来，韩均心里那些说不上是愧疚还是悔恨的情绪稍微减弱了些。燃烧着烈火的梦仍然会来纠缠他，但是在梦中他已经听不到曾平的惨叫了，还有一次他居然感觉曾平在火焰里向他微笑，就像纪录片中那样。

VR ARMOR的发售大获成功，利用曾平作为代言让大家知道VR ARMOR不仅仅是一个VR头盔的加强版，而是完完全全的另一种生活。再加上NETLORD公司在这件产品上出色的设计和精益求精的工匠精神，连最挑剔的评论家都无话可说。

公司给所有员工额外发了丰厚的奖金，并且还计划组织开发组的员工们出国旅游。尽管大部分程序员都在抱怨不想出门，只希望宅在家里打游戏，可私下里却又在VR社区里挑选外出装备，所有人的虚拟形象都成了穿着渔夫装、工装短裤，戴着墨镜、遮阳帽的样子。

NETLORD公司的股价节节攀高，生产线上的订单都排到两年之后了。

这样的情况持续了一周。

"今天怎么大家都沉着脸？"韩均走进办公室，发现气氛有所不同，连抬起头看他一眼的人都没有，大家都冷冷地坐在自己的办公桌前，一言不发。

"不知道谁在网上传了一段视频，对我们公司打击很大。"徐清说。

"什么视频，发给我看看。"

徐清看看韩均，撇了撇嘴，伸手拿起自己桌上的VR VISION，递给韩均。

韩均捧着那个乳白色的VR头盔，迟迟不肯往头上戴。

"只有这个版本的。你快戴上看看，特震撼。"

"我……"

"你脸又白了，不舒服？"徐清皱着眉头问。

韩均摇摇头，仔细端详手中的头盔，最后咬了咬牙，把它戴在自己头上。经过几年的改版，VR头盔和他上一次戴——也就是四年前——感觉大不相同，它更加轻，与皮肤接触的位置不软不硬，牢牢地包裹着他的头部，没有漏光的地方，真舒服。

没有出现想象中透不过气的感觉，韩均仰着头，向徐清竖起大拇指，示意可以播放了。

视野由黑变蓝，渐渐地从视线之外亮起红光，接着一闪，韩均回到了那天早晨，他悬浮在七八米的高空，俯视着抗议的人群坚定而缓慢地向新工业公司的办公楼走去。

火焰，旋转的燃烧瓶，曾平的脸，一切又回到韩均的脑子里。

一只冰冷的手握住了韩均的心脏，寒气从胸口蔓延到四肢。他摘下头盔："这是什么意思。"

"你再往下看就知道了，"徐清摊手，"我们的代言人，当年是反对3D打印工业的抗议者。在众多抗议者中，那孩子是最凶猛的，他向保安投了燃烧弹，结果把自己烧了。我们的VR ARMOR全部是3D打印的，找到这样一个代言人，你知道这有多讽刺吗？"

"不！我是说这视频是谁上传的？"

"不知道，当初好多处于同情心和爱而下单的客户都取消了订单，我们的股价一下子跌了17个百分点，哎！韩均你上哪去！"徐清还在自顾自地说着，而韩均早就离开了办公室。

这到底是怎么回事？是谁把视频传到网上的？他是怎么得到这段视频的？

韩均带着满脑子的问题回到自己的公寓，他打开电脑，运行起自己编写的安全程序，自检的窗口里无数代码飞速跳跃，韩均盯着它们，但是却没有任何可疑的迹象。他又运行了一遍，然后开始在家里翻找，门窗没有暴力入侵的痕迹，密码锁也没有非正常登录，没有任何财物丢失。

一切正常，只是，抽屉里的U盘不见了。

"不用找了，是我拿走的。"正在韩均焦头烂额之际，一个清脆的女孩子声音突然在他身边响起。

韩均被吓得跳起来，险些撞翻了书桌，他稳住身子，四处寻找，但是没有发现任何人。

"谁！"韩均艰难地咽了一口口水，干涩地问。

一架小型的六轴飞行器从房间的一角飞出来，悬停在韩均面前："是我……"飞行器停了几秒，"很抱歉用特别的方式拿走了你的东西。"

"特别！"韩均吼道，他向飞行器走近一步，飞行器突然后撤了一段距离，像是在保持安全距离，"你这叫偷！"

"对不起。"飞行器说，声音很小，带着委屈，韩均突然心软了。

韩均开始观察这架飞行器，它的直径只有十几厘米，完全可以停在韩均的手掌上。六个微型旋翼一直转着，化作六团白光，但几乎听不到声音。飞行器的外壳非常简陋，没有任何装饰，看上去不像任何厂商的风格，应该是自行设计、然后3D打印的。不过这么小的飞行器，却有四个摄像头组、拾音麦克风、扩音器、高功率电机……做出这种设计的人，确实不简单。

韩均向飞行器挥了挥手，飞行器敏捷地躲开了。虽然凭借景深摄像头和免碰撞程序，自动飞行器也能够凭借精确的算法躲开韩均，不过凭着韩均多年驾驶飞行器的经验，他感觉这个微型无人机是有人在实时控制的。

这就说明……

驾驶者就在附近。

"你为什么要上传那段视频？"韩均问，他迈开步子，在房间里走动。靠近窗户时，他步子慢了些，外面的街道上冷冷清清，梧桐的叶子已经泛黄，有人快步跑过马路，没有可疑的迹象。

"这很重要，我必须阻止VR ARMOR的扩张。"飞行器跟在韩均的身旁，保持在他肩膀的高度，仿佛并肩而行。

"为什么？"韩均停下，注视着飞行器。

"因为，"飞行器一字一句地说，"不能再有更多的受害者了。"

"什么意思？什么受害者？"

"VR系统从问世，到现在全面进入市场，才有几年？安全性经过检验了吗？前两代的VR头盔简直就是半成品，那个时候分辨率不稳定，应用程序都还没有，就草草地卖出去600万套，简直是拿消费者做试验，还有过用户恐慌和癫痫的报道。这是完全不负责任的，现在VR系统还没有完善，竟然又要推出VRAMROR了，我支持这个新设备，但不是现在，也许，应该是三十年以后。"这套义正词严的宣言以一个略显稚嫩的女孩声音由一台微型飞行器传出来，三者相互矛盾的形象让韩均一时难以接受。

韩均晃晃脑袋："你说得这些太片面了。"

"我怎么片面了？人类使用含铅汽油的时候，造成了多大的危害？南极上空3500公里的空洞，那是80年前大规模使用氟利昂造成的。还有核电站、转基因，还有你的记步手表。科技走得太快，在确认安全之前就大量使用了，但所造成的影响却全都留给了后代。"

韩均笑了，这段说辞太像之前他在网上给别人洗脑时用的词了。

"天那，你究竟多大了？"

"关你什么事。"

"你应该少听那些网络名人的段子，他们为了吸引眼球什么都干得出来。你现在用的电就是核电站发出来的，转基因食品也已经供给两代人了，哪里有什么问题。"

"时间还不够长，我们必须谨慎。"

"不说这些了，我就是VR ARMOR系统的开发者，"韩均骄傲地说，有意忽略了"之一"两个字，"我们经过了几十万次的验证，不存在任何完全问题。"

"那你告诉我，你有多长时间没有戴上过VR头盔了？"

"这……我有特殊情况。"韩均支支吾吾地说，"这不能说明什么。"

"我还有其他方式能够证明。"

"什么方式？"

"我。"飞行器说，"我就是VR系统的受害者。"

"你怎么了？"

"我分不清虚拟和现实，"飞行器干笑两声，"他们说我有病，但是到现在还没有给我的病起一个名字。"

韩均知道这是谁了，他转身跑出公寓。

3

VR ARMOR面罩打开，曾平用了几秒钟才使眼睛聚焦，他看见黛西站在他面前："嘿！我们不是说过了吗？不能总这样强制打断我，前一秒我还在进行火星行走，下一秒就看见你在这里站着。"

黛西不说话，只是看着曾平，脸上的表情飘忽不定。

"有什么事就说，我还忙着呢。"

"我们的项目暂时停止了。"黛西说。

"停止了？为什么？这个项目不是发展得很好吗？VR ARMOR项目也进展得很不错，为什么要停止？公司都在这上面投资几十亿元了，你们是不是蠢？"

"你怎么知道公司的投资数？"

肉球裂开一道缝，露出参差不齐的白牙，曾平笑着说："我在那里面还是有点能耐的。"

黛西耸耸肩："你要是真有本事，现在就应该知道我在说什么了。"

"你什么……"曾平突然打住，重新躺回VR ARMOR。

"我等你十分钟。"黛西说，想想曾平将要知道的一切，她突然有一种幸灾乐祸的感觉。

"你为什么不一起进来？"曾平说。

"我更喜欢现实世界。"

黛西看着VR ARMOR缓缓合拢，将曾平吞入其中，她感到一阵轻松。因为抗议视频的缘故，高层突然改变了对曾平的态度，之前的合作关系不复存在。事实上，这是曾平在NETLORD公司的最后一天，之后，他将被送回他自己苍凉破败的家。出于人道主义精神，NETLORD公司会捐助给曾平一笔钱，如果要求不高的话，这笔钱能够让曾平在五年之内都享受到基本的医疗和康复护理，但是他可能不太容易接触到虚拟空间了。

这就是现实，现实中的现实。

VR ARMOR开发完成之后，黛西感觉到不应该让曾平仅仅停留在虚拟世界。于是她提出了RealityARMOR，结合虚拟现实和外骨骼双重功能的装备。它有着机器人型，既可以远程遥控，也可以进行穿戴，还集成了VR ARMOR的大部分功能。这件VR ARMOR是唯一的一件实验品，但是曾平仿佛对外面的世界完全失去了兴趣，还是整天沉迷在虚拟现实中。

这个出于私心的项目恐怕也保不住了。

黛西绕着VR ARMOR转了一圈，然后找了张椅子坐下来。她很想喝杯酒，但是实验室里除了连接VR ARMOR的一套设备，还有角落里曾平的病床，不过他很久没有在那里睡过了，为抢救准备的医疗设备上蒙了一层灰。因为曾平的外貌，更主要是他扭曲的性格，没有人想和他在一起，于是这个名为高科技设备实验室的房间被安排在冷清的办公楼北栋。北栋原先是3D打印的实验室，测试VR ARMOR时，所有的零件都可以随时打印随时测试。现在VR ARMOR进入量产，3D打印实验室就暂时关闭了。有时曾平会心血来潮让黛西做两条假腿，但是很快他就会对现实失去兴趣回到虚拟世界里去。

只有穿过长长的走廊，回到自己的办公室，黛西才能喝到纯正的麦芽威士忌，否则，她只能忍着。

不知道遣返曾平之后自己会受到什么样的处置，也许要和大办公室、威士忌告别。但为了第一时间看到曾平的反应，黛西决定留在这里，她觉得自己得了斯德哥尔摩综合征。

VR-AMROR传来轻响，黛西发现自己不知不觉中睡着了，她站起来走到VR ARMOR旁边，曾平向她看来，漆黑的瞳仁里燃起的火焰让黛西打了个冷战。

"这是谁上传的？"

"不知道。"

"NETLORD公司居然查不到？"

"视频已经扩散开了，是谁上传的不重要，重要的是如何挽回损失。"

"对！他们在诬蔑我、我的名声，我是不是要告他们侵犯我的名誉权？"

"不！"黛西突然提高了声音，曾平一愣，"我说的是公司的损失，你的形象与我们之前精心包装的形象有严重的冲突，这让NETLORD公司的口碑大打折扣，公司正在想办法补救。"

"怎么补……"曾平眼睛一亮，但随即变得暗淡无光，"哦……是要和我划清界限了吧。"

黛西点点头，这个场面不如想象中的愉快，反而让她有些内疚。

"如果是我，我也会这样做的。"曾平平静地说。

"我会尽力争取一些……"黛西脱口而出，但是却被曾平打断。

"不用了。"曾平说，"还有什么事吗？"

"没有了。"

"我还有多长时间？"

尽管心里有数，黛西还是看了一眼智能腕表，"到明天中午。"

"好吧，再让我在这里待一会儿，冷静冷静。"曾平说，"有事我会在VR里呼叫你的。"

"那个……"黛西张了张嘴，却说不出什么。

VR ARMOR再次合拢，黛西走出实验室，穿过漫长的走廊，向办公室走去。

终于可以喝一杯了。

她走了两步，听到空荡荡的走廊里还有另一个脚步声。

黛西回头，看见VR ARMOR跟在她身后。

"曾平，你去……"

VR ARMOR抬起手，一拳打在黛西额头，黛西重重地倒在走廊上。

"我冷静了一下，现在，我要发火了。"VR ARMOR说。

4

"你找谁？"开门的是个中年男子，比韩均矮，但是体重差不多是他的两倍。

"嗯，那个……"韩均看着中年男子头顶上稀疏的头发，不知道该如何开口，"您家有个女儿吧。"

韩均看男人皱起眉头，趁他还没说出脏话，接着说："请让我见她一面，我有点事要找她。"

"你他妈……"

"爸，让他进来吧。"男人刚骂了半句，一架六轴飞行器停在韩均肩膀上空，飞行器上的喇叭说。

男人耸耸肩，侧过身子，韩均从他的肚子和门框中间挤过去。

飞行器领着韩均，穿过客厅，走进卧室。

一个身材纤细的女人靠在床边，头上戴着最新型的VR VISION头盔，脸完全被遮住了，只能看到下巴的一道曲线。

"你是怎么知道我的？"女孩问。

"坐电梯的时候邻居大妈总是说，这一层有个奇怪的女孩，从来不出门，好像有什么病。"韩均看看女孩，又看看飞行器，不知道该面对谁，"再说这么大的飞行器，距离操纵者不能超过300米。不过在咱们这样的楼里面，超过120米信号就被削弱得不能实时控制了。"

女孩点点头："你说得很对。"

"飞行器是你自己设计的？"

"是。"

"真的很棒，"韩均伸长脖子，仔细端详着悬在他身旁的飞行器，"你这个飞行器的构造比市面上大多数的飞行器都要好。"

"嗯……那个……请不要离我太近好吗？"

韩均转头看着两米以外的女孩，她头盔下的下巴和脖子都泛红了。他猛地意识到她说的是飞行器。

"哦，对不起。"韩均后退了一些。

"为了让自己方便，我设计了很多种可以让我……怎么说……'附身'的装备。可是大多数我自己的小打印机都做不出来。"

韩均想了想："所以你无法分辨虚拟和现实，所以你做出了一系列存在于现实中的装备来帮助你在虚拟世界里判断现实？"

"你说得太复杂了，不过就是那样。"

"有意思。"韩均说。

飞行器落到女孩头顶，女孩站起来："对不起，我叫陆琪。"

"韩均，我想你早就知道了吧。"

"是的。"

"你一直在监视我？"韩均问。

飞行器从陆琪头顶飞离，绕到韩均身旁："是的，实际上，这栋楼所有的人，我都……"

"你这么做很不道德。"

"可是……我这个样子……不能出门，只能……"

"我不想听你的借口。"韩均打断女孩，"有的事，无论是因为什么，都不能做。"

被韩均斥责的陆琪倒抽一口气，发出小猫一样的叫声，头盔下的小嘴咬住嘴唇，不吭气了。

韩均叹了口气，语气缓和了些："U盘呢？"

飞行器一个俯冲，落在陆琪对面的书桌上，韩均顺着看过去，发现了自己的东西，他拿起来装进兜里。

"你到底是怎么了？"韩均问。

陆琪沉默了一会儿，伸手取下VR头盔。一张清秀的脸显露在韩均面前，陆琪看上去只有十四五岁，因为长时间窝在家里，她皮肤苍白，实际年龄应该比面相上要长几岁。VR头盔在她眼部周围留下了明显的印记，像是被潜水镜勒出的红圈。遗憾的是，本来大而明亮的眼睛却直勾勾地看着前方，目光涣散无神，好像盲人。

"你的眼睛……"韩均在陆琪面前挥挥手。

"我能看见，虽然我有些近视，但是这个距离是能看清的。"

"那你……"

"你驾驶过飞行器吧。"陆琪问。

韩均点头。

"当用VR视角驾驶飞行器的时候，应该注意什么？"

韩均想了想："别碰到东西？"

"是的，无论碰到什么东西，飞行器都会失去平衡，然后失控坠毁。"陆琪转动头部，向四周看看，然后猛地转回来，"对不起，为了让头盔的动作传感器感应到，我看东西更习惯转头而不是转眼珠。"

"可以理解。"

"还有，你开着飞行器时怎么下楼梯？"

"当然是飞过去了。"

"所以你能明白我了吧？"

"我不明白。"韩均被这个问题问得摸不到头脑。

陆琪突然蹲下，掀起了自己的睡裙，露出两条苍白的腿。

"你……"韩均赶紧把头偏向一边。

"没事，你看吧。"陆琪说。

韩均谨慎地把视线挪回来，看到那两条腿上纵横交错的伤疤，还有手术缝合的痕迹。

"我从高台、楼梯上飞下去，还有一次是三楼的阳台。"

"我明白了。"韩均摆摆手，让陆琪放下睡裙。

"VR太真实了，让人……"陆琪看着韩均，"我是说最起码有一部分人，会在虚拟空间迷失，无法分辨虚拟和现实，最终陷入迷茫。"

韩均想起了纠缠他很久的烈火之梦，点点头表示赞同："一直到现在，还没有人能够解决平面网络时代的晕3D游戏这种症状，虽然那样的用户很多，但是没有什么危害，所以没有人研究这样的事。"

"但是虚拟现实就不同了，对于像我这样的人来说，是致命的。"

"我很同情你，也同意你的看法。"韩均认真地说，"但是我不赞同你的行为……我曾经见过你这么大的孩子，为了所谓的责任和理想，以卵击石，最后……"

"你说的是他？"

"是的。"韩均承认。

"你觉得我会有危险？"陆琪笑道，"网络是透明的，即使是NETLORD公司也不敢对我怎么样。再说了，我用了假身份，还买了海外代理来发帖，它们不可能发现的。"

韩均以冷笑回应："你才多大，你也太小看这个世界了。"

话音刚落，仿佛是为了证明这个世界有多危险，窗外响起了尖利的轮胎摩擦地面的啸声，紧接着的是金属撞击和玻璃破碎的声音。

韩均和陆琪靠近窗户，看到100多米外的立交桥匝道上，一辆逆行的黑色SUV和一辆银色小轿车撞在一起。

"看见没？已经找到你了，你那些安全措施根本不顶用。"韩均指着那辆黑色的SUV，车身上贴着的正是NETLORD公司Logo。

陆琪撇了撇嘴。

SUV车门打开，一个墨绿色的高大身影从车上走下来。

"操！见鬼！怎么是他！"韩均后退一步，脸上愁云密布，"快！快走！"

"怎么了？"陆琪被韩均带得一个趔趄，"他是谁。"

"来找你的不是NETLORD公司，那个人是来报私仇的。"

绿色人影无视向他咒骂的轿车车主，轻轻一跃，站上了匝道的防护墙。

"他叫曾平，就是那个被火烧伤的人。那个大个子是NETLORD公司和军方合作开发的全息外骨骼，数字化战斗服。"韩均不知不觉加大了音量，"你把视频传了出去，这给NETLORD公司造成了很坏的影响，现在公司想甩掉这个包袱，对于曾平来说，免费的医疗和保险，还有无限制的虚拟空间都没了，你说他恨不恨你？"

陆琪咬着嘴唇点点头："现在怎么办？"

"现在……"

绿色人影微微屈膝，然后向前一跃，像一只扑击目标的猎鹰。可是匝道和公寓楼之间有着一百多米的距离，曾平只跨过不到一半的距离，便摔了下去，砸下去三十多米后落在街道旁的书报亭上。

"幸好调试还没有完成，我们还有一段时间。快走！"韩均拉着陆琪向外跑。走了两步，韩均又跑回来拿上陆琪的VR头盔，"他应该是根据你头盔的序列号跟踪你的。"

"那我们还带着它干什么？"

"你想让他把你家拆了吗？"

"那带上吧。"陆琪干脆地说。

他们跑出公寓，可是向下的电梯还停在十九楼，没有向下的趋势。楼梯间里传来"咚咚"的脚步声，沉重而充满力量。

韩均神经质地连续按着电梯按钮，可是徒劳无功。

"去他妈的保密协议，那套战斗服是实验品，军方想开发完全靠虚拟系统遥控指挥的战斗盔甲，就像你的遥控飞行器一样。VR ARMOR既可以穿戴，也可以遥控，曾平一直是这套战斗服的开发测试员。"韩均想了想，"很棒的测试员。"

电梯门开了，韩均快步走进去，他回头，看到陆琪扶着墙看着他，欲言又止。

"快进来啊。"

"我……你……你能背着我吗？"

"为什么？"

"我……晕现实。"

脚步声越来越近了，没有时间犹豫，韩均把陆琪拉过来，背在背上。好在女孩很轻，背起来也不算吃力。

"我爸就是这样带我出门的。"

电梯门关闭，开始缓慢下行。

"对了，你不说我都忘了，你爸呢？"

"他看到你来，大概回避了吧。他有点着急。"

"什么跟什么啊，有什么好回避的。"韩均无奈地笑笑，"通知你爸一声，暂时别回家。"

"好。"陆琪戴上VR头盔。

电梯门被撕裂的声音从头顶传来,让韩均牙根发酸。他靠着电梯墙壁,向上看,等待着。

电梯猛地一震,VR ARMOR重重地落在轿厢顶上,接着一只机械手穿破厢顶,向里面摸索。

韩均伏低身子,躲开那只手。陆琪抬着头,微型无人机像发卡一样别在耳边,充当她的眼睛。

"他要杀了我们吗?"

"大概是要杀了你,为什么你一点都不害怕?"

"这样的场景在虚拟游戏里见得太多了。"陆琪冷静地说。

"你不会指望我们还能读档吧。"

电梯终于到了,韩均第一时间冲了出去。

"我们得快离开这里。"

"开那辆车吧。"

陆琪指着前方一辆淡紫色的丰田两厢车,顺着她的动作,那辆车闪了两下车灯,门自动弹开了。

韩均把陆琪放在后排,自己坐进驾驶室,车子发动了。

"这是你家的车?"

"我喜欢这个颜色,这栋楼里所有的智能设备,我都破解过几百遍了。"陆琪说。

"好吧,你不能再这样了,这是犯罪。"

"游戏里没人这么说。"

"虚拟游戏不是一切。"韩均叫道。

韩均踩下油门,丰田车风驰电掣地驶出地下停车场。VR ARMOR不知疲惫地大步跟在后面,越来越远。

"终于甩掉了。"韩均长出一口气。

"现在怎么办？"

"我要回NETLORD公司去，那里有VR ARMOR的超驰装置，可以终止曾平的控制。"

"你所知道的，好像超过了一个普通的程序员。"六轴飞行器从陆琪头顶离开，悬停在韩均副驾驶座位上。

"我感觉他迟早要来杀我，所以做了些调查。"

"他会杀你？"

"我不知道，我感觉他会。"韩均舔舔嘴唇，"毕竟他有很严重的反社会倾向，是我精挑细选出来的人，凭着自己的喜好不顾一切。"

9

NETLORD公司大楼就在眼前，韩均放慢了车速，他远远地看到，大楼南栋的玻璃幕墙碎了一大片，形成了一个丑陋的洞，不时还有玻璃渣向下掉。前方隐约有红蓝色的闪光，还有警笛的声音。

韩均又向前开了些，警察已经将公司围住了，前面堵得水泄不通。

"妈的。"韩均骂道，他掉转车头，兜了个圈，把车停在公司后门。

韩均背着陆琪，悄悄上了北栋，一路上没看到其他的员工，大概是已经被疏散了。

推开高科技设备实验室的门，里面一片狼藉。

韩均放下陆琪，走进屋内，连接VR ARMOR的主控电脑被砸得稀烂，韩均所有的线索就到此为止了，他只听说过有一个超驰装置。但是那东西长什么样，是一个程序？还是一个人肉炸弹可以拿在手里那种按钮？他根本不知道。

"嗯……"

安静的实验室里响起一声呻吟。

韩均绕过桌子，看到他的顶头上司的上司——黛西·冯——倒在地上，额头有一大片瘀血。

"冯总，你怎么样？"韩均扶起黛西，想了想，学着电影里的动作用大拇指掐她的人中。

黛西长出一口气，睁开眼睛："你是谁？"

"我是咱们NETLORD公司的员工。冯总，VR ARMOR的超驰装置在哪？我们必须阻止曾平。"

"叫我黛西，这是公司的机密，你不能……"

"冯总！"韩均一手抓住黛西的肩膀，"没时间了，曾平要杀了她，我们必须……"韩均指向门口，可是本该等在那里的陆琪不见了。

"陆琪！"韩均追出实验室，但是看不到陆琪的影子。

只有一个绿色的人。

韩均退回实验室，对黛西大叫："快！超驰装置！让他停下。"

黛西指指那一堆电脑残渣，摇了摇头。

VR ARMOR走进实验室："那个女孩在哪？"人形的机械瓮声瓮气地吼道。

"你不需要找她。"韩均说，他随着VR ARMOR的逼近向后退步，故意将战斗装甲引向房间的一侧，给黛西留出逃跑的空间。可是黛西只是直勾勾地看着VR ARMOR，没有离开的意思。

"不，她毁了我的一切，我要撕碎她。"

"不是她，是我。"韩均看着机器人说，"是我毁了你的一切。"

"你？"战斗装甲的动作突然停下，"你是什么玩意？"

"这是一次做出正确决定的机会，你确定要做吗？"

"什么？"

"这是一次做出正确决定的机会，你确定要做吗？"

"你在搞什么鬼。"

"靠！四年前，是我煽动你去'新工业'门口抗议的，你还记得吧。"韩均挺了挺腰板，让自己看上去没有那么心虚，"你只在网上跟我交谈过，但是我知道你的一切。"

"是你……"曾平沉默了几秒，像是在思考，"所以那段视频是你拍的。"

"是的，"韩均点头，"虽然我完全没有料到会是这样的结果。"

曾平笑了，笑得前仰后合，这让战斗装甲的动作看起来十分诡异。

最后，曾平收起笑声，对着韩均俯下身子，"你给了我一个很好的理由。"

VR ARMOR对着韩均的肋骨挥出一拳，韩均根本没有反应的时间，他的脑子里只闪过一串数据：VR ARMOR能将使用者的力量放大35倍。

韩均飞了出去，但不是被VR ARMOR打中，一道银色的光插在拳头和韩均之间，挡住了那一拳。他被银色的影子撞开，很疼，但是比硬挨上一拳要轻多了。

他爬起来，看到一个银白色的机器人型，双手抓着VR ARMOR的手臂，对峙着。

"你是谁！"曾平愤怒地问。

"我是你想杀掉的人。"银色机器人用清脆的女声回答。

"陆琪？"

"是我，顺便说一句，你们公司的超级打印机真棒，我老早就想打印些大玩具玩了。"

"这可不是在玩游戏！"

"我……"陆琪刚刚开口，就被曾平挣脱了，VR ARMOR反手抓住银色机器人的手臂，轻松撕了下来。然后VR ARMOR一脚踢翻了机器人，将它踩在脚下。

"你临时打印出来的玩意怎么能跟我的比，我的全部精力都用来打造VR ARMOR了！"曾平吼道，重重地踩在机器人的胸膛，3D打印特有的多层缓冲结构护甲陷下去一个深坑。"全部！这是我存在的意义！你们把它毁了！明白吗？毁了！"

每喊一句，曾平就再踩一脚，直到将机器人的身体踩出一个大洞才停下。

"我倒要看看你长得什么模样。"曾平操纵着VR ARMOR弯下腰，双手扯开机器人的胸甲，驾驶舱的位置……没有人。

机器人根本就没有驾驶舱。

"我在这呢！"又一个机器人出现在实验室，大步冲向VR ARMOR，银色和绿色机器人又缠斗在一起。

"想打败我？"曾平的拳头砸在机器人腰间，机器人顺势旋转，一脚踢在VR ARMOR前胸，VR ARMOR后退几步，但是嘴上却不停。"我在这套装甲里训练了上千个小时！"

"我这半辈子都在用这种方式感知世界！"陆琪的机器人继续进攻，曾平躲开凌厉的一拳，从侧面勾拳打在机器人的头部。这一击打坏了机器人的无线装置，机器人瘫倒在地上。

"你不觉得这事可笑吗？"又一个声音在门口响起，"你从一开始就反对3D打印，现在你将彻底败在3D打印的手下。"

银色的机器人再次向VR ARMOR发动攻击，十几个回合之后，它再次倒在VR ARMOR的拳头下。但是又有一个新的机器人补充上来。

很快，曾平就露出了疲态，他的反应变慢了，攻击也不再果决，攻击时愤怒的咆哮也变成了沉重的喘气。

陆琪的机器人逮到一个机会，将VR ARMOR摔在地上，盔甲的左臂肘关节超过了转动的最大限度，断了，断口处电线暴露出来，冒出点点火花。幸好曾平的左手早就没有了，不然此时也免不了骨断筋折。

VR ARMOR勉强站起来，还想挥出右拳，陆琪再次击倒它。银色战士压住VR ARMOR，复合材料的机械手插入VR ARMOR胸甲的缝隙，掀开驾驶舱的门，露出里面面目狰狞、瘦弱可怜的曾平。

陆琪将手伸向他。

"陆琪！"韩均见状，高喊制止了女孩，"别伤害他！"

"不不不，我……我只想看看他。"陆琪辩解道。

"好了，没事了，你回来吧。"韩均说，他绕过VR ARMOR和陆琪的机器人，走到黛西身边，"冯……冯总，那个……"

陆琪走进实验室，她戴着VR头盔，微型飞行器在她身前半米左右的位置，引导她的前进，像导盲犬一样。

"是这个女孩上传的那段视频，嗯，怎么说呢，"韩均搓搓鼻梁，"完全是个误会，这……"

黛西疲惫地摆摆手："别说了，我不在乎。"

黛西转向陆琪："你能看见我吗？"

飞行器上下晃动几次，表示点头。

"这个机器人是你设计的？"

"是的，我很早就设计好了，但是我家的打印机只能输出50cm以下的东西，所以我一直没有试过打印大型的东西，阿姨，你们公司的3D打印机真棒，我很早就想试了。"

"嗯，对。"黛西看看陆琪的飞行器，又仔细端详银色机器人。

黛西敏锐地感觉到，陆琪是个VR应用的天才，也许，她能够取代曾平的位置？

"啊……"有人长出一口气，曾平醒了。VR ARMOR跌跌撞撞地站起来，这代表着NETLORD公司最高技术结晶的东西，现在残破不堪，摇摇欲坠。

"曾平，够了。"韩均挡在黛西和陆琪前面，"我很抱歉你受到的一切，如果可以的话，我希望能够补偿你。"

"NETLORD公司都不能给我的，你能给我吗？"曾平看着对面的三个人，没有眼睑的眼睛转了转，"我只想向毁掉我的人……"VR ARMOR举起右手，手里抓着一直涂着蓝漆的钢瓶——曾平病床前的氧气罐。

"报仇！"曾平大吼，将氧气罐扔了过来。

"小心！"韩均回身护住黛西和陆琪。

"咣"的一声巨响，钢瓶撞上墙壁，倒在地上。撞击使钢瓶裂开一道缝隙，氧气通过裂缝"嘶嘶"地向外跑。

微型六轴飞行器落在地上。

陆琪在那一瞬间切换了控制，她操纵机器人挡住了钢瓶。钢瓶弹回去，砸在VR ARMOR上，盔甲仰面倒地。

在反作用力下，钢瓶滚动两圈，滚到了绿色机械腿旁边，不动了。

"不好，会爆炸的。"韩均快步跑到VR ARMOR旁边，将曾平从稳定装置中解开。刚才的撞击砸中了曾平，他原本就瘦弱的半边胸膛塌了下去，嘴角满是血迹。

"放开我！"

"别闹！会爆炸的！"

韩均将他抱起来，失去了四肢的曾平并不重，抱在怀里像抱着一个孩子，其实他仍然是个孩子。

曾平拼命挣扎，用手臂的断桩抽打韩均的脸："放开我！我不走！"

"不走你会死的！"

"我早就死了！"曾平猛地一挺身子，手臂戳在韩均的眼睛上。韩均眼前一黑，松了手，曾平就势挣脱，他落在地上，用残缺的四肢奋力爬开，竟然重新爬回到VR ARMOR的驾驶舱。

"回来吧，他不会离开的。"看到韩均站在VR ARMOR前发呆，黛西叫道。

"我不会离开的，这里才是我的世界。"曾平看了韩均最后一眼，合上扭曲了的驾驶舱盖。

钢瓶还在嘶叫，氧气扩散开来。VR ARMOR的左臂断裂处冒出一股火花，然后，爆炸了。

火焰和气浪爆发开来，掀翻了韩均、黛西和陆琪。

黛西从地上爬起来，顾不得烧焦的头发和脸上被碎片划出的伤口，她呆呆地看着火焰中心的VR ARMOR，曾平透过驾驶舱的圆窗和她对视，火焰包裹了曾平，但他无动于衷。

所有的一切，这么多年来的努力，全部消失殆尽。

黛西转身，走出实验室，走过漫长的走廊，回到自己的办公室。黛西给自己倒了一杯威士忌，一口喝干。她从柜子中拿出VR VISION，戴在头上。眼前浮现出她刚发现曾平的时候，那个丑陋的孩子是那样的粗俗愤怒，她陪着他康复，帮助他排解心中的怒火。她还看到他第一次进入VR世界，看到失而复得的手脚时的表情。

黛西把自己留在那里。

韩均扶起陆琪，VR头盔被震飞了，女孩又露出她本来的脸。

"这就是真正的火焰吗？"陆琪问。

"是的。"

陆琪向火焰伸出手去，但很快又缩了回来："疼！"

"对，它会让你疼。"韩均说，"这是现实最坏的地方，也是最好的地方。"

火渐渐熄灭，化作一股黑烟，真实而又虚幻。

（作品获第五届蝌蚪五线谱"光年杯"一等奖）

鲸鱼航线

1

桅杆上飞来一只鸟，它若无其事地卧在收起的帆上，好像那是一个免费的窝。它静静地待在那里，一动不动地注视着海面，偶尔回过头，用长长的喙给自己挠挠痒痒。

"那是什么鸟？"

"海鸥吧？"

"小声点，别把它吓跑了。"

船员们顶着头顶的烈日，眯着眼睛看着那只鸟，同时窃窃私语。

在那只鸟的背后，一个褐色的身影正在慢慢地靠近。

"塞勒斯，慢点，别吓到它。"

"闭嘴，别说话。"旁边的人低声地骂道。

塞勒斯沿着桅杆一步步逼近，额头上的汗水流进眼睛里，他艰难地挤挤眼睛，但是视线一直没有离开那只鸟。

就要到了，塞勒斯握紧手中的网，正准备向那只鸟撒出去。

"船长！娜塔莎在十一点方向！十一点方向！"瞭望员从桅杆顶上的观察室探出头大吼。

那只鸟猛地一惊，展开白色的翅膀，飞走了。围观的人发出一片扫兴的嘘声。

"汉克，你他娘的不知道等一下再喊吗？"塞勒斯挥着手中的网骂道。

"怎么了？你们在玩什么？等等我，我在上面快热死了。"

"活该，你就在上面脱水吧。"

塞勒斯和汉克你一句我一句地斗嘴，下面的船员们眼见没什么热闹可看了，便纷纷转身准备找阴凉地方待着去。

"没听到汉克说的吗？"一个严肃的声音从头顶船长室里传来，船员们在烈日之下打了个哆嗦，"转舵，跟上娜塔莎。"那个声音说。

命令一下，船员们马上各就各位，摇起沉重的铁桨，向娜塔莎追去。

娜塔莎是一头鲸鱼的名字，没人知道这个名字的由来，也没有人见到过这头鲸鱼的全貌。只有喷出的水柱和偶尔扬起的鱼尾标志着它的存在。

在众人沉重的呼吸声中，达尔文号转了一个角度，跟随在娜塔莎后面。

扑扇翅膀的声音又在头顶响起，那只鸟飞了回来，稳稳地落在了桅杆上，好像刚才什么事情都没有发生过。

那或许是一只落单的鸟，或许只是累了。自从海平面上涨之后，大片的陆地被淹没在海水之下，原本在栖息地进行两点一线迁徙的候鸟完全迷失了方向，很多鸟类在飞行中筋疲力尽，坠入海中而死。

这一只鸟的生命似乎也快到了尽头。

正准备爬下桅杆的塞勒斯看看那只鸟，又看了看船长室。一番权衡之后，他又爬回到桅杆上。

塞勒斯像刚才一样悄悄靠近那只鸟，但显然少了很多耐心。在离鸟还有一段距离时，塞勒斯便迫不及待地扔出了手中的网。

那只鸟真的是耗尽了体力，它没有挣扎也没有鸣叫，便被塞勒斯拎着双脚捉住了。

船员们欢呼起来。

"快！快！快！"他们兴奋地叫着，用铁桨敲打着船体，发出震耳欲聋的铛铛声。

塞勒斯轻轻一跃，落在甲板上，一只手捉着那只鸟，另一只手从腰间掏出匕首。

船员们停下手中的活计，又围上来。

"快点，塞勒斯。老天，求你保佑，这只鸟的肚子里一定要有种子啊。"

"别抱太大希望，看它那样子，即使它真是从陆地来的，恐怕也早消化光了。"

"苹果，千万得是苹果种子，我都已经十五年没吃过苹果了。"

"葡萄更好，还可以酿葡萄酒喝。"

"我想吃香蕉。"

"笨蛋，香蕉经过了漫长的人工培育，它的种子已经退化了，以前的人类只能通过根蘖幼芽来培育香蕉。从那只鸟的胃里无论如何也不可能找到香蕉种子的。"

"好了好了，'教授'，省省吧，我只是说说而已。"

塞勒斯扫视了一圈水手们，像仪式一般，用匕首剖开那只鸟的肚子，从一堆污物中找到它小小的胃。可惜的是，那只鸟看上去已经很久没有吃过东西了，没有任何植物种子的影子。

尽管知道希望不大，水手们还是露出了失望的表情，准备散去。

"等一下，"塞勒斯作弄般地叫道，"那里还有好东西呢！"他转身又爬回桅杆，顺着横桅杆走到刚才那只海鸟卧着的地方，三枚鸟蛋静静地躺在那里。

塞勒斯拾起鸟蛋，高高地举向空中，好像捡到的是所罗门王的宝藏。

水手们一阵欢呼，这意味着终于可以改善伙食了。他们仰着头，期待地看着塞勒斯。

而塞勒斯的动作却停住了，他眯着眼睛，向远方看去。过了一会儿他才叫道："船长！海面上有人！"

水手们纷纷涌向船舷，伸着脖子向塞勒斯指着的方向看去。海上的日子太枯燥了，有时候连着几个月发生的事情都不如今天这一天多。

在船头不远处的地方，一个男人正抱着一块橘黄色的救生泡沫板，随着海浪一起一伏。

半个小时之后，那个男人爬上了达尔文号的甲板。他有着亚洲人的面孔，黄皮肤，黑头发，五官平坦，单眼皮的眼睛显得很小，此时他的脸已经被阳光晒得通红。他穿着一件淡蓝色的商务衬衫，米色休闲裤。

那个男人在甲板上躺了几分钟，恢复体力之后才慢慢地站起来。他看着正围观他的水手们，几次呼吸之后，低声说了一句："谢谢。"

"欢迎来到达尔文号。"塞勒斯分开众人，将一杯水递给那个亚洲人，"我是大副塞勒斯，先喝口水吧。"

那个人接过杯子，大口喝光了杯中的水，然后他猛烈地咳嗽起来。

塞勒斯轻轻地拍打着他的背："别着急，还有呢。"

"还有？你说水还有？"亚洲人惊讶地看着塞勒斯。

"当然，我们是在海上，到处都是水。"塞勒斯摊开手。

"我是说……可以喝的水。"

"是啊，那边有个蒸馏室，淡水要多少有多少。"

"这样啊，"亚洲人把杯子递给塞勒斯，"我能再来一杯吗？"

塞勒斯点点头，把杯子传给一个水手，水手转身去打水了。

在等待的空隙，塞勒斯注视着那个亚洲人，严肃地说："现在来说说你吧。"

"呃……好吧，我叫齐林，是中国人。一周……或者十天前，我记不清了，我被他们抛弃了，一直在海上漂着。"

"他们是谁？"塞勒斯追问道，"他们乘的是什么船？"

齐林皱紧眉头，大口喘着气，获救的兴奋已经过去，若干天漂泊带来的疲惫再度袭来，他咬紧牙关，从牙缝里挤出几个字："不是船……"然后晕了过去。

"不是船！他说不是船！"

"那就是陆地了！"

"陆地！"

"好了别吵了，快把他抬到船舱里去。"塞勒斯指挥着众人，"船医！别划桨了，快去照顾病号！"

喉咙中滑过的冰凉感觉将齐林从炎热和口渴的噩梦中唤醒。他睁开眼，看到一只满是汗毛的手臂，正端着一碗水往他嘴里送。

"谢谢，我好多了。"齐林推开那只手，试图坐起来，肚子里传来一阵灌满水后"咕噜咕噜"的声音，他晃晃身体，肚子里的水似乎还在晃荡。

"你确定？"大手扶着齐林的肩膀，齐林顺着手臂向上看，看到一张汗津津、毛茸茸的大脸，脸上挂着笑容，露出没有牙齿的牙床。"你好，我是船医。"

"我感觉好多了，真的。"齐林站起来，身子晃了晃，但他很快发现那是船在晃动，而自己的四肢并没有想象中那样虚弱。

"那就去见船长吧，他在等着你。"船医做个手势，转身推开舱门，门外堆满了因好奇而围观的脑袋。船医用强壮的肩膀在人群中分开一条路，他边走边对其他的船员喊道："我就说是脱水，你们都不信，八碗水灌下去立刻就好了。我是船医，我还能出错？"

齐林跟在船医身后穿过人群，突然有种似曾相识的感觉。大灾难之前他去过动物园，还向猴子扔过面包，只不过现在好像自己成了被参观的动物。

他们穿过昏暗的走廊，踏着生锈的楼梯来到甲板上，刺眼的阳光和温热的空气扑面而来，让齐林又是一阵发昏。

船医指着甲板上的二层舱室："船长就在那里，去吧。"

齐林点点头，刚刚迈开步子，又被船医拉住。

"一定要记住，在这艘船上，船长说的话就是一切，明白了吗？"船医靠近齐林，在他耳边严肃地说。

"明白。"齐林轻声回答，用手揉着胳膊，船医的大手像帝王蟹的巨螯，钳得他生疼。

来到船长室门口，齐林停下脚步，正准备敲门，门那边传来的声音让他停下了动作。

"……我们已经很久没有见过绿色了，为什么不去寻找陆地？"齐林认得这个声音，是自称大副的塞勒斯。

"没有必要。"另一个声音说道，简洁、干脆。这就是船长了吧，齐林想。

"我们救上来的那个人在海上漂了没几天，说明这附近就有陆地。"

"我们不去。"

"可是船员们都知道这附近有陆地，你这几个字说服不了他们。"

"所以你要替我去说服他们。"

"你也说服不了我。"

船长沉默了，船长室里很久都没有传出声音。

齐林咬咬牙，轻轻地在钢制的舱门上敲了敲。

"谁？"

齐林轻轻推开门："你好，我是……"他在门口探出头，目光扫过塞勒斯，当他看见船长的时候，后半句话仿佛被噎住了。

齐林本以为船长是个高大威武，独断独行的人，即使没有瞎一只眼，或者缺一只脚，也应该是个浑身布满刀疤的硬汉。可是站在大副对面的，是一个中年男人，一米六几，黑头发，可是头顶已经秃了，剩下为数不多的头发盘旋在他脑袋的赤道线附近。他穿着旧得发黄的衬衫，米黄色坎肩，戴着一副金丝眼镜，鼻子下留着斯大林式的胡子，如果肩膀上再搭一条皮尺，手中握着剪刀，他简直就是一个谦卑的裁缝。

齐林盯着那人，心里知道有些不礼貌，但是他不知道该说些什么。

"你好，我是达尔文号的船长。"船长走近齐林，向他伸出手来，"詹姆斯。"

"我是齐林。"齐林看看塞勒斯，咽了口口水，"我听到了你们的谈话，我……可以说是从陆地来的，其实就在东边不远的地方。"

船长平静地看着他，脸上没有表情："能和我讲讲那里吗？"

"那里有很多人，都是大灾难的幸存者。海平面上涨之前，那里有很多摩天大楼，现在还有一部分露在海面上，人们都聚集在哪里。"齐林说。

"你为什么离开那里？"

"我……那个……"齐林支支吾吾地低下头。

船长和塞勒斯对视一眼："请让我们单独谈谈。"

大副点头，从齐林身旁走过，门在他身后关上。塞勒斯走上甲板，把附近有陆地的消息告诉船员，甲板上响起欢呼和口号声，但很快被船长制止了。

2

"记住，这是我们所有人的船，划桨的时候要和大家一起，每一次呼吸，每一次心跳，都要和大家同步。不然，你就会扰乱大家的节奏，还有可能撞坏其他人的桨，知道了吗？"

"知道了，女士。"齐林大声回答道，沉重的铁桨让他从尾椎到手指头都发出酸痛的呻吟。

"你上船已经三周了，我再告诉你一次，这艘船上的人，都叫我胖子艾利。但是你，新人，要叫我'教官'，无论什么时候都不能叫我女士，那会让我想起在海底的腐烂旧世界，明白了吗！"

"知道了，女……教官。"

"很好，现在该换班了，你可以休息一下。"

齐林站起来，活动着肩膀，靠着船舷向远处张望，但除了海面什么都看不到。

"既然我们没有目的地，干吗还要拼命划船？"

"得追上娜塔莎。"

"娜塔莎？那是什么？"

"就是在我们前面的那头鲸鱼。"

"所以我们是一艘捕鲸船？"

"你以为我们一直跟着那鲸鱼就是想吃掉它？这让船长知道得把他气死。"艾利挑挑眉毛，"大洪水之后，一切都乱套了，气候、洋流、鱼群的迁徙路线，全部和旧世界不一样。尽管我们保留了一些旧世界的科技，但是在大自然面前仍然不堪一击。只有改变生存策略，回归自然，才能让我们保留一块生存之地。鲸鱼是聪明的动物，它知道在哪里能够找到食物，在哪里能够躲避风暴，我们跟着它，基本上可以保证有充足的食物和晴朗的天空。"艾利向二楼的船长室抬抬下巴，"这都是船长的主意。"

艾利抚摸着达尔文号的前桅杆，那姿态不像是一个女性，而像是一名大战过后正在擦拭冲锋枪的战士。

"看那边！"瞭望员喊道，"有鸟群！"

鸟群，意味着陆地。

听到瞭望员的喊声，艾利又靠近桅杆一些，单手搂住铁质的柱子："新来的，你最好抓住什么东西。"

齐林还没明白过来怎么回事，便被潮水般涌过来看热闹的水手们挤在了船舷角落。他在汗淋淋、湿漉漉的胳膊和肩膀中扭动着，好不容易转过身，把脸转向船舷外。

在远处的海平面上，一群灰色的小点正在盘旋飞舞，在它们的中心，是一座白色的高塔。高塔似乎是由玻璃组成的，在夕阳的照耀下反射着火焰般的红光。

齐林只看了一眼就知道那是什么，刚上船的时候，他曾详细地向船长介绍了那个地方。但是三周过去了，船长似乎对那地方没什么兴趣，当齐林放弃再一次见到高塔的想法时，没想到船又转回来了，不知道是无意的，还是船长有意这么做。

齐林悄悄地从兴奋的人群中退出来，走上二楼。

"船长……"

"什么事？"船长正站在窗前，注视着海天交界处的高塔。

"那就是我说过的地方了。"

"看上去很美。"

"那是一个好地方，我们可以换到很多东西。如果船员中有人想留下的话……"

"你可以不用说那么多，要知道……"船长转过身，注视着齐林的眼睛，"我并不相信你。"

齐林突然觉得嘴里发苦，他舔舔嘴唇："那……船长，我先离开了。"

达尔文号驶近高塔，可以看清它的形状，那是一座摩天大楼的上半截，露出海面一百多米。光滑的玻璃外墙反射着刺眼的阳光，在大楼的顶端有一丛绿色，像是一座岛。

在高塔附近，还有两个稍低点的小岛，其中一个有着锥形的形状，岛上长满了茂密的植物。另一个稍高一点，是一个四方形的框，活像一只啤酒瓶起子。

船员们已经很久没有见过绿色，他们涌在甲板上，安静地站着，似乎只用视觉就能感受到久违的陆地的稳重、泥土的芳香。

还没有靠近高塔，就有三艘小船向达尔文号驶来。

那是三艘破旧的皮划艇，型号和颜色都不相同。每艘船载着两个黄皮肤的亚洲人。小船停在达尔文号旁边，塞勒斯抛下绳梯，一个人顺着绳梯爬上船，而其他的人则笔直地站在小艇上，仿佛泥塑的一样。

"你们好，欢迎来到上海！"亚洲人个子不高，但是嗓门却不小，他笑容可掬地站在甲板上，摊开双手，用叫卖式的嗓门向船员们问好。

这一招效果很棒，船员们聚拢起来，将他围住。几十双眼睛聚精会神地盯着他，好像他是一个街边卖艺的魔术师，稍不注意他就会从袖子里掏出兔子来。

亚洲人掏出的不是兔子，而是面包，金黄松脆的面包。

船员们使劲抽着鼻子闻起来，露出满足的梦幻表情，好像他们真的闻到了面包的香味，实际上他们身上的海腥味和汗臭味早已掩盖了一切气味，但是脑海的深处关于面包的回忆，就足以让他们陶醉，他们对这个慈祥的来访者充满了好感。

"你好，欢迎来到达尔文号。"塞勒斯使劲咽下口水，从人群中走出来，"我是大副塞勒斯。"

"我叫三井正男。"

塞勒斯的手在裤子上使劲蹭蹭，与亚洲人握手。三井的手保养得很好，光滑柔软，仿佛没有骨头，就像是女人的手，不是胖子艾利那种女人，真正的女人。

"这些面包……"塞勒斯又咽了一口口水。

"是我们的见面礼。"三井正男说，"请收下。"

"我们……"塞勒斯看看四周，"可以用其他东西来换。"

"哦？你们有什么？"三井露出有兴趣的样子。

"有鱼……"塞勒斯有些底气不足，在他心里那一袋面包价值一吨黄金或者同样重量的可口可乐，"有番茄、土豆、胡萝卜，还有玉米。"

三井笑笑："这些我们都有。"他把面包递向塞勒斯，"不要紧，这是送给你们的，不需要换。"

三井抬起头，面对着众船员："在我们那里……"他停了一下，因为他在人群的最后面看到了一张熟悉的脸，但他很快恢复了正常，"我们那里有很充足的食物，欢迎远方来的朋友到我们那里做客，当然，如果你们想留下，我们更是欢迎。"

船员们突然沸腾起来，他们相互拥抱，放声歌唱，在阳光下相互击掌，挥洒的汗珠在空中闪着欢快的光。

只有两个人不为所动，三井正男和齐林分别站在甲板两端，站得笔直，相互对视着。

当第三个冷静的人出现在甲板上时，船员们才逐渐平静下来。

船长穿过人群，走到三井面前："我是达尔文号的船长，很感谢你们的礼物。我们就收下了，同时我们还是希望能够和你们交换些东西，为将来的旅程做准备。"

"你们要去哪？"

"我们正在寻找。"

"这里还有很多居住空间，你们可以留在这里。"

船长回头看看船员，又转过头来，然后开口说话。他的一连串动作让船员们脸上的表情从无比期待变成长期便秘。

"不行。"船长说。

就连三井正男也露出不自在的表情："远来就是客人，我们东方人有句俗语，'有朋自远方来，不亦乐乎'。即使不留下，也可以叫大家来参观一下我们的地方，我们用了四十年才将它改造得这么舒服。"

船长点头："好，我一个人去。"

三井正男张了张嘴，过了很久才说："船长，你很难打交道。"

"我见过很多不值得信任的人。"船长耸肩。

亚洲人露出苦笑，他的目光越过船长，落在了甲板的另一端。然后他后退一步，露出身后的绳梯："那么我们走吧，去参观我们的金茂大厦。"

3

塞勒斯趴在船舷上看着三艘小艇载着船长远去，他转过身喊道："汉克、'教授'、艾利，跟我来。"

他们走进二楼的船长室，将门虚掩。

"我们不清楚那些人会怎样对待我们，船长不信任他们，也不信任那个新来的。"

"那个新来的虽然笨了点，但是挺勤奋。"艾利说。

"不管怎么样，我们还是要戒备。"

"明白。"

"汉克，你安排今晚瞭望和站岗的人，让水手们做好准备，随时准备战斗。艾利负责妇女和老人，让他们在船舱里锁好门。'教授'，你带几个人把食品和种子分开存放，藏好。"

"我会将食物放在底层4号舱，那里既不潮湿也比较隐蔽，能够保存一段时间。但是种子需要保存在船长室里，地图柜下面是个好地方，希望船长不会介意。另外，我建议……"

"够了，够了，'教授'，我们早就定好了计划，不用解释了。"

"明白！"

"那就去准备吧，船长回来之前都不要放松警惕。"

三个人离开了船长室，塞勒斯转身来到驾驶台前，透过巨大的玻璃看着面前的几座建筑。

太阳已经落山，最后一丝光芒照在大楼上，让整个楼体在青灰色的天空下散发出暗红色的光芒。

塞勒斯伸手从口袋里掏出一块面包，掐了一片放进嘴里。麦香扩散开来，在他的口腔里盘旋。

正当塞勒斯望着金茂大厦，陶醉在面包松脆的口感唤起的回忆中时，在他脚下的甲板上，齐林躲过正在忙乱的水手，从船舷上一跃而下，轻轻地落进水中。齐林趁着昏暗的夜色，缓慢而安静地向金茂大厦游去。

皮划艇靠近大厦，原本楼顶的一侧已被改成了简易码头，而另一侧堆积了厚厚的泥土——真正的泥土，泥土上种植着各种植物，尽管天色已暗，船长仍觉得那里绿得耀眼。

在三井的带领下，船长穿过一扇小门，来到一个空旷的大厅。整个大厅像一个圆环，内外环墙壁都是由玻璃构成。从中间的圆形天井向下看去，可以看到一圈圈平台，有的平台上露出几双眼睛，观察着外来者。

"这是金茂大厦第88层的观光厅，风景不错吧。以前这里灌满了水，我们好不容易才将水抽出来，空出许多房间。"三井介绍着。

船长注视着深不见底的天井，没有回话。

三井保持微笑，继续不停地边说边走："这里之前是世界上距离地面最高，配套设施最完备的豪华酒店。所以，大灾难之后，这里成了人类所能找到的最舒服的地方。"说着，三井推开走廊旁的一扇门，"也许光凭嘴说你是不信的。"

船长走进房间，只迈了一步就停住了。他的脚下是纯手工编织的羊毛地毯，松软无比。从脚底传来的触感让他一瞬间忘记了大洪水，忘记了多年在生死线上的挣扎，让他仿佛又回到几十年前一个温暖的午后：他下班回家，刚刚进门就被自己天使般的女儿扑倒的那一刻。

船长轻轻地叹了口气，很快恢复了原来的模样。他抬起头，走进房间，毫不在意自己破烂肮脏的鞋踩在昂贵的地毯上。

"这是这间酒店的总统套房，现在是会客室。"三井用手横扫，

"据说墙上挂的画都是真迹，不过我不懂。"

船长抬起眼皮，随着三井的手势看了看那些抽象艺术，笑着说："我也不懂。"

"那我们就不用装模作样来谈艺术了。"

"我们来说说交换东西的事吧。"船长开门见山。

"我说过了，你们那些东西我们都有，不需要换。"

"我们……"船长攥紧了自己的裤子，"我们有无土栽培蔬菜的技术，如果需要的话，可以让我们的教授把方法教给你们。"

三井想了想，点了点头："这个可以考虑，那么你需要些什么呢？"

"我想要一些种子，越多越好，还有一些工具，可以维修保养我们的船……"船长想了想，"如果有书，我希望能够再换到一些书。"

"这些我们都有，可以商量。"三井站起来，"不如这样吧，我再带你参观一下，让你了解一下我们这里。"

船长脸上露出一丝不快："如果你能够提供这些东西，需要我们做些什么呢？"

"一会儿再说，一会儿再说。"三井懒洋洋地回答。

他们出了总统套房，沿着楼梯一层一层向下。

整个建筑保存得十分完好，除了最上面几层因为水压较小，还保留着玻璃外墙，可以直接看到水面下的景色，外面有些鱼好奇地与船长对视，然后飞快地游走。再向下走，墙体就被完全密封了，完全看不到外面。

这时船长才发现光线一直没有减弱，他抬起头，看到走廊顶上整齐的两列光点，他惊讶地说："电……你们还有电？"

"没错，我早就说过这里就是天堂。"

"这些能源是从哪来的？"

“别急，一会儿就能看到了。”

他们一层一层向下走着，船长发现三井所言不虚，这里确实应有尽有。除了上层的居住区，下面还有工厂区、养殖区、种植区。

船长正在犹豫要不要开口要两只猪或者牛带回船上养着，三井停在了一扇门前，楼梯上的标牌写着52。

“这就是我们的发电车间了。”三井推门而入，船长跟在他后面。

这间房间大得难以想象，似乎一整层楼就这一个房间。借着昏暗的灯光，船长看见除了几十个立柱外，房间里摆满了健身自行车，每一辆车上都有一个汗流浃背的人在使劲蹬着车子。

“健身房？”

“不，”三井笑着说，“我说过了，这里是发电车间，每天生活需要的巨大电量，全部是从这里传出去的。”

“为什么要让他们干这个？只要关掉些灯就好了。”

“这楼里有四千多人，没有了电，他们只能在黑暗中吃完就睡，一直到死。”三井说道，“只有努力工作，才能得到更好的生活。这就是让这里的人活下去的意义。”

船长突然想到，随着他们越往下走，所见到的居民生活环境越简单。在最上面还有锦衣华服的时尚男女，姿态优雅，举止从容。在最初的几层船长似乎还听到了欢歌笑语，举办联欢会的声音。越往下，则是工人、农民这些生产者，而眼前这些在黑暗中蹬车的人们，简直就是奴隶。

船长原本以为所见到的不过是按需要分工，现在他明白了，这是一个等级严格的小社会。

“接受不了吗？”三井问道，“你觉得他们受到了压迫吗？他们每一个都是自愿的。电量数据不会造假，只要达到了电量，就可以上升一级。不信可以问问他们。"

三井指着身后跟着的人，那人点点头："三井先生说得没错，我原本在32层挑水，挑得很努力，后来又做过别的，一直连升了好几级。只要努力工作就能够得到好生活，他们也都是。"其他的人也发出赞同的声音。

船长皱起眉头："你给我看这些是什么意思？"

"我曾经邀请你和你船上的人留在我们这里，你们可能觉得我开出的条件太低。"三井走近一步，"现在我可以再提出一次邀请，你们如果想留下，可以给你们70层居住者的资格。你看，现在你就可以了解我开出的条件有多么优越了吧。"

三井的提议让身后的壮汉发出了不满的哼声。

"你想从我们这里得到什么？"

"你刚才说的无土栽培技术，我很感兴趣。当然，我最想要的，是你们的船。"

"不，如果你们不想提供给我们补给的话，我们还是终止谈话吧。"

"你对这里很反感吗？我看到了你在船上的表现，你一个人的看法就是全船人的看法，你能告诉我你的船上没有等级、没有压迫吗？"

"我和你没有什么可说的了。"船长不再说话。

这时一个青年从楼梯跑下来，在三井耳边说了几句话，三井笑了，他对船长说："既然你不愿和我谈了，那么你就休息一下吧，我还有点事。"

三井向身后比个手势，壮汉们走上前来，将船长围住。

船长还没反应过来，就体会到了挑水和蹬车的劳动成果。几名壮汉肌肉发达，鼓胀得像充满气的篮球，他们轻松地架起船长，任他蹬腿挣扎却挣脱不了。

船长眼睁睁地看着三井消失在门口，自己却被倒拖着扔进一个房间，随着门锁一响，他的眼前一片黑暗。

三井正男回到自己的房间，看到齐林——那个懦夫——正蜷缩在墙角，两个手下正看管着他，从齐林肿起的眼眶和衣服上的血迹来看，手下已经提前惩戒过他了。

三井满意地点点头，手下离开齐林，退到门口。

"你还知道回来。"

"我……我把他们引来的，我希望你能够再给我一次机会。"齐林低着头说。

"你拿了不属于你的东西，本来只是罚你回30层重新开始，如果你努力的话，你很快就能回来的。可是你却逃跑了，这让我怎么办？"

"我知道错了，再给我一次机会，这艘船应该能够将功折罪吧。"

"跟我说说那艘船。"

"那艘船是由小型货船改的，三层甲板，一共79个船员。船上有一个超大的蒸馏净水装置，还有半层用作无土栽培，有番茄、土豆等食物储备。船员们大多营养不良，他们就这么在海上漂着，好像没有什么目的地。船长是个神经病，只知道追着鲸鱼跑。"

三井听了撇撇嘴，轻轻拍拍齐林的脸："观察得不错，可惜这些信息我已经都知道了，你完全没有带来什么新消息。"

"你说什么？"齐林猛地站起来，三井的两个手下立刻冲过来，狠狠地打在他的肋骨上，他痛苦地蹲下去，艰难地说，"是我把他们带来的！"

"这我知道，等我回来之后，你可以从40层开始，怎么样？"三井转身对一个手下吩咐道，"把他关好，叫其他人准备家伙。"

发现齐林不在的时候已经是深夜，塞勒斯检查了两遍，怀疑变成了确定。他快步跑到上层甲板，毫不在意沉重的脚步声传遍全船。

汉克正在站岗，实际上他正处于半睡半醒的状态，塞勒斯叫了他三遍他才揉着眼睛寻找声音的来源。

"浑蛋！叫你提高警惕！"

"没事！瞭望台上有人盯着呢？"

"在哪！"

"就在……"汉克愣住了，他看到远方墨色的海面上划过几道银线。他揉揉眼睛，发现那几道银线正在逐渐向自己的位置伸长。

那是海浪？还是流星？

汉克眨眨眼睛，问塞勒斯："你看那是什么，好奇怪。"

塞勒斯顺着汉克手指的方向看过去，然后像被烫到一样跳了起来："见鬼！那是船！"

在月光的映衬下，数不清的船像离弦的箭一样，向达尔文号直冲而来。

"这是要明抢吗？"塞勒斯皱起眉头，"快，召集水手，准备迎战。"

海风带着波涛的声音从远处而来，其间夹杂着欢呼喊叫的声音。塞勒斯不禁想起年轻时曾加入过的摩托车暴走族。

塞勒斯扶着船舷，向海里啐了一口。

"这群疯子。"

4

船长在黑暗中数着自己的心跳。

船长扶着墙壁在房间里摸索，房间不小，还能闻到潮湿的气息，似乎从什么地方能够直通海面。脚碰到了什么东西，他捡起来仔细摸索，却是一块骨头，大小仿佛是人类的腿骨。船长连忙将手里的东西扔了出去，骨头落地时的动静表明，房间里不止一块骨头。

船长也懒得再试图寻找出路了，索性坐下休息。

这时门响了，一个人轻手轻脚地走进来。在他背后是走廊里淡黄色的灯光。

船长在黑暗中待得久了，在光的刺激下睁不开眼，过了好一会儿才发现进来的人是他的新船员齐林。

"是你。"

"船长，我们得走了。"齐林走过来扶起船长。

"你果然是有意骗我们过来的。"

"对不起。"

"现在你为什么又来找我？"

"我发现我做错了。"

"什么意思？"

"三井带了一群人正打算去抢我们的船。"

"什么！"船长推开齐林，"为什么？"

"他需要积分。"

"他需要积分干什么？我以为他是这里的头头。"

"他确实是这里的头头，但是比起远处另一座大厦，还差一个等级。他在这待得久了，想过另一种生活，人的欲望是无止境的。"

船长摸着下巴："他带了多少人去抢船？"

"我不知道，应该有一百人左右。咱们船上能战斗的只有五十多人，我不知道他们能不能守住。"

"那一百多人的战斗力怎么样？"

"都是从最底层熬上来的，虽然没什么头脑，但是身体素质很棒，并且，为了积分他们不惜一切。"

船长沉思了片刻："这里有无线电台吗？"

"有，你要干什么？"

"我需要召唤秘密武器。"

齐林笑了，虽然接触时间不长，但他知道船长一定能够解决问题。

"很近，就在楼上。"

这是一帮乌合之众，塞勒斯想。

从金茂大厦来的打手们聚集在达尔文号的周围，就像闻到了血腥味的苍蝇。

塞勒斯靠着船舷栏杆向下俯视，一张张五官平整的脸在仰视着。十几米高的船舷成了他们无法逾越的障碍。

再来几百个人也没办法登船，塞勒斯笑笑，突然一个念头闪过：如果他们有枪怎么办？

塞勒斯猛地缩回脑袋，但是转念一想，这个可能性不太高，毕竟这里是东方。

塞勒斯还想再去看看，黑暗中突然有什么东西向他飞来。他慌忙闪身躲过，那东西落在甲板上，发出金属的声音，接着又是一阵摩擦声。塞勒斯就着昏暗的星光，看到那东西飞快地一闪，又消失了。

这是什么玩意？

塞勒斯正在思索，就听见右边不远的地方又传来同样的声音，摩擦声过后，又传来轻轻的"咔嗒"声。

塞勒斯靠了过去，看见一只手一样的东西正抓着船舷，金属手的末端连着铁链，他顺着铁链向下看，能看见一个模糊的人影正顺着铁链向上爬。

钩爪？

塞勒斯掏出匕首想去割断铁链，但是小小的匕首根本伤不到铁链分毫。

"大家小心，他们想爬上船来。"塞勒斯转身向船员提醒。

可能是第一个钩爪的成功激励了下面的人，金属撞击甲板的声音密集地响了起来，大部分都落空了，但是仍然有几个钩住了栏杆。

下面的人开始顺着铁链向上爬。

船上船下的局势像是攻城战，眼见有人快要爬到船舷边了，塞勒斯抄起一个水桶砸了下去。水桶命中了那人的脑袋，他手一松，从铁链上摔下去，连带着后面的几个人都落进海里。

那只水桶就落在那人旁边，浮了片刻，就被海水吞没了。塞勒斯心中一痛，那只桶在船上快十年了，平时保护得很好，连个坑都没有。

下面的人还在往上爬，用东西砸倒是可以阻止他们，但每拿起一样东西都要犹豫半天，因为船上的每样物品都陪伴了他们多年，是不可或缺的。

在船尾处，有人用铁桨戳向来袭者，又有五六个人掉下铁链。

但是还有更多的人向上爬，他们是如此执着和坚定，对于占领达尔文号的渴望如同见到了活人的嗜血僵尸，想脱离现在的等级向更高层升级的欲望驱使着那些人从海里出来，又一次爬上铁链。

"他妈的。"随着汉克的一声咒骂，铁链上的人夺下了他手中的桨，扔到了海里。

桨是船上最宝贵的财产，塞勒斯宁愿用两个面包来换。

现在甲板上能够用来驱赶敌人的东西已经不多了，没人愿意再冒险用船桨去攻击那些人。

来袭者加快了速度。

"都让开，都让开！"混乱中厨子突然从底舱冲出来，端着一口热气腾腾的大锅。

厨子走到船舷边，将锅里的开水泼了下去。

下面立刻传来了凄厉的惨叫，看起来有些人要退出战斗了。

但是还有更多能够战斗的敌人。

第一波攻势暂时停止，开水似乎是个好办法，但是厨子没办法无限制地提供足够的水。

天上的云露出一道缝隙，露出皎洁的月亮。

塞勒斯借着月光观察下面的人，有的人在拉扯落水的人，有的人在铁链旁蠢蠢欲动。

只有一个人站在那里，仰着头和塞勒斯对视。

那个熟悉的面孔，正是三井正男。

很快，云间的缝隙消失了。三井正男的脸又变得一团模糊。

铁链又开始抖动，第二波攻势开始。

"你对这里很熟悉。"船长说，他们走在53层的走廊里，这里曾经是设备存储层，现在空无一人。

"我在这生活了几十年。"

"不，我认为你知道很多不该你知道的事。"

"因为我想离开这，我用了八年时间来研究逃跑的方法。"齐林说着，推开一扇门，"这就是无线电室了。"

"那为什么会在海上落难呢？"

"我偷了一艘船逃跑，没想到遇到了大浪，船翻了，就这么简单。"

"比你上次告诉我的故事简单多了。"

"我告诉你的只是我编好的十分之一。"

"我看出来了。"船长平静地说，他拿起无线电通话器，打开开关，绿色的指示灯亮了。

"不错，还能用。"他开始调整频率，然后对着话筒说："娜塔莎，我是船长。"

"谁？娜塔莎不是那头鲸鱼吗？"

"没错。"船长回答。

"收到，船长，发生了什么事？"话筒里传来一个沙哑的男人声音，无论如何也和娜塔莎这个名字联系不起来。

"我现在被困在这三座大厦中的一座了，与此同时有人打算夺我们的船，我需要你。"

"你要我去哪边？"

"到我这里来，他们想要我的船，我要让你毁了他们的老窝。"

"明白！"娜塔莎响亮地回答，声音中充满了破坏欲："要怎么做？"

"你可以随意发挥，不过要给我留上半个小时逃跑的时间。"

"这是怎么回事？"齐林问道。

"这个以后再向你解释。"船长站起来，"不想和这栋大楼一起被毁掉的话，就快离开这里吧。"

齐林看着船长，越发觉得他捉摸不透。

"这边来。"齐林说道。

已经有不少来袭者爬上了甲板，他们聚在钩爪周围，保护着身后，好让更多的人爬上来。

那些壮硕的敌人都带着自制的武器，尽管不锋利，但足以致命。

塞勒斯用鱼叉刺向一个敌人，却被他用手中的长刀架开。身旁突然闪过一道光，塞勒斯猛地低头，躲开了砍向他的斧头。他横着一滚，收回鱼叉，鱼叉上的倒钩割破了对手的小腿。那人闷哼一声，但没有移动半步。

在塞勒斯身后，又一个人爬上甲板。

塞勒斯还没站稳，一根铁管向他的头部砸来。他一缩脖子，等着钢管砸在他脑袋上。

咣！

身旁伸出来一柄铁锹，挡住了这次重击。

"这些人不简单，好像斯巴达战士啊。"汉克在塞勒斯身旁说着，抡起铁锹向对方砸去。

"你说的是历史还是电影？"塞勒斯问，替汉克挡住一次攻击。

"我不知道，我听我爸讲的。"汉克扬手，用铁锹柄砸中一个人的下巴。那人向后一仰，重重地倒下。

"我只看过电影。"塞勒斯看中这个空子，想去攻击另一个人。他向前迈了一步，刺出鱼叉。

脚下一滑。

来袭者和水手们的血布满了甲板，塞勒斯一步迈得太大，踩在了黏滑的血迹上，重重地摔了一跤。

塞勒斯仰面躺在甲板上，眼前是一片星空，至少三样武器向他而来。

我完了，塞勒斯想。

就在这时，黑暗中传来一声闷响，如同一只沉睡的巨兽打了个嗝。

交战双方都愣住了，他们停下打斗，彼此警惕着，但同时将注意力放在远处的黑暗之中，试图从海风中找到刚才的动静意味着什么。

响声之后，远方似乎重新回归平静。但很快，一种持续不断的声音由弱变强，是水的声音，但不是海浪。

现在他们听清楚了，那声音来自金茂大厦。

大厦的楼体破了个大洞，海水涌了进来，落入四百米深的天井当中，成吨的海水奔流直下，长期潮湿的楼体承受不住瀑布一般的冲击，在发出巨响的同时，大楼底层的支撑分崩离析，变成了碎片。急速涌入天井的水流将空气都赶了出去，气体的流动在楼顶狭小的出口处形成尖利的啸声，在黑夜的海面上回响，让人不寒而栗。

来自金茂大厦的来袭者们眼睁睁看着自己闪着灯光的居所倾斜、倒掉、被海水吞没，一时之间愣在那里，不知道发生了什么事。

塞勒斯没有放过这个机会，他悄悄爬起来，向还在发愣的来袭者撞去。两个人刚发出惊呼，就被塞勒斯掀下船去。

其他的人一拥而上，瞬间击溃了由丧家之犬们组成的保护圈。

来袭者的信心被彻底击溃，他们纷纷落入水中，还有更不幸的人落在了自己的船里，发出沉闷的撞击声，黑色的液体流满了小船的船舱。

塞勒斯满意地趴在船舷边，原本围住达尔文号的小艇都散开了，但是他们没有远离，仍然像发现尸体的秃鹰一样围着他们的船盘旋。现在，他们的老窝被毁了，这艘船对于他们来说更加珍贵。

就让他们眼馋吧，塞勒斯想，我们就要离开这个鬼地方了。

他转过身，对着船员吼道："动起来，打扫甲板！清理物资！准备起航！"

"船长呢？"有人问。

"他马上就会来的。"塞勒斯轻松地回答，仿佛这根本不算是一个问题。

詹姆斯船长此时心情很好，在齐林的指引下，他轻松地逃离了金茂大厦。不仅如此，他们还偷到了一艘汽油快艇。在大厦崩塌之前，两人还从粮食库中偷到了几袋食物。

此时船长一手扶着引擎，一手按在脚旁的麻袋上，快艇在浪头颠簸，清爽的海风扑面而来，船长感受着手中引擎的震动，这一切让他有一种不真实的感觉，似乎又回到了大灾难之前的世界。

"为什么在你逃走之后，他们还不加强安保？"船长对着齐林说。

"什么？"齐林有些惊讶，这还是船长第一次和他主动说话。

船长以为是海风的声音太大了，他扯着嗓子又喊了一遍。

"这四周全是茫茫大海，除了我，谁会傻到偷船逃跑啊。"齐林苦笑。

"不是还有两座楼吗？没有人想去那里？"

"没有获得资格的去那里会比留在原地还惨。"齐林摇了摇头。

快艇划过一道弧线，躲开正在解体的大厦，向达尔文号的位置驶去。

海风吹散了天空中的云，露出了天空正中的半月和满天星光。

达尔文号静静地停在海面上，在月光的映衬下反射出蓝白色的光，像一只安静的猫。

船长降慢了速度，站了起来，他看到了围绕在达尔文号附近的小艇，那些想偷船的人，想偷他的船的人。

"他们围住了船。"齐林说，"我们没有机会靠近。"

"那就只好引开他们了，"船长加大马力，"我们的船快。"

船长驶向那群来袭者，对方也发现了这艘孤独的快艇，他们向这边聚了过来。

快艇停在来袭者们面前，船长站在船头，面前是几十个面色阴沉的健壮打手，打手身后，是他的船。他必须越过他们，才能回到自己的船上。

　　一艘皮划艇分开其他的船，从来袭者中露了出来。三井抱着肩膀站在船头，一脸怒容。

　　"船长，你竟然跑出来了。"三井说。

　　"很抱歉，不小心弄塌了你们的楼。"船长耸耸肩。

　　船长的话在来袭者中造成了一阵骚乱。

　　这时三井发现了蹲在船舱的齐林，他翻了翻眼皮："又是你，齐林。你这个叛徒。"

　　齐林不敢搭话，他蹲在那里，瑟瑟发抖。

　　"看来你们吃了不少亏。"船长对着三井冷笑。

　　"等到天亮，会有更多的人来。这艘船我要定了。"

　　"没有人了，三井。你也没有家了，趁现在离开，去寻找容身之所吧。"船长突然提高了声音，以确保更多的人听见，"你们的家已经倒了，活下来的人都去另两座大楼了，你们是想抢在别人前面占个好位置，还是要我这艘破船？"

　　"闭嘴！"三井向船长喊道。

　　"闭嘴！"三井转过身，对着窃窃私语的打手们喊道。然后他转过来，从身旁的人手中抢过一支自制长矛，向船长掷来。

　　长矛落在距离船长四五米外的水里，毫无危险。

　　三井怒不可遏，他声嘶力竭地叫道："杀了他们，我保证你们在中心大厦都有位置。"

　　打手们发出兴奋的吼声，他们在达尔文号上吃了哑巴亏，正想发泄发泄。皮划艇兵分几路，向船长包抄而来。

　　船长启动引擎，掉头向远离达尔文号的地方驶去。

以快艇的速度，可以轻易甩掉那些人工驱动的皮划艇。但是船长故意减慢速度，引诱那些失去理智的来袭者，将他们吊得越来越远。

"已经够远了。"走了一段时间，齐林提醒船长。

"不行，我们还有一船的粮食，必须留出时间让他们搬食物。"还要再远一些。

快艇又走远了一些，身后跟着的皮划艇已经不太多了。不少来袭者放弃了追击，转而向中心大厦划去。但是仍有七八艘皮划艇紧紧跟着，三井站在第一艘船的船头，死死盯着船长，恨不得将他生吞活剥。

眼看距离差不多了，船长正准备转舵，引擎突然颤抖起来，发出老人咳嗽般的声音，然后熄火了。

"见鬼！"船长骂道，他连忙扳动开关，引擎由咳嗽变成了哮喘，但仍然无法启动。

"快点，他们追上了。"三井越来越近，齐林不安地站了起来，他心里明白被捉住后的下场，正在考虑要不要跳海逃命。

"轰"的一声，发动机启动了，船长加大油门，一切正常。他转头看着三井，月光下三井正男额头上愤怒的青筋清晰可见。船长冷笑一声，准备加速。

一只钩爪飞了过来，正搭在船长的肩膀上，随着快艇的启动，钩爪深深地抓入船长的身体。

船长被这股力量带倒，身体大半部分露出快艇，浪花在他头顶飞溅，耳边就是引擎的螺旋桨。

"齐林！快掌舵。"船长叫道。

齐林接过船舵，船长松了手，紧紧抓住钩爪的铁链。

"千万别减速，不然他们会追上的！"船长接着嘱咐齐林，他咬着牙，用脚缠住快艇的栏杆，双手紧紧握住铁链，好让肩膀的力度轻一些。

三井将铁链的末端缠在手上，用脚蹬着皮划艇的前沿，用劲向回拉钩爪。

铁链绷直了，船长哼了一声，扭动着肩膀。快艇拖着皮划艇在海面上飞驰。

船长试图调整姿势，但是快艇在海浪上跳跃，情况越变越糟。

几分钟之后，快艇慢了下来。

"船长。"齐林苦着脸回头看船长。

由于快艇减慢了速度，钩在船长身上的力量弱了，他坐起来，靠着船舱壁。肩膀上的伤口向外冒着血，扩散开来，他的衬衣在月光下渐渐变成了紫黑色。

"快加速！别管我！"船长喘息着喊道。

"引擎不转了。"齐林摊开手。

追兵渐渐近了，三井的船凭着之前铁链的拉扯，冲在最前面，后面还有七八艘船正快速赶来。

船长叹口气，试着将钩爪从身上摘下来，但是轻轻一碰就疼得他直抽冷气。他只能看着三井手握铁链，狂笑着越来越近。

肩膀传来一蹦一蹦的痛感，像一把大锤砸着船长的脑袋，让他无法集中精力。他看着接近中的敌人，第一次觉得无能为力。

这时刮起一阵海风，让船长发热的头脑稍微冷静了些。

船长看到一阵波浪，像是活动的影子，缓缓地跟上了船队。

那是一波孤浪，并且与海风的方向也不同。浪越来越高，荡得那七八艘小船左右摇晃。但是那波浪并没有停止，仍然继续上涨，将那几艘船顶起四五米高。

包裹着浪的水花退去，露出下面金属色的光芒。紧接着，那浪消失了，小船从空中落下来，连船带人被吞没到水中。

"那是什么？"齐林看呆了，他紧紧抓着栏杆，脸色发白。

"没什么，我的娜塔莎。"船长淡淡地说，他的脸因为失血过多也发着惨白的光。"发动引擎，我们走吧。"

脚下突然响起一个声音："别急，还有我呢。"

船长觉得肩膀一阵剧痛，险些站立不稳摔下船去。

船长低头一看，三井正男正趴在船的尾部，手中握着钩爪的铁链。

"三井，你已经什么都没有了，还要怎么样？"船长猛地一拽，将链子从三井手中抢过来。

三井喘息着说："我要你的船，还有你的脑袋，我要拿这些作为报名费！你……"

不等三井说完，船长一脚踩在他脸上，他晕了过去，松开快艇，仰面浮在海面上。

"我肩膀疼得很，没工夫听你的废话。"船长虚弱地跌坐回船舱，对齐林说，"回我的船上去吧。"

齐林发动引擎，快艇划出两道银白色的尾迹，迎着海风，向达尔文号驶去。

天气很好，猛烈的阳光被轻纱般的云遮住了，光线依然明亮，但是却没那么热。

船长肩上绑着绷带，吊着一只胳膊，正眺望着远方的海天交界处。

"看球！"

"快快快！这边！"

在船长脚下的甲板上，船员们正在进行胡闹式的足球比赛，气氛很热闹。

船长室的门被推开了，发出久未保养的吱吱声。

"有什么事吗？"船长说，他保持着原来的姿势，没有回头。

"船长，是我。"齐林轻声说。

"我知道。"

"我……我是来道歉的。"

"不用。"

"我……是真心的，船长。"

"我说不用。"船长转过身，看着齐林，"你欺骗了我们，又背叛了我的船员。因为你，我有四个船员失去了生命，六个船员受了伤。你不需要道歉。"

"我……"

"你必须承担起你的责任，在这艘船上，你无处可逃，每个人都会记得你做过的事，你必须用你的行为来为你赎罪。"

"我知道了。"齐林点点头，"我……"他舔舔嘴唇，"谢谢。"

"我还要谢谢你，"船长拍拍肩膀，"你救了我一命。"

"对了，那掀起大浪的到底是什么？"齐林突然想起。

"你没有和其他船员提起吧？"船长压低声音问。

"没有。"

"很好，我希望你永远不要告诉他们。那是我在加利福尼亚海洋研究所发现的一艘核动力小型科考潜艇。"

"就是你们所说的娜塔莎？"

船长点点头。

"你们追了很久这头鲸鱼，但船员们还不知道那是假的？"齐林叫道。

"是的。"

"为什么？"

"旧世界已经被毁了，活下来的人已经不多。这里面有好人，但更多的是像你这样的人。我们仍然相信人性，但又必须有所防备。我们没有目标，不去寻找什么，只是偶然遇见。"

　　"就像你们遇见我们一样？"

　　"没错，就像我们遇见你们一样。"船长说，"遇见后会发生好事，也会发生坏事，我们都能接受。但我们有意寻找的话，我只能说，往往希望越大，失望越大。"

　　"下面我们会偶然遇见谁？"齐林会意地说。

　　"不知道，我们最近会需要些抗生素。"船长转过身，重新面对大海。

　　"鲸鱼！"瞭望员欢快地喊了起来。

　　"还愣着干什么？还不快追！"船长吼道。

招　魂

1

　　岳薇终于还是站在那栋老旧的公寓楼前，傍晚青灰色的天光将四周的建筑勾勒成诡异的怪兽，居高临下地俯视着她。

　　岳薇将手伸进袖口，抚摸着手腕上的木质手串。长期盘玩的手串有着温润细腻的触感，如同记忆中方征的手指。她鼓起勇气，走进公寓楼。

　　鞋跟撞击地面发出清脆的"嗒嗒"声，一楼的声控灯亮了，但很快它又暗掉，短路的触点滋滋作响。这座公寓楼看上去早已荒废，如果不是她曾经在白天来过一次，对周围情况有大致的了解，她是绝对不会在这个时候来这里的。

　　我究竟在干什么？岳薇问自己。左腿上的伤处还在隐隐作痛，但更痛的是她的心，方征的离去在她的心上剜了一个洞。在悲伤和孤独中沉溺了两个月之后，她想要自救，却找到了这样的方法。

　　"招魂。"岳薇自言自语地说，作为一个律师，逻辑是她的本能，但现在她实在找不出自己做这件事的理由。

岳薇凭着印象走上二楼，好在上面的灯工作正常，让她安心了些。

曾经的住户基本上都搬走了，只有墙上的涂鸦、污渍和刮痕还保留着他们的痕迹。

岳薇一直爬到五楼，才到了她要找的人家门口。她喘着粗气，喉咙发干，鬓角潮湿，在她面前是一扇与整栋楼——或者说整片小区——都格格不入的门。

散发着金属光泽的安全门几乎赶得上生化武器实验室的规格，厚重的门板，或明或暗的多道门锁，还有门框旁的可视系统。在岳薇看不到的地方，还设置了动作传感器以及其他各式防护措施。

在岳薇不算长的执业生涯中，见过有钱人，也见过许多怪人，但是像这家一样又有钱又怪的人还从来没有遇到过。幸好不是我的客户，岳薇想。

还没等到岳薇敲门，可视系统就亮了，屋子的主人出现在屏幕中，在补光灯的照射下，他的脸白得发惨，深陷的颧骨却没有留下阴影，好似骷髅。

"李先生。"岳薇说。

"你又来了？我以为你不会来呢。"李先生用人工智能般平淡的语调说，"你考虑好了吗？"

"我……"面对这个问题，岳薇一阵心慌，她退缩了，"对不起，我还……"

岳薇转身跑下楼梯，似乎想逃离那个想法。但是，一分钟后，她又回到门前："我考虑好了，我要见他。"

"咔嗒"一声，门开了，岳薇走了进去。

李先生就在门后，垂手站着："你好，岳女士，想喝点什么？我这里有……纯净水。"他客气地说。

"不用了，"岳薇尴尬地笑笑，"现在可以开始了吗？"

"你确定了吗？"李先生说，"我不是'通常'意义上的巫婆神汉，不会通灵，也不会跟你说我能和另一个世界取得联系……"

"一切结果都是通过大数据和网络标记得出的，我知道，"岳薇打断李先生的话，"我已经了解了，这让你的……职业听起来不那么……'迷信'。"

李先生将岳薇带进书房，启动电脑之后，默默地退了出去。房间里没有开灯，只有几个设备上的LED灯发出蓝色和绿色的微弱光芒。

全息投影仪发出嗡嗡的声音，那是它在预热，随之而来的还有淡淡的臭氧味道。

房间中央突然亮了起来，刚刚适应黑暗的岳薇眯起眼睛回避强烈的光线。几秒钟之后，她睁开眼睛，方征已经站在她的眼前。

"小薇，是你吗？"

是他的声音，他的样貌，他玩世不恭而又充满关切的表情。

她的方征！

岳薇伸出手去，在他脸前扫过，却摸不到他。

泪水模糊了她的视线。

"岳薇，你怎么来了？"

刚刚走进长隆律师事务所的大门，岳薇就被门口的陈姐一把抱住："你可以再休息几天的，你那两个案子不急，毕竟……"陈姐停住，不知道后面的话该说不该说，只是轻轻地在岳薇后背拍打，就像哄小孩子。

岳薇使劲挣脱出来："我……闲着也是闲着，请了两个月假，也该来了，不然工作都没了。我想上班，找点事做。"她认真地说。

"好吧，"陈姐点点头，"别太勉强自己，"她侧着头，小声说，"你是打算偷偷进去，还是跟大家打个招呼？"

"这个……"岳薇有些犹豫。

岳薇抚摸着手串，咬着嘴唇思索，两个月不长，同事们好像都生疏了，这个简单的问题她却不知道如何回答。

"我要去……"

"你好，请问岳薇律师在吗？"一个声音打断了岳薇刚刚下定的决心。

岳薇循着声音看去，三个穿着深蓝色西装的人站在门口。

同行？

陈姐与岳薇对视一眼，迎了上去："请问你们有什么事吗？"

"我们是智盛律所的，现在要把一个案子移交给岳律师。"

智盛！那是全市实力最强的一家律所。

"你好，我就是岳薇。"岳薇礼貌地把手伸向对方。

但是对方并没有和岳薇握手，而是将一个U盘塞在她手里。

"这是我们整理好的资料，这个案子的当事人，李长逸先生强烈要求更换律师，所以我们现在把有关的资料全部送过来了。"

中途换律师这种事，对之前为案子付出劳动的律师是个打击，不过智盛居然老老实实把材料都送来，想必当事人没有亏待他们。

他们会怎么想？是我把客户挖来的？岳薇在心里寻思，但是她连李长逸是谁都不知道。她看着面前的高级律师，不知道该说些什么。

那个人没有看她，而是向后点点头，身后的另外两名律师将手里的档案箱放在律所前台的桌子上。

"所有的都在这了，两箱档案和所有的电子文档。祝你好运！"说完，智盛的律师转身离开。

"等等！你们说的到底是怎么回事！"岳薇反应过来时，智盛的律师们已经走进电梯，她只来得及在电梯门上看到自己的倒影。

"这个案子是我要求他们交给你的。"岳薇被背后的声音吓了一跳，她转过身，看到一个穿着土黄色户外衬衫的人从楼梯间出来。

岳薇认识他，实际上，前一天才见过。

"李先生，你……"岳薇恍然大悟，"您就是李长逸吗？"

"是的。"

"我不知道……你……"

"没什么的，我已经受够他们了。经过昨天晚上，我想了想，觉得你能够懂得这件案子对我的意义，而不是劝我和解。"

一直站在一旁的陈姐发出揶揄的笑声，岳薇醒悟到刚才那句话产生了严重的歧义。

岳薇瞪了陈姐一眼，拿起档案和U盘，对李长逸说："到我的办公室来谈吧。"

"你要起诉联信公司？"卷宗刚刚看了一个开头，岳薇就感觉到不舒服，好像自己的胃被担忧和兴奋填满了，正沉甸甸地坠着她。

"不是要起诉，而是已经起诉了。"李长逸靠在椅子上说，"用词要严谨一些，你是律师。"

"我……"岳薇犹豫了一下，决定还是说实话，"李先生，我还从来没有接过这么大的案子，为了您着想，我会把这个案子交给我们律所的主任薛律师来办，你放心吧，他是很棒的诉讼律师。"

"不，这个案子必须你来办。"

"那个……"岳薇感到手心里出了很多汗，又凉又黏。

"好吧。"

2

坐在法庭上时，岳薇还在打瞌睡。前一晚她几乎没有休息，在办公室里研究李长逸的案子，另外还得拿出三成精力来给自己鼓劲，开庭的时间如此紧迫，她必须硬着头皮上。

起诉联信公司的这桩案子将是岳薇人生的跳板，一个天大的机会。如果成功，她的名声将会飞跃好几个等级。不仅如此，智盛的律师为这件案子做了精密而且细致的调查，全标注在了档案中，单凭研究这份档案就让岳薇学到了平时需要几年才能学到的经验。按说他们不会这么轻易地将自己的调查结果交给岳薇，不知道李长逸付了多少报酬来弥补智盛，不过肯定不会少。

这简直就是天上掉下了馅饼，直接掉在了岳薇嘴里。

岳薇使劲揉揉眼睛，一口气喝掉半杯咖啡，腹中的热气延伸到四肢百骸，她强迫自己兴奋起来，摩拳擦掌，跃跃欲试。

可惜这个状态只持续了十分钟。

当联信公司的律师队伍走进法庭时，岳薇的雄心壮志"啪"的一声碎掉了，就像是阳光下一个泛着七彩光芒的泡沫。

那些人穿戴整齐，步伐轻松，神态自若地有说有笑，路过原告席时，大多数人没有看岳薇。仅有的一两道目光一扫而过，好像是在看路边的一只昆虫，或者玻璃上的一块污渍。

身旁的李长逸放松地坐着，反倒让岳薇更加紧张。

"李长逸诉联信公司，现在开庭。"审判长宣布，"我发现原告方换了代理人？"

"是的，审判长，我叫岳薇，长隆律师事务所的。"岳薇站起来，恭敬地回答，"我是刚刚接手这个案子的，在开始前……能不能请对方简述一下这个案子？”

“你作为代理人，连案情都不了解吗？”

“没关系的，审判长，我方愿意帮助一下对方律师。”联信公司的律师席中站起一个人，带着和蔼的微笑看着岳薇，岳薇觉得他有些面熟。

“既然你没有意见，那就开始吧。”

“因为现在云技术和生物密码技术的发展，本公司已经开始推广新的B网通信网络，并且计划于6个月过渡期完毕之后完全关闭T网通信方式，原有的号码全部弃用，开始使用唯一的、与用户身份信息和生物信息相关联的号码，达到一号通用。但是李长逸先生以本公司未能履行合同为由，拒绝停用现号码，并且要求本公司在五十年只内不得停止T网通信。”

“嗯，简单明了。”审判长说。

“好的，我知道了，谢谢。”岳薇向对面的桌子点头，也许这场官司不像想象中的那么难，她在心里给这位律师贴了个标签——良心律师。

良心律师将两张纸递在审判长和岳薇面前：请看这件证据，这是李先生亲自与本公司签订的合同。其中第九条第三款中明确写着，乙方，也就是本公司，为提高服务质量而进行网络升级时，有可能造成通信中断或号码停用。李先生签过字，证明认同本合同。“

“但是联信公司升级B网的举措并没有提高对李先生的服务质量，所以这一条并不适合本案。”

“B网无论从通话质量、网络速度还是安全方面都大大超越了旧的T网，这个是有数据可以证明的。”

“但是我的当事人需要的服务只有一项，就是保留这个号码。”几个回合之后，岳薇渐渐找回了信心，毕竟她有整个智盛的调查研究做后盾。

良心律师整理了一下自己的西装：“关于这一点……”

"好了，"审判长说，"辩方律师有没有更加具有说服力的证据？"

"有的，审判长。"律师说，"请看第六……"

"等一下。"岳薇打断了对方律师，现在是打乱对方节奏，使出撒手锏的时候。

"审判长，请您看一下这份合同签署的日期。"

"5月19日。"

"这是一份报道。"岳薇将两份复印文件送给审判长和对方律师。"在报道上说，联信公司在4月29日、飞享公司在5月17日都已经完成了T网到B网的更替。这说明合同签署的时候，也就是5月19日，联信公司是国内唯一一家使用T网的公司。"她停顿了一下，享受控制法庭节奏的快感，这份合同是智盛公司给联信下的圈套，干得漂亮。"所以这份合同涉嫌强制性的霸王条款，我方申请作废。"

"但是合同作废的话，本公司对李先生的服务也将停止。"

"不，李先生在联信公司已交够了足够五十年的预付款，这是事实合同，与其他的无关。"

"审判长，这是他们耍的诡计。"

"我知道，但是她说的有道理，你们还有其他的证据吗？"审判长说。

律师想了想："有，审判长。"

良心律师又拿出一份证据递过来，岳薇一看，那还是一份联信公司业务办理合同。

"这是李长逸在联信公司办理这个号码时签的合同，签订的日期是三十五年前。"律师说。

审判长看了一遍，放在旁边："岳律师，有什么问题要提吗？"

"嗯……暂时没有。"岳薇说。

"好，请继续。"

"这份合同的第十一条第五款上写着：如果甲方利用本公司网络从事可疑活动，本公司有权收回号码使用权。"

"你在指责我的当事人利用网络从事犯罪活动吗？请拿出证据，否则就是诬蔑。"

"别急，李长逸先生原本是科技生命公司的高级研究员，研究方向是人工智能，对不对？"良心律师问。

这些档案里都有，但是岳薇仍然回头看看李长逸，看到她的当事人点头，她才说："是的。"

"二十七年前，李长逸以个人的名义申请了一项人工智能的专利，就是以人的网络信息为基础，经过综合其在网络上的言行举止、说话方式、观点看法，来复原一个人的性格，达到用计算机模拟人类的目的。"

"是的。"李长逸自己开口了。

"我反对！"岳薇站起来，"与本案无关。"

"反对有效！请加快速度。"审判长说。

"后来这项专利由于伦理方面的原因和技术不成熟被否定了，对不对？"

李长逸点点头。

"别急！"看到岳薇又想站起来，良心律师伸出手阻止，"马上就要到了。"

"但是，李长逸并没有放弃自己的研究，反而将这项技术民用化了。"良心律师说到关键的时候停下，打算卖个关子，"请允许我出示另一样证物。"

"可以。"

"这项证物有些特殊，需要两个人来搬。"

"听着，我不知道你葫芦里卖的什么药，尽管控方律师不提意见，我也有些烦了，如果这项证物不是关键证据的话，我就没心情听你继续说了，知道吗？"审判长从审判桌后面俯视着良心律师。

"明白！"

"去吧，另外，去一个法警陪着他们。"

联信的律师团里站出两个人，去庭外拿东西，良心律师则开始准备接下来的陈述。

"他到底在说什么？"岳薇问李长逸。

"我不知道，我可没做过什么违法的事情。"李长逸一副无所谓的样子。

"李长逸起诉本公司之后，本公司核对了一遍他历年来的网络使用量，他的数据要比平均值高出65%。"

岳薇想了想，决定不站起来反对，就让这位良心律师继续表演吧。

"他利用我公司的网络流量收集大数据，再加上他的程序，在蓝色希望小区三区李长逸本人的住宅中，从事一项'疑似'非法经营的活动。"律师顿了顿，以烘托气氛，"招魂。"

这两个字一出口，立刻引起了法庭里的一片喧哗，旁听席上的人交头接耳，就连审判长都在揣摩这两个字的含义，忘了用他的木槌维持秩序。

"你说什么？"审判长问。

"招魂。"

"请详细说明。"

法庭的门开了，岳薇回过头去，看到两个律师搬着一套设备走进来，放在最上面的，是一台全息投影仪。

岳薇突然明白对方律师想玩什么花招了，她站起来："等一下！"

"岳律师，有什么事吗？"审判长问。

"我有一个小小的请求，"岳薇笑着说，"出示这件证物的时候，我想请旁听席上的各位都蒙上眼睛。"

"这算什么要求？"良心律师不解。

岳薇笑着看看他："你当然不知道。"

你真是碰到枪口上了，岳薇心想，如果不是前一天才找了李长逸寻求帮助，恐怕真的会被联信的这一招唬住。

"你有什么理由吗？"审判长说。

"有，但是现在还不能说。"

审判长看看岳薇，又看看联信的律师："你有反对意见吗？"

"我……"律师想了想，"我反对。"

"好的，折中一下。"审判长说，"左边旁听席上的人，请向后转，并且不要看前面，否则以貌视法庭为由驱赶出去。"

法庭左侧的人纷纷站起来，挪动椅子，转向后面，恋恋不舍地看了法庭最后一眼。

趁着换座位的混乱，审判长把岳薇和良心律师叫到前面，低声说："你们两个把我的法庭变成了综艺节目，最好今天有个结果，我明天实在不想再见到你们了。"

岳薇和良心律师对视一眼，点点头，退了回去。

这时联信的律师已经将设备接好，全息投影仪摆在了证人席旁边。

"可以开始了。"审判长示意。

良心律师按下开关，投影仪开始预热，有那么一瞬间，岳薇以为等下出来的会是方征。

白光一闪，一个五十多岁的中年男人出现在法庭中间。

"这是谁？"岳薇问。

"我的一个客户。"李长逸回答，"呃，是第一个客户，确切地说是客户的父亲，他找到我，要求……再见他父亲一面。"

"所以你就帮他了？"

"是的，他给了我一笔钱，于是我就把这活接下来了。"李长逸说。

"这是哪？"全息人像说话了，声音是从他脚旁边的音箱里发出来的，法庭里灯光太强，让他看上去是半透明的，确实像电影、电视剧里的鬼魂。

"你好，徐先生。"良心律师向那个影子问好。

"啊，你好。"徐先生说。

"这里是法庭。"

"我怎么会在这？"徐先生做出左右看的动作，实际上是靠放在一旁的3D摄像头捕捉周围的画面，"我犯了什么错吗？"

"不，徐先生，你不用担心，只是请您来简单地问几句话。"

"好的。"

"徐子琪是您的什么人？"律师问。

"是我的儿子。"

"您对他的看法是怎么样的？"

"这个……是他犯错了？他并不是有意的，这孩子本质不坏，你们……"

"不不不，他很好，您不用担心，只要直接说出您的看法就行了。"

"是这样吗？"徐先生怀疑地说。

"是的，这里是法庭，我可不敢在这说谎。"

"好吧，我儿子是个聪明人，不过有点聪明过头了。他学东西很快，可是忘东西更快，隔上几个月就换一个新的爱好，废寝忘食地投入到里面。不过过不了多久，他就失去了兴趣，之后他就不再碰了。我只想让他好好上学，他不愿意，我说不过他，就打了他，然后他就离家出走了。"徐先生停了一下，"我已经很长时间没有见到他了，如果他犯了什么错误，都是我教导无方，我先向大家道歉了。"徐先生的灵魂弯下腰，向着法庭的众人鞠了一躬。

"不，徐先生，您完全不用担心。徐子琪现在已经是一家创业公司的董事长了，旗下七个子公司，产品已经出口到全球了。"

"真的吗？"徐先生茫然地看着大家，"我……我不知道该……该怎么说。"

"您高兴吗？"

"当然。"

"谢谢您。"良心律师按下开关，徐先生消失了，他接着说，"我来简单介绍一下，徐子琪在十七岁的时候，和他的父亲——刚才的徐先生——吵了一架，之后离家出走。他在外面闯荡了十五年，三十二岁的时候，他创立了一家物联网公司，之后越做越大，你们应该听说过'万物直通'这个公司吧。"那是个大公司，法庭上最少有九成人正在享受"万物直通"公司的物联网服务，"成功之后，徐子琪想把这个消息告诉他的父亲，可是回到老家的时候，他的父亲已经因病逝世了。对不对，李长逸先生？"

岳薇点头，李长逸说："他来找我的时候是这么说的。"

"所以你用你的研究成果让徐子琪和他的父亲又见了一面？"

"是的。"

"他给了你多少酬劳？"

李长逸想了想："1750万元，附带条件是徐先生的模型让徐子琪带走，我这里不留副本。"

听到这个数字，旁听席上有人吸了口冷气。

良心律师转向审判长："徐子琪把他父亲的模型带了回去，公司的人说，从那天开始，就能够听到徐子琪在办公室里和别人大声吵闹，而且之后的一段日子他的情绪非常低落，一个半月之后，徐子琪被发现在自己的浴室中服药自杀。"

旁听席上响起一片唏嘘声。

"这个结果，是由李长逸引起的。"良心律师准备下最后的结语了，"这一切，都是……"

"等一下！"岳薇正等着这一刻，她站起来，将良心律师的后半句话生生斩断，"审判长！在对方律师提出控诉之前，我能和证人说几句话吗？"

"什么证人？"

"就是刚才的徐先生，"岳薇说，"哦，对了，可以让旁听席上的人转过来了。"

"好的，可以。"

岳薇站起来，摘下手串，放在桌子上，好像是方征坐在那里看她战斗一样。然后，她绕过桌子，走到法庭中间。

岳薇按下全息投影仪的开关，等了一会儿，徐先生再次出现在法庭上。

"徐先生，你好。"

"你好。"

"今天是几号？"

"什么？今天是……"徐先生想了想，"对不起，我不清楚。"

"今天是2047年5月19日。"

"什么？"徐先生露出吃惊的表情，"我……这个……不……我……这不可能。"

"你在2036年的时候已经去世了。"

徐先生没有回答。

"你的儿子，徐子琪，想把他成功的消息告诉你，但是你那时已经不在了，所以他想了个办法，通过数据模拟了你的一切。"

"这个……我已经死了吗？"

"请集中精神，你在十一年前就已经死了，不要在这方面纠结，请回答我的问题。"岳薇快速地说着，尽可能地表现出冷血的样子。

"他怎么了？"

"他离开你之后，吃了很多苦，也学到了很多东西。他成立了一家很大的公司，获取了很高的地位。"

"嗯。"

"你为他骄傲吗？"

"当然。"

"为他高兴吗？"

"是的。"

"你还有什么想对他说的呢？"

"我觉得他应该更加努力，他很聪明，但是没有长性，需要有人监督着才能坚持做完一件事。以他之前的性格，总能够很快达到自己想要的结果，但是很快又亲手毁掉。我想跟他说，不要自满，要再努力。"

"可是你知道……"

"别说了！"旁听席上突然有人说话，岳薇顺着声音看过去，那是一个坐在左侧，刚才没有看向法庭的妇女，四十多岁，眼圈发红，显然刚哭过。岳薇知道一定会有这样的人出现，她没有见到徐先生从一团光里冒出来，而是先入为主地听到了他的故事，并且被他的命运所触动。

"审判长，我想问那位旁听的人几句话，可以吗？"

审判长白了岳薇一眼："去吧。"

"您好，大姐，你为什么阻止我？"

"你打算把他儿子的事告诉他吗？"妇女说，"你还是不是人！"

"为什么不能说？"岳薇问。

"那位徐先生也是出于对他儿子的负责才那么做的，他都五十多岁了，你告诉他结果，他会受不了的。"妇女压低嗓门，好像怕徐先生的灵魂听到似的。

"他早就死了。"岳薇一副不在乎的样子。

"那他也是一个人！"妇女提高声音，看样子恨不得亲手掐死岳薇这个没人性的东西。

"谢谢。"岳薇笑着对那个妇女说，弄得她摸不着头脑。

岳薇走回法庭，对着徐先生说："徐先生，这里不麻烦您了，再见。"说着，她按下投影仪的开关。

"审判长，刚才我要求一半的旁听者蒙上眼睛，实际上是做了一个有些特殊的'图灵测试'，测试的结果您也看到了。"岳薇走回法庭中央，深吸了一口气，"现在我要问您一个问题，审判长，辩方律师提交上来的这件证据，是证人，还是证物？"

审判长皱起眉头，岳薇有些心慌，她这种行为已经严重挑战了审判长的权威。因为她知道审判长无法做出裁决，如果他裁定徐先生是人，那么李长逸所有的成果，以及类似的研究都能够获得同样的社会地位。并且，这场官司将成为今后无数官司的范本，被反复拿出来讨论，审判长还没有担起这么重责任的勇气。

但是审判长也无法判定徐先生只是一件物品，现场最起码有一半旁听者已经对他产生了感情，把他当成了真正的人。

审判长只能放弃判断，那么他在这次法庭上的权威将出现一个裂缝。岳薇不愿这样拆审判长的台，但这是唯一的办法。

岳薇看着审判长，尽可能保持严肃，不能露出一点计策得逞的表情。

审判长想了一会儿，终于开口了："我无法裁定这件证据的类别。"

"由于联信公司提出的关键证据无法定义，我方要求联信公司撤销刚才的一切指控，不管他想说什么。"岳薇紧接着说，但开口之后就后悔了，她接得太快，像是早就预备好的，审判长会意识到岳薇挖了个坑让他跳。

审判长怒视着岳薇，但职业素质却让他不得不承认岳薇说的是正确的："是的，基于此证……此证据的所有指控，均不成立。"

"谢谢。"岳薇得意地看了良心律师一眼，回到自己座位。

联信的律师团队叽叽喳喳地商议了一阵，最后说："我方申请休庭，并且提出一名证人。"

"是真人吗？律师？"审判长不满地问。

"那个……当然是。"良心律师回答。

"最好是。"审判长说，抬手敲下木槌。

"休庭！"

"干得漂亮。"刚刚走出法庭，联信公司的律师就迎着岳薇走来，岳薇越发觉得他眼熟。

"你还认得我吗？师姐？"

"师姐？"岳薇努力在记忆中挖掘，"啊！任宇！"

短暂的惊喜过后，岳薇心中却是嫉妒和惭愧："你现在是联信公司的顶梁柱了！"

"混口饭吃。"任宇笑笑，"如果不是在学校的时候看到你在模拟法庭上的飒爽英姿，我恐怕不会坚持读完法学呢。"

"别胡说了。"

"真的，你和方征学长简直是我们这些学弟学妹眼中的神仙眷侣啊。对了，你们……现在……？"

岳薇的脸黯淡下来，不由自主地去摸她的手串。

"我说错什么了吗？"任宇问。

"他……已经……不在了。"岳薇说。

"对不起。"任宇道歉，但他很快想起了什么，"所以你……你就是这样认识李长逸的吧。"

岳薇点点头，"他确实帮了我一个忙。"

"不得不说，他那套程序做得真棒，所有的反应都跟真人一样。"

"所以你不敢跟他多说话吧。"岳薇偷笑。

"如果不是你刚刚见过这套东西，我们的计策可能就管用了。"任宇说。

"确实。"岳薇露出得意的神情。

"虽然这场官司里他们只是配角，不过我感觉以后的案子里会接触越来越多的人工智能、机器人、克隆人什么的。"

"科幻小说看多了吧，我们在法律上接受同性恋都用了几个世纪呢。"

"哈哈，"任宇拍拍脑袋，"那倒是，无论科学怎么定义，最后还得靠我们这样的人在法庭上吵上无数架才能变成法律啊。"

"我们不就是为了这个才当律师的吗？"

两个人哈哈笑了一阵，陷入沉默。

"师姐。"任宇突然开口说，脸上一副公事公办的表情，"和解吧。"

"什么？"

"和解吧。"任宇又说一遍，"我没别的意思，和解对双方来说是最好的出路。"

"我的当事人只有一个要求，就是保留原来的号码。"

"你可以劝劝他，"任宇摊开双手，"我们愿意出8 000万元的和解费，只要你们不再起诉，并且对和解内容保密。"

"多少？"岳薇忍不住叫道，8000万元，律所可以拿到5%的提成，而她自己能够拿到其中的25%，那是……

"8000万元。我们开给智盛的价格是4500万元，但是李长逸拒绝了。8000万元是我们能给出的最高价格。如果给李长逸留下那个号码，每年多花掉的运营费都不止这个数。并且迟迟不转B网的话，在未来的生物网络战略上，联信将落后一大步，这是多少钱都弥补不了的。"

岳薇还在心算提成的数目，她确实有些动心。但是李长逸说过"只有你懂得它对我的含义"，经过这次法庭，徐氏父子的事让岳薇确实明白了一些。

岳薇叹了口气，对任宇说："我的当事人只有一个要求，就是保留下这个号码。"

任宇露出失望的表情："师姐，请再劝劝他，不然……明天会很难看的。不仅对于他，对你也不妙。"

"对不起，咱们还是法庭上见吧。"岳薇说出这话的时候，脑海里仿佛看见一大堆钞票，长着翅膀飞走了。

"那好吧，祝你好运，师姐。"任宇耸耸肩。

"祝你好运。"

3

回到自己的公寓，岳薇才知道自己有多疲惫，她将自己扔在床上，让深沉的睡意侵占了她的意识，可就在将要入眠的那一刻，任宇的话又浮现在耳边"明天会很难看的"。

任宇是联信公司律师团队的骨干，这句话不是随便说说，他们一定还有制胜的武器。

岳薇又翻了一遍智盛给她的档案，没有什么漏洞了。但是她仍然觉得不够，于是她给李长逸拨了个电话，打算再梳理一遍细节。

电话几乎是立刻就接通了，李长逸在话筒那头清清喉咙，才说："喂。"

"李先生，我是岳薇，你的律……"

"闭嘴！你为什么打这个号码！这个电话不是给你准备的，以后不要再打了！"

李长逸怒骂了一通之后，电话断了，岳薇拿着手机发呆，不知道发生了什么。

这个号码就是李长逸打官司要求保留的那个，岳薇记得最熟，没办法，她只好找出笔记本，上面有李长逸的另一个号码。

"喂？"

"李先生，是我。"

"以后不要拨打那个号码了，明白吗？"

你又没跟我说过，岳薇在心里说，但嘴上却应和着："我知道了，我打电话是想再向你了解一些情况。"

"什么事？"

"你为什么要保留这个号码？"

"这是我个人的偏执。"

你倒是挺有自知之明的，岳薇对着话筒翻白眼："能告诉我吗？"

"不能。"

岳薇舔舔嘴唇，不知道下一句该怎么说。智盛送来的档案中，对联信公司有着非常详细的研究，但那里面却对李长逸只字未提。起初岳薇以为这是智盛在档案里做的手脚，但联想起李长逸家那扇厚重的安全门，可以知道他是一个"注重隐私"的人。

"李先生，你能说说你的情况吗？先别拒绝，因为明天联信公司会提出一个证人来对付你，我希望在那之前知道你……有什么弱点。"

电话那头沉默了几秒钟，传来的答案依然是"不能"。

岳薇挂断电话，看来没法从那个独居怪人那里得到任何信息了。

岳薇又拨了一个电话："喂，谢叔吗？最近忙不忙？"

谢叔是岳薇爸爸的老战友，当兵的时候是侦察兵，退伍了之后又干了二十多年刑警。

"不忙，闲得我都快出毛病了。"

"你啊，就是闲不住，去广场上跳健身舞呗。"

"臭丫头，有什么事就快说。"

"我需要你帮我查一个人。"虽然入行没几年，但是岳薇深深地知道，当事人和律师之间，并不是相互信任的关系。很多时候，他们会带着偏执的想法来找律师，告诉律师一个故事，半真半假，或者干脆全部都是谎言，然后让律师去达到想要的结果。如果不提前摸清当事人的底细，在法庭上就会处于被动，当事人的任何弱点都是对方律师的武器。

"好的，交给我了。"

岳薇将李长逸的信息发给谢叔，信息很短，因为她只知道他的姓名、住址，以及那奇怪的"工作"。剩下的就要谢叔来发掘了，他每次都能通过各种关系完美地完成任务，当然，岳薇也会付给谢叔合适的报酬，双赢。

岳薇重新躺下，用手指默数手腕上的串珠。这间空荡的公寓不再像之前那样充满了悲伤的回忆，与方征重新见面之后，她放下了许多。

岳薇回忆着那些与方征之间的快乐场景，两个月来第一次睡了一个无梦的长觉。

"请证人上庭。"岳薇转向法庭大门，但她等的不是联信公司的证人，而是从来不误事的谢叔。如果能在证人开口前了解一些当事人的信息，一会儿质证的时候也会有心理准备。但是……

一个中年女人走进法庭，衣着时尚，脸上画着恰到好处的淡妆，皮肤保养得不错，但是眼角和鼻翼处的皱纹仍然暴露了她的年纪。

"这是谁？"岳薇正打算转过头问李长逸，但是像机器人一样冷淡的李长逸却像是见了鬼一样从椅子上站了起来，后退两步，张着嘴愣在那里。被他踢开的椅子晃了两晃，倒在地上，在安静的法庭中发出巨响。

"你……怎么是你……"

女人没有看李长逸，她在法警的指引下走向证人席："我是要坐在这里吗？"女人开口问高高在上的审判长，声音圆润，带着一些颤抖。精致的装扮下仍掩盖不住遮掩内心的紧张。

审判长点点头，女人坐下。

岳薇掐了李长逸一下，她的当事人才笨手笨脚地扶起椅子。

"证人，请说明你的身份。"审判长说。

"我……我叫殷眉，是李长逸的……前妻。"

好像是有意配合一样，李长逸发出一声长长的叹息。

"殷女士，能讲讲你和李长逸是因为什么……分开的吗？"任宇开始向他的证人提问。

"反对！"岳薇站起来，"与本案无关。"毫无头绪的她现在只能使用拖延时间和打乱对方节奏的策略了。

"我想，先听一下再下结论不迟，反对无效。"审判长转向殷眉，"你可以说了。"

"我和长逸……和李长逸在二十年前离婚的，那时家里出了点事。"

"什么事？"任宇像捧哏一样恰到好处地替殷眉接话。

"我……"殷眉迟疑了，张开嘴却说不出话，她试了几次，那模样就像搁浅的鱼。两行眼泪流出来，弄花了精致的妆。

"我们的孩子找不到了。"李长逸自言自语地说，声音正好让法庭里所有的人都听得到。

"别说话！"岳薇瞪了李长逸一眼。

殷眉抬起头，进入法庭以来第一次看向李长逸："是的，我们的孩子丢了。"

"那是什么时候？"

"二十几年前。"

"二十五年七个月二十一天。"李长逸说，这次的声音更大了些，刚见到殷眉时的震惊和怀念已经被愤怒所取代。

"不要说话！"岳薇再次说。

"是的，二十五年七个月二十一天。"殷眉机械地重复李长逸的话。

"殷女士，请集中精神。"任宇低声说。

"对不起，我会按照之前讲过的说。"

"我反对！证人显然和对方律师商量好了。"

"是吗？殷女士？"审判长问。

"不，我只是……见到前夫有些混乱，对不起。"

"那么请继续。"

"审判长！"岳薇不满。

"我知道了，反对无效。"

"孩子丢失后，你们做了什么？"任宇接着提问。

"我们找了很久，但是仍然没有任何线索。最后我们花光了所有的积蓄，那实在是太累了……"

"是你累了，我可没有。"李长逸站起来，拍着桌子喊道。

啪！啪！

"安静！"审判长怒视着李长逸，手中的木槌重重砸下，就像行刑的刽子手斩断了法庭中的喧哗。

李长逸默默地点头，倒在椅子上。

"你们是因为累了，花光了所有的积蓄而分开的吗？"

"不，对不起，他说的没错，是我累了，而他没有。因为这个，我们的分歧越来越大，最后不得不分开。"

"分歧在于……"

"我们找了好几年，但是一无所获。我想，再那样下去的话，可能会毁了我们的未来……我……我说……再……再要一个孩子。"殷眉又流出眼泪，这是真实的感情。岳薇偷眼看看李长逸，她的当事人注视着自己的手指，也陷入了痛苦的回忆。

"李长逸又是如何应对的？"

"反对！"岳薇站起来，"审判长，这有什么意义吗？本案的重点在于联信公司要保留李长逸的号码。"

"反对有效，任律师，我要求你进入正题。"

"殷女士，请加快速度。"任宇走近殷眉，温和地说。

"他……李长逸当场拒绝了我，并且……并且……第一次打了我，他说我已经放弃了自己的孩子。第二天，他拿来了一份离婚协议。"殷眉擦干眼泪，直视着李长逸，"其实我的心里确实已经放弃了。我签了协议，离开了家，没什么可分割的，所有的钱都已经花了。"

"在原告提出意见之前，我要提醒你一下，律师，仍然没有进入正题。"审判长已经开始不耐烦了。

"离婚第三年，李长逸被诊断出偏执型人格障碍。"

"反对！反对！"岳薇第一时间站起来，"铺垫了这么多，就是为了说明我的当事人有精神疾病吗？证人殷眉女士并不具备专业资格，联信公司已经打算用抹黑的方法来辩论了吗？”

任宇对岳薇的质疑并不理睬，而是递上两份材料："这是第五人民医院开的诊断书，以及强制治疗的病历。"

岳薇知道问题出在哪了，她扭过身子，强迫李长逸看着自己，一字一句地问："你知不知道智盛在坑你？"

李长逸不置可否，只是在椅子里不自然地扭动身体。

岳薇把诊断书推到李长逸面前，低声说："所有的关键信息都被智盛扣下了，而你，不愿意和我沟通，你是故意想让官司输掉吗？"

"岳律师，你有什么要说的吗？"审判长问。

"有，审判长。"岳薇瞪了李长逸一眼，"我不知道对方律师想要证明什么，但是这份病历正好说明我的当事人已经痊愈出院，精神方面并无异常。"她挥舞着那份病历，"并且，与本案无关。"

"不，偏执型人格障碍很难治愈，出院只能证明他的病情暂时得到了缓解，但是现在，我方怀疑李长逸因为受到一些综合原因的刺激，会旧病复发。"

"反对，对方律师没有诊断精神疾病的资质，不能进行恶意推断。"岳薇迅速回击。

"有效。"审判长说道。

"那么，我方提出对李长逸的精神状况进行鉴定。"任宇自信地说。

"反对！这简直是污蔑！"

"审判长，如果李长逸的精神状况不佳，没有民事自主能力，我方要求取消这场诉讼。"

"反对！反对！审判长您能允许在法庭上出现这样明目张胆的污蔑吗？"

"这是我方的权力！"任宇步步紧逼。

"这是拖延时间！"

"都给我闭嘴！"

一声怒喝让整个法庭安静下来，连审判长举起的木槌都停止在半空，无法落下。

目光集中在怒吼的源头——李长逸——身上。

李长逸侧着耳朵，仿佛在倾听什么声音："你们没听见吗？"

岳薇像被人猛揍了一拳，她不知道李长逸身上发生了什么，但肯定对将来的审判没有好处。

"李先生！"她小声说，"集中精神，这是在法……"

"我叫你闭嘴！"李长逸粗暴地推开岳薇，离开原告席，走到法庭中央。他侧着耳朵，寻找着空气中存在的蛛丝马迹，像一只能干的缉毒犬。

这时岳薇也听到了，法庭中飘荡着微弱的歌声，欢快的节奏，成年男中音和稚气未脱的小男孩之间的对唱。

任宇走回被告席，从公文包里找出手机，歌声就是从他的手机上传出来的。他关掉手机，向大家送出一个抱歉的笑容："对不起，我忘记关掉铃声了。"

李长逸死死地盯着任宇的手机，过了一会儿才露出如梦方醒的表情，他转向证人席里的殷眉："你，是你告诉他咱们的孩子最喜欢听这首歌的？"

"对不起，"任宇说，"审判长，到底谁是律师？"

"原告，回到座位，让你的律师询问。"

李长逸顺从地走回原告席。

"你为什么必须要保留那个号码？"就在李长逸走回座位时，任宇问。

"反对，请不要和我的当事人说话。"岳薇站起来，挡在任宇和李长逸之间，然后她转向审判长，"对方律师在庭审中故意用手机放音乐，来迷惑我的当事人，这是藐视法庭。"

审判长想了想："辩方律师，把手机交给法警，罚款3000元，有意见吗？"

任宇看了一眼岳薇："没意见。"

"下面继续，岳律师你有问题要问证人吗？"

"那是我与我儿子联系的唯一方式。"李长逸突然开口说话，打断了岳薇正要出口的回答。

"你不要再说话了。"岳薇按住李长逸的肩膀，希望能够将他按在椅子上，如果允许的话，她希望用胶带将他捆成木乃伊的样子。

然而一切都是徒劳的，李长逸猛地甩开岳薇的手，大步走向被告席。他伸出手臂，用手指指向任宇的鼻子，仿佛那是一支手枪："那是我和我儿子联系的唯一的希望！"

"还有你，这个号码不是你教给孩子的吗，你让他牢牢记住，以防……以防……你忘了吗？你不在乎了吗？"枪口又对准殷眉。

"李长逸！请控制住你的情绪。"审判长吭吭地敲着木槌。

"闭嘴！你和他们也都一样，你们从十几年前就都放弃了，你们根本不在乎！"

岳薇颓然地滑倒在椅子上，看着她的当事人像抢劫银行的劫匪一样挥舞着双手，质疑着法庭上的每一个人。

"法警！"审判长也无法容忍李长逸这样的癫狂行为，他用力敲打木槌，好像擂起战鼓。

李长逸像公牛一样冲向被告席，掀翻桌子，一把攥住任宇的领带。

然后，李长逸哭了，像个小孩一样号啕大哭："求你……求你了……我只有那个号码，别……"

四个法警冲进来，架走了李长逸。

一切都完了，这场官司从什么时候开始变成一场闹剧的？岳薇的脑子一片空白。

庭审在混乱中结束，岳薇提出推迟庭审的动议，但审判长注视了她几秒钟，转身走了。

岳薇离开法庭，在走廊尽头的羁押室里找到了李长逸。

"我……"李长逸突然老了很多，原本就颓废的他现在看上去像是行尸走肉，"我搞砸了。"

"嗯。"岳薇费了好大的劲才没让李长逸坐上直达精神病院的班车，她现在也没有好心情。

"我没想到……她会帮着他们，我以为她看在孩子的分儿上会留些情面。"李长逸又握紧拳头。

"别想那么多了，回去吧。"岳薇安慰他说，"在判决出来之前，一切都还有转机。"

李长逸重重地点头。

4

离开法院，岳薇独自回到律所，谢叔已经在办公室等着她了。

"你的当事人挺有故事的。"谢叔坐在岳薇的座位上，用下巴指指办公桌上的一沓档案。

"现在都没用了。"岳薇苦笑。

"怎么了？"

"他丢了一个孩子，和老婆离婚，最后孩子还没找回来，他也疯了。"岳薇脱下外套甩在一边，"今天在法庭上比在马戏团还热闹，辩方律师耍了个诡计，我的当事人当场就崩溃了。你如果早告诉我这些的话，今天上庭之前我就应该准备一包爆米花带去。"

"他的信息不好找。"谢叔摊手，"你知道他之前是个软件工程师吗？"

岳薇点点头，她最近经常见到李长逸的成果。

"所以他在网络上留下的信息很少，除了姓名、生日、身份证号，还有你知道的那些之外，没有任何信息。"

"他看上去确实没什么私生活。"

"所以我去了他家。"

岳薇露出得意的笑容："我前天就去过了。"

谢叔一愣："你去干什么？"

"没什么，你在他家发现了什么？"

谢叔将桌上的显示器转向岳薇，夸张地按下播放键，通过摄像机拍下的视频开始播放。

"你是怎么进去的？"岳薇问，李长逸家那夸张的安全门给她留下了很深的印象。

"你只要知道我是专业人士就行了。"谢叔挤挤眼睛。

屏幕显示一片漆黑，探测到屋子里的黑暗之后，摄像机开始提高感光度，并且切换到夜视模式，李长逸的家呈现出一片幽暗的绿光。

在岳薇的印象中，他家没有什么摆设，只有简单的家具、仅够生活用的器具，如果不算那些电脑设备的话，那里连出租屋都不如，很难想象李长逸在那里生活了二十多年。

镜头跟随着谢叔走过各个房间，摆放着全息投影仪的那件"招魂室"，维持着二十多年前模样的小孩房，还有只有一张折叠床的"卧室"。

没有任何有价值的线索，最后，谢叔走到了里面的房间，屋子风格突变。

房间正面是一张大号的电脑桌，桌上是六台显示屏组成的阵列，房间一角的机柜嗡嗡作响，各色LED灯不停地闪烁。

谢叔动了动鼠标，唤醒主机。桌面上杂乱地摆放着各种图标和文档，谢叔试探性地一一打开查看。

随着查看的层层深入，两个文件包出现在屏幕上，分别写着"方征""岳薇"。

"这里为什么会有你和方征的名字？"

"我……不知道。"岳薇看似随意地回答着，她还不知道是不是该把向李长逸求助的事向谢叔说，肯定会被臭骂一顿，或者被狠狠地讽刺一番，反正没有好下场。

谢叔点开那些文件，里面详细记录了岳薇和方征的信息，从出生到现在，几乎所有网上可以找到的信息，发过的每一条留言，都在那两个文件包里。

按照李长逸的说法，他通过方征的成长记录和思维模式重建了一个模型，就是所谓的"招魂"，岳薇深深地知道他没说大话，前天和方征的"灵魂"交谈时，方征的每一句话、每一个反应，都和活着的时候一模一样。

但是李长逸收集自己的信息干吗？

谢叔的手表亮了，那是在提示他有人触动了他留在楼下的传感器：李长逸回来了。

谢叔麻利地关闭打开的窗口，正准备离开时，屏幕的右下角有一个图标闪动起来，那是最近流行的即时交流软件，有人向李长逸发来一条信息。

屏幕里的谢叔犹豫了一下，点开那条信息。

信息很短，只有一行字。

"爸爸，你在吗？"

岳薇再次敲响李长逸家的安全门，没等多久，他的脸就浮现在显示屏上。

"岳律师，你来干什么？我不想再提案子的事了，请回吧。"

"不，现在我已经无法再为那件案子做什么了，只能等待判决。我来是为了私事，我还想见见他。"

李长逸皱起眉头，想了想，然后说："进来吧。"

像上次一样，岳薇被带进那个房间，稍作等待之后，方征出现在岳薇面前。

"小薇，是你吗？"

岳薇没有回答，而是静静地看着她的爱人。

方征的影像等了一会儿，无聊了，开始玩弄自己的指甲。如果不是事先知道的话，岳薇就会把他当作真人了。

"方征。"岳薇说。

"小薇。"方征把手指从嘴里拿出来，抬起头，岳薇很不喜欢他啃指甲。

"我不能再见你了。"

"什么？为什么？"方征愣在原地，受惊的样子让岳薇不忍继续往下说。

"你……已经死了。"

"不……不可能，我……不可能……不……"

"那是一场意外，你坚强些。"岳薇走上前去，伸出手，手臂穿过方征的身体，全息场在她的手臂上反射出耀眼的光。

"我明白了，很多事情能够讲得通了。"方征镇静下来，"我说怎么好像好几天没拉屎了。"

岳薇笑了："我今天在法庭上，听到了一个故事。"

"什么故事？"

"内容不重要，说的是两个和咱俩差不多的人的故事，实际上，那只是一个人的故事。"

"我不明白。"

"你虽然站在我的面前，但是你并不是真的活了，你只是我的执念而已。是我在用你折磨自己。"两行泪水滑过岳薇的脸庞，在光芒的照射下晶莹透亮。

"我们不再见面，你就会过得好些了。"方征低声说，不知道是在提问，还是在陈述。

"对不起，你会理解我吗？"岳薇说。

"当然。"方征又露出他那副自以为是的表情，"也许，你可以找别人陪你去吃街角那家馆子了。"

"我永远不会再去那里了。"

"也好，反正我一直不喜欢那里的菜，酱油放太多。"方征撇着嘴说。

岳薇笑了，她擦干脸上的眼泪："谢谢你，再见。"她觉得心里有什么东西终于放下了。

"再见。"

岳薇最后看了一眼方征的影子："我爱你，我会一直想你的。"

岳薇推开房间门，将方征留在身后。

李长逸的家很安静，转角的一个房间里传来一些响动，不知道李长逸在干什么。

岳薇轻手轻脚地走到客厅，开始今天真正的任务。

通过谢叔录下的视频，岳薇记住了李长逸家的构造，有主机的房间在最里面。她轻手轻脚地向里走，谢叔在那里找到了一些线索，但是没有找到答案。

李长逸为什么整理了自己的档案；那个管李长逸叫爸爸的人，是谁。

岳薇唤醒了电脑，很快找到通信软件。在近期联系人记录里，她找到了那个人的ID：李超然21。

然而在这个名字下面，还有一连串其他的ID，李超然07、李超然14、李超然20……

岳薇点开一个叫作李超然33的ID，通话记录写着：

——我不管你是谁，别再联系我了。

——我真的是你爸爸。

——去你妈的。

——超然，别这样。

她又点开李超然45：

——爸，我今天加薪了。这个季度的业绩是小组第一。

——真棒，我知道你没问题的。

——我去做报表，回头聊。

——再见。

"你在这里干什么。"李长逸的声音突然在背后响起，岳薇尖叫一声从电脑椅上跳起来，慌忙去关对话框。

"我……我找厕所。"

李长逸看看屏幕上的内容，挑挑眉毛："被你发现了。"

"那是谁？"岳薇问。

"是我儿子。"

"我看到有很多ID。"

"都是。"李长逸轻松地说。

"我不明白。"

"他们都是程序，每一个都是。就像你的方征，是通过大数据中他的网络标记重建了他的意识模型，让他可以和你交流。那是我二十多年前就已经完成了的算法。而这些，是靠更新的理念创造的。"

"你做这些干什么？"

"为了和我的儿子重新见面的那天。"李长逸从岳薇身边走过，坐在房间里唯一一张电脑椅上，用手指有节奏地轻敲桌面，"他三岁的时候就离开了我，我不知道这么多年里发生了什么，他在什么环境下生活，又经历了什么样的事情。所以我设计了各种生长环境，将意识模型放进去，看着他们一天天长起来。我观察他们，了解他们的一切，他们的生活，他们的思维方式。"李长逸抬起头，目光里闪现着希望的光，"这样，等我找到他的时候，我会让他知道，我一直都没有离开过他，我们会成为默契的父子俩。"

"所以，你必须留下那个号码？"

"我知道你会理解我的，岳律师。"

"不，李先生，我和你并不一样。我来到这里之前就已经知道方征已经不在了，能够和他再次对话，是给我自己一个交代。而你，我不知道李超然是不是还……"

126

"他当然活着！"

"是，他可能还活着。也一定有了自己的生活。即使你们重新相见，他也不会立刻扔下自己的生活来陪你，我建议你也应该开始过属于自己的生活了。不要再以你的儿子为借口拒绝整个世界。"

"我能给他一个家！"

"他已经有家了。"

"我这里才是真正的家！"

"那就让这里看上去像个家吧。"

李长逸愣住，打量着单调、长着霉斑的墙壁，开裂的地板，还有嗡嗡作响的机柜。

最后他说："请回吧，明天还要去法庭等待判决。"

岳薇提前来到法院，门口已经聚满了人，自制的纸牌和条幅上写着诸如"保卫T网号码！""今天，他是我们所有人的孩子！"之类的大字。

李长逸从公交车上下来，缓慢地穿过人行道，来到岳薇面前。

"看见了吗？"岳薇指向人群方向，"他们都是为了你来的。"

"无所谓了。"李长逸说，"法官又不会因为他们对我产生好感。"

他们走向法院大门，人群中走出一个人，将一张纸条塞到李长逸手里，又隐没到了人群中。

李长逸看看纸条，向那群人深深地鞠了一躬，然后把纸条递给岳薇。

纸条上写着：我们支持你，不用担心，即使这场官司败诉了，我们也会替你接着打，一直到你找到儿子为止。——志愿者

"你的故事传播出去了，你看有这么多人支持你。"

李长逸冷笑一声，"真是可笑，今天这些听到消息来支援我的人，和二十多年前扼杀了我的研究成果的人，是一类人。"

岳薇一愣，她将纸条还给李长逸，走上法院漫长的台阶。

当他们从法院出来，再次踏上这段台阶时，人群已经散了。

"对不起，没有帮你打赢这场官司。"外面的阳光正刺眼，岳薇抬起手，在眼前搭了一个凉棚。

"你说得很对。"李长逸眯着眼睛说。

"什么？"

"你昨天说超然应该已经有自己的家了，我觉得你说得有道理。"

"你能明白就好。"岳薇看向李长逸，突然意识到他正盯着自己的手腕。

岳薇放下手，把手串藏在袖子里。

"总之，谢谢你了。"李长逸说，岳薇觉得他是真心的。

"如果打赢了官司就更好了。"岳薇回答道。

李长逸点头，快步走下台阶，转眼间消失在川流不息的人群中。

岳薇摇摇头，向律所走去。

李长逸回到自己的家中，从兜里掏出一串刚在小摊上买到的酸枝手串，放在桌上。

李长逸唤醒电脑，抹掉自己在网络上发帖的痕迹，没人会知道那些关于本案庭审的信息就是他自己发的。他知道很多人会同情一个精神有问题，而且丢了儿子的单身汉。

和联信公司的关系不会就此而止，很快就有人自发地来帮助李长逸了。

然后，李长逸在经过重新编程的聊天软件里添加了一个新的ID：李超然52。

"你好。"他输入了一句问候。

"你好,你是谁?"

"说起有些唐突,方征,实际上你的本名叫做李超然,我是你的亲生父亲。"

"我没心情跟你开玩笑。"

"你今年年纪也不小了,成家了吗?有对象了吗?"

李长逸一边聊着,一边将岳薇的档案加入到他设计的程序里。

现在,他有52个儿子,和一个儿媳妇了。

这个儿媳妇很聪明,李长逸很满意。

也许他会有一个聪明的孙子,啊,龙凤胎更好。

逃离末日

1

　　杰克端着酒杯，站在巨大的落地窗前，看着窗外梦幻的景色。天空中，红色的米伽正在缓慢地远去，身后拖着一条晶莹的光带，那是被米伽的引力捕获的一部分海水折射着阳光所形成的。

　　光带之下，被米伽的引力拉起的海水形成的水晶之墙正缓缓地下降。百米高的海浪击打在防波堤上，发出持续不断的隆隆巨响。尽管距离海岸线有二十多公里，杰克仍然能感觉到脚底传来的阵阵颤抖。

　　假如在五年前，有人告诉杰克，他会像今天一样站在一所豪宅里，一边品着美酒一边悠闲地看着世界末日的来临，他一定会将手中的酒瓶狠狠地砸向那个人的脸上。当然，要先把酒瓶里掺了水的劣酒喝完，不能浪费。

　　然而一颗陨石一头撞在了米伽上，于是米伽划着缓慢而优雅的椭圆形舞步向这个世界坠下，末日真的来了。

　　电话响了，是文森特——他的老板。杰克下意识地抚摸着后脑上植入的端口，接了电话。

"嘿！我的小杰克，玩得怎么样？亲眼看见水晶之墙是种什么感觉啊？"

"没有我想象中的壮观，真不明白为什么会有人花大价钱到这里来看这些。"

"你觉得它不够壮观？全宇宙再也找不到和这里一样的景观，况且这里也看不了多少时间了。"老板的言外之意是赚钱要抓紧时间。

"我还是想去看看那边的末日火山，听说那里……"

"小子，你不要得寸进尺啊，你知道有多少人在排队等你吗？"老板非常清楚杰克的想法，很快便打断了他的要求。

"我明白。可是你也知道，这样的景色也没有几次了，我作为一个旅游代理人还一次都没亲眼看到过呢。"杰克尽可能地把语气调整得忧郁一些。

电话那头沉默了片刻，杰克知道老板正在试图控制自己的情绪。他非常明白自己现在是最炙手可热的旅游代理人，一点点任性是可以被容忍的。

"好吧，只有这么一次，然后你就要回来给我干活。要知道，那些排队的人都是得罪不起的大客户。还有，不要忘了，当初是谁把你从垃圾堆里捡出来，让你过上现在的日子的。"

当然忘不了。没错，文森特收留了无家可归的杰克，还教给了他生存的方法，比如乞讨、盗窃、催债等，让杰克可以凭自己的力量茁壮成长。这些都少不了文森特父亲般的严厉，当然这严厉基本出自他手中的皮鞭、棍棒或者其他什么称手的东西。

"你对我的恩典我怎么能忘，我放松一下心情才能更好地为客户……不，为你服务。"杰克违心地说。

"我知道你不会给我找麻烦的，你是我最看重的小伙子了。"这是文森特标志性的语言，言外之意是你还活着是我看得上你。杰克还记得上一个文森特最看重的小伙子的下场，那个人最后躺在下水道的淤泥里，变成了老鼠的晚餐。

挂了电话，杰克再次走到窗前，看着第一大道上在水晶之墙和巨浪前狂欢的人群。这些人里绝大部分是和杰克一样的旅游代理人，他们把身体租借出来，供这些想来参加这末日狂欢而又怕死的有钱人使用。只要往意识转录机上一躺，再睁开眼的时候就可以拿到大把的钞票。至于那些人用他们的身体干了什么，没有人在乎。反正过不了多长时间，一切都会随着这颗星球一起烟消云散。

那么我呢？杰克问自己，留在这颗星球上等待着末日的降临，作为一名旅游代理为客户，或者说为老板服务到底，趁着还活着拼命地放纵，然后安静地躺在意识转录机上祈祷能再睁开眼睛，就像一场接一场地玩着俄罗斯轮盘赌；或者离开这里，到一个新的地方，花光手里的钱，重新做一个流浪汉，继续坑蒙拐骗，祈祷着再来一颗陨石砸在头顶的月亮上，让生命再来一次大起大落的轮回。生存还是毁灭，这确实是一个值得思考的问题。

杰克环顾着现在被自己据为己有的这所豪宅，曾经的主人早在世界毁灭的消息刚确定的时候就带着一家老小离开了这个星球，留下了一屋子价值连城的名画和雕塑，还有闪闪发光的各种金银饰物，而现在这些东西不过是一堆亮晶晶的破烂。我从一个垃圾堆到了另一个垃圾堆，杰克心想。不过幸好，屋子的主人还留下了整整一间酒窖的好酒。

杰克呷了一口杯中的葡萄酒，酒瓶上的标签写着这酒的年代是在五十多年以前。淡红色的液体滑入口中，厚重的甜味中带着一丝酸，圆润的口感如同丝绸滑过嘴里。但总是仿佛缺了些什么，杰克有些心烦，周围的一切让他感觉像穿着一件湿衣服一样闷得难受。他吐掉口中的酒，想找一个真正适合自己的地方喝一杯。

破锚酒吧如同它的名字一样，又破又烂，还带着一股潮湿的腥气。就连招牌上的霓虹灯都已经掉了一半，而剩下的部分中，又有一半不会发光。勉强称得上完好的部分，在发光的同时，还不时地发出滋滋的响声，仿佛在努力地招揽着客人。

对于杰克来说，这个酒吧也像锚一样，将他固定在这里。无论过着什么样的生活，只有在这里他才能找到那种特殊的归属感。那昏暗的灯光，永远弥漫在空气中的烤肉和呕吐物混合的味道让他感觉无比得亲切。但最主要的，是丽萨在这里。

丽萨工作的时候，杰克不能暴露他和丽萨之间的情侣关系。这主要是为了他着想，如果让那些酒鬼得知了杰克无耻地获得了这个唯一一个愿意和他们聊天扯淡的女人的芳心，那么想和他单挑的人估计要排上几百米的长队了。

杰克走进酒吧时，丽萨正在无聊地擦着酒杯，三五个独自喝酒的客人分散地坐在各自的桌前。离正常营业的时间还早，不过现在这个世界，已经没有多少人会光顾这个破败的小酒吧了。

"呦，伍德先生，这么早就来了。"丽萨挑了挑眉毛。"先给您来杯柠檬水？"

"这里不是酒吧吗？为什么给我柠檬水？"杰克诧异地问。

"先给您上酒的话，可能等不到我们正常营业，您就喝不下去了。"

"我就是来喝酒的，你可以把柠檬水兑到酒里拿给我。"

"不好意思，我们的酒里已经兑过水了。"

从酒吧老板的方向传来一声咳嗽，丽萨吐吐舌头，给杰克倒好了一杯酒。

"你怎么跑到这里来了,现在不正是你工作的时间吗?"丽萨擦着酒杯,皱着眉头问杰克。

"世界末日越来越近了,说不定哪次别人正用着我的身体时,米伽就砸到头上了。在这之前为什么不享受享受呢?"

"对,我们这里确实是享受的好地方。"丽萨偷偷看了看老板,露出一个坏笑。

"我有点事想问问你。"杰克小心翼翼地看了看四周,确定没有人注意到他们。

"什么事?搞得这么神秘?"

"你还打算留在这里吗?世界末日可快到了。"

"那又怎么样?也许只是震一下,刮几天沙尘暴而已。专家都讲了,如果撞击的话,可能只有十分之一的面积会遭到致命的打击;再说了,我也没钱离开这里。"丽萨耸耸肩。

"要不……"杰克转着杯子,再次打量了一下另外几个酒客,"我们离开这个星球吧。"

"你不想活了?"丽萨压低了声音说,"文森特会放你走?"

"当然不会,但是我可不想在这等死。最近我也攒了不少钱,咱们偷偷溜走吧。"

没有回应,杰克抬起头,发现丽萨正盯着他看。一副似笑非笑的表情,让杰克摸不透她在想什么。

"什么?你要向我求婚?"丽萨大声说,杰克感到全酒吧的目光都集中到了自己身上,大部分还冒着寒气。这是丽萨表示拒绝的一贯方法,遇到不想说的话题,就把其他人的注意力都集中到这里,让杰克无法继续。杰克知道这时保持沉默是最好的对策。

丽萨把左手伸到杰克面前，杰克看到她的无名指上已经有了一枚戒指，戒指上的假钻石反射着酒吧里昏暗的灯光。

"可惜你来晚了。"丽萨说着，从柜台下面拿出一个铁皮盒子，里面装满了各种戒指和其他各种零件，其中还有易拉罐环和螺母什么的，都是那些糊涂的酒鬼干的。"之前已经有很多人向我'求婚'了，这些就是他们送的'戒指'。"

杰克皱着眉头，看着丽萨夸张的表演。已经有人吹起了口哨。

"你看你，什么也没有带，让我怎么回答你啊。"丽萨还在发挥着她的表演天赋。

杰克开始觉得喉咙有些发干，他大口喝光了杯子里的酒，更专心地盯着手中的酒杯看，脑子却在不停地转着，希望能挤出几句俏皮话来给自己找个台阶下。

丽萨向前倾过身子，一只修长的手臂越过吧台，搂住了杰克的脖子。

"不过，还没喝酒就对我说出这种话的，你还是第一个。再加把劲，我看好你哦。"丽萨轻轻地在杰克的脸颊上吻了一下，又在他耳边狠狠地说，"你回去清醒清醒再来。"说完便转身招待另外的客人去了。

杰克怔怔地看着丽萨离开的背影，大脑一片空白。

"不错的姑娘啊。"一个声音从旁边传来，杰克好一会儿才意识到这是在和他说话。

"啊，当然。不错的姑娘。"杰克心不在焉地搭着话。

"打算离开这个星球？"那人接着问。

杰克浑身一紧，心里在猜测刚才的对话这个人听到了多少。他打量了一下过来搭讪的人，这个看着自己的人挤出僵硬的笑容，眼睛里却透着狡猾的光。一件破旧的皮衣搭配一条磨得发白的牛仔裤，一看就不是本地人，但是来自外星的游客也不会这么寒酸。

杰克不高兴地瞥了那人一眼，不想再和他搭话。

"再带上这个姑娘？去另一个星球的话，说起来简单，可实际上困难得很啊。需要出入境管理局的批准，需要新的身份，需要住所，还需要找到合适的工作，样样都很麻烦。"那个人仍然自顾自地喋喋不休，但每句话都像是对着杰克说的。

杰克又看了那人一眼，现在他心里有底了，这个多嘴的人是个星际掮客，专门干些帮助别人偷渡、伪造身份的勾当。自从末日的舆论日盛，几乎所有的居民都想向别的星球移民，于是嗅觉敏感的掮客们蜂拥而至。真是哪里有需求，哪里就有市场啊。

猜到了这个人的身份让杰克松了一口气，现在杰克正好需要一个这样的人。

"看来你很了解这方面的事情。"杰克压低了声音问，好像这个世界还有警察在管这些违法的事一样。

"如果你需要，我倒是可以帮你一个忙。"那个人开门见山地说。

"那么，说来听听。"

那人招招手，示意杰克靠近些。杰克凑了过去，那个人扭了扭身子，从兜里掏出一样东西给杰克看。

一枚星际刑警的徽章，原来他不是掮客。

"星际刑警？"杰克撇了撇嘴，仿佛吃了个苍蝇。出于职业习惯，每次提到警察，他都想吐一口口水。

"罗恩·贝尔。我想请你帮我一个忙。"罗恩向杰克伸出手来，杰克盯着那只手看了很久，才象征性地握了一下。

"那我就直接开始吧。我正在追查一个案子，你有没有听说过一个叫老虎洛伦佐的人。"

杰克摇摇头，他现在已经开始后悔和罗恩搭话了。

"他是银河系最让人头疼的黑手党头子，大半个银河系的星际刑警已经追查了他将近二十年，连他的一根头发都没有发现。"罗恩把酒杯重重地砸在吧台上，仿佛在发泄胸中的恶气。

一种预感突然出现在杰克的脑海里，他觉得他会不喜欢将要发生的事情。

"不过最近我们发现了一条线索。"罗恩的脸上露出了得意的神情，"我们发现洛伦佐的几个假身份开始活跃起来，在一段时间里这几个假身份的账户资金都有一部分流入了同一个账户。"罗恩喝了一口杯中的酒，同时满意地看了一眼杰克期待的表情。

"文森特·古德曼，你应该熟悉这个名字吧。"

老板？杰克皱了皱眉头。果然，这个倒霉的星际刑警找上自己不是没原因的。

"我知道你和他之间的关系比较复杂，也许我们可以互相帮助。"

"对不起，我现在还需要这个老板给我提供工作和钱，你们的游戏我就不参与了，祝你好运。"杰克打算赶紧离开这个警察的身边，他只想偷偷地从老板的眼皮底下逃跑，和老板作对是没有好下场的。

"等一下。"罗恩拉住了杰克的胳膊，"如果你改变主意了，请你联系我。希望你好好考虑一下。这个星球的时间已经不多了，我需要抓住现在这条线索。"他把一张名片塞到杰克手里。

"是你的时间不多了吧。"杰克看了看名片，扔回给了罗恩。"为了保证意识流传输不被干扰，这个星球的民间无线通信已经全部被屏蔽了，我要这个没有用。建议你还是先了解一下情况再去招惹文森特吧，警察先生。"

"那样的话，我会在老查理旅馆待上一段时间，请到那里来找我。"罗恩仍然不死心，对着杰克的背影喊道。

哼，菜鸟警察，竟然单枪匹马跑到文森特的地盘问这问那，甚至都没有遮掩的意思。不用急着找文森特，他一定会先找到你的。

杰克走出酒吧，空气中的水雾让杰克裹了裹身上的衣服。两个街区之外人群狂欢的声音远远地传了过来，更显得这里的荒凉和破败。

几个人影在不远处说着话。这些好奇的游客，跑到这个地方干什么。杰克从他们身边走过时心里暗想。其中一个大个子，一直虎视眈眈地看着杰克，看得他心里一阵发毛。他加快脚步，从这伙人身边走过。

"嘿，杰克。"一个瓮声瓮气的声音叫住了他，他停住脚步，看见那个大个子正站在身后一米多的位置，嘴角挂着一丝微笑。

"什么事？我认……"杰克有些警惕地问，但他还没来得及退到安全的距离，就被大个子一拳击中头部。杰克觉得时间突然变得很慢，他惊讶地看着大个子狰狞的脸变得越来越远，而地面向自己压了过来，他倒在地上，看到眼前有一双特大号的马靴，脚踝上还有一圈流苏。真是滑稽，杰克想着，然后失去了意识。

2

首先进入视线的是一双脚，杰克使劲地盯着它们看，终于认出这是属于他自己的脚。他想活动活动身体，一种不自然的感觉让他很疑惑。他感觉到自己的双手正在头顶，但却动弹不了，他想抬头看看，可是右边太阳穴传来的一阵刺痛让他不得不放弃这个打算。他深呼吸了几下，才找到一种不会使头部很疼的方式把头抬起来。

"看看是谁醒了，这不是我的小杰克吗！"一个人影出现在杰克的视线里，杰克眯起右眼，头上的疼痛稍微降低了点。那个人长着一张圆脸，慈祥的双眼正流露出温和的笑容，活像儿童频道的主持人，他穿着一身合体的西装，手里拿着那瓶杰克喝了一半的陈酿，此人正是文森特·古德曼，他的老板。

"阿布，我跟你强调了多少遍，把杰克'请'回来。你聋了吗？"文森特向旁边的什么人怒斥道，杰克想看看是谁，可是现在的姿势让他很难自由地转动头部。杰克才明白过来，自己正被吊在自己住所的客厅里，那些华而不实的横梁终于发挥了作用。

"老爹，这么着急找我有什么事吗？咱们不是刚通了电话。"

"我知道，不过计划有变，你的假期取消了。没有办法，客户有些着急。"老板伸手碰了碰杰克头上的伤口，疼痛让杰克咧起了嘴。"伤得不重，不过我和你说过，这些客户得罪不起，所以你最好好好休息一晚，明天就到中心来吧。"

"不过老爹，这种事情直接告诉我就行了，我肯定不会拒绝的，没必要用这种方式吧。"

"谁说不是呢，可是你也知道，我也有我的难处。"老板靠近了杰克的耳朵，悄声地说，"最近有一些关于你想离开的谣言，我必须做出些表示给那些造谣的人。你是不会动那种心思的，对不对？对不对？"文森特拍拍杰克的肩膀。"对了，为了保险起见，我还邀请了那个什么酒吧的女招待去我那里做客，我会妥善地安排她，希望你能够安心地工作。"

"什么？丽萨？"杰克感觉全身的毛孔发紧，就像被一桶混着冰块的冷水从头淋到脚，"她和我什么关系都没有，你快放了她。"杰克使出全身的力气抬起脚向文森特踢去，旁边的人一脚踢在他大腿上，杰克疼得又是一咧嘴，腿软绵绵地落了下去。

"阿布！我是怎么说的？杰克明天还要工作，伤了他你负责得起吗？"老板又向着旁边大骂，身后传来一阵不情愿的嘟囔声。

"好了。"老板举起了酒杯，在杰克面前晃了晃，"庆祝我们的协议顺利达成。"接着把酒一饮而尽。

"好了，阿布，把我的朋友放下来吧，我们之间的小小误会消除了。"老板指挥着阿布把吊着的杰克放下来。

"这是谁？你的新宠物？"杰克活动着发麻的四肢，看着那个大个子问。

"不要这么说，这是个好孩子。"文森特得意地看着阿布。

"那丽萨怎么办，她和我没有任何关系。"

"不用担心，她既然是我的客人，我就一定会好好地招待她。"老板笑了笑，"你现在的任务就是安心工作。你如果真的想和她在一起，那她就算是我的家人了。"

一阵木材断裂的声音突然响起，杰克凭声音判断出他的大门碎了，他转过头去，看见两个人踩着破碎的门板走进来。

先进来的人个子不高，穿着紧身的皮裤，上身是一件宽大的红色T恤，胸口画了一个黑色的炸弹，周围还有夸张的拟声词，一副乐队吉他手的装扮。跟在后面的人大概有一米八五的个子，身体强壮，一身草绿色的户外运动装，戴着一顶渔夫帽。看起来这两个人都是租用旅游代理人身体的游客。

吉他手分别打量了一下屋里的三个人，最后目光落在了杰克身上，然后扭头看向自己的同伴，两个人交换了一下眼神。

"你……你……你就是杰克·伍……伍德先生吧？"吉他手的口才明显不适合作为一名乐队主唱。

"你想干什么？"杰克后退了一步，刚才有人叫他的时候他挨了一拳，现在又有人找他。

"请……请……"吉他手的脸憋得有些发红，他突然闭上嘴，愤怒地一甩手，把交涉的任务交给了同伴。

"请你和我们走一趟吧，有人需要你。"渔夫上前一步，温和地说。

杰克注意到，渔夫的左手在时不时地颤抖。和吉他手的结巴一样，这些都是被代理人的特征。由于米伽的突然坠落，意识转录技术在没有100%完善的情况下就开始了商业应用，确切地说，99%的人在使用代理身体的时候会发生神经信号错乱或者传递不畅的现象，这个星球上只有一个能够对任何人完全兼容的代理人，就是杰克。再加上他的身体还没有完全被酒精毁掉，并且有着不错的外表这两点，杰克毫无来由地成了代理行业的业务明星。也许是自己没有什么个性的原因，杰克经常这样悲哀地想。

杰克看着一旁被忽视了的文森特，有他在场的时候，是轮不到杰克决定的。

"你们是什么人？"老板向那两个人喝问道。

"我们的任务是把这个人带走，请你不要多管闲事。"渔夫甚至没有看文森特一眼，他的语气像冷库里的冻肉一样结结实实地砸在了老板的自尊心上。

"这里是我的地盘，看在你们是游客的分儿上，趁我没改变主意之前，你们自行离开吧。"文森特努力维持着自己的涵养，杰克对老板这几年来由小混混到商人的成功转变感到十分惊讶。

"我们必须将他带走。"渔夫终于分出了一部分注意力转移到了文森特身上，但是态度仍然没有改变。

跟随老板这么多年的时间里，杰克从来没有见过有人对文森特这样轻视，他感到老板就要爆发了。杰克又退了两步，希望自己不会跟着遭殃。

果然，文森特的忍耐达到了极限，他狠狠地将酒杯摔在地上，鲜红的酒溅了杰克一身。

像接到信号一样，阿布吼了一声，向渔夫扑去。

"等一下！"吉他手举起手，用一个暂停的手势阻止了刚刚准备爆发的阿布。"你……你是……是他的上……上司？"吉他手问文森特。

虽然没有得到回应，但吉他手走近文森特，向他招招手，表示想对他说两句悄悄话。

文森特不自然地侧过身子，吉他手在他耳边说着什么。杰克看到老板的表情慢慢地变了，从愤怒变成了一种杰克非常熟悉的表情。身边的人在面对文森特时，经常带着这种表情，那是恐惧的表情。

"是……是……好的……好的……"文森特唯唯诺诺地答应着，像一只顺从的小绵羊。

"那么，我们可以请他和我们一起走了？"吉他手又把目光转向杰克。

"没问题，请便，我不会干预的。孩子，你跟着他们去吧。"文森特对着杰克说，然而他藏在身后的左手伸出两个手指，向地面点了两下。

快跑！杰克的身体比脑袋更快地领会了这个手势的含义。等他开始思考该躲到哪里的时候，自己已经奔跑在通往豪宅深处那长长的走廊里了。

走廊给了杰克更多思考的时间，他拼命地回想这所房子里最安全的地方，但最后他还是被自己的潜意识带到了一个房间。当他背靠着已经锁紧的门，努力调整自己的呼吸时，才抬头看见整齐地陈列在酒架上的一瓶瓶酒。

一丝模糊的记忆浮现出来，有一次他找酒喝时，曾发现过这里有个藏身之所，但是当时处于半醉的他却没留下什么印象。杰克咬了咬牙，恨不得回到过去，把酒瓶子狠狠地砸在那个不记事的自己头上。他只能凭着印象把一瓶一瓶酒从酒柜上抽出来，希望能找到那个隐藏的开关。

门口传来了撞击声，但是看样子一时半会他们还进不来。杰克疯狂地寻找着那个能救命的酒瓶，一边祈祷那不是醉酒后的幻觉。

撞击声停止了，接着是一阵窸窸窣窣的动静，杰克不由得停下动作仔细地听。

"这种锁对你来说不是难事吧。"一个声音说道，杰克听出说话的是那个打扮得像渔夫的人。

"废话，如……如果这……这手不抽……筋的话。"又一个人开口了，杰克想象着一个结巴的吉他手正用抽筋的手撬锁的情景，一点儿也不好笑，这反而让他直冒冷汗。

终于，就像电影里的镜头一样，杰克抽出一只酒瓶，在房间的另一头，一面酒柜悄无声息地滑向一边，露出一个黑色的洞口。杰克轻手轻脚地走过去，虽然知道这可能是最后一次待在这个房子里了，但他还是回头看了一眼那个关键的酒瓶。4602年，他试着把这个标签烙在脑子里。

"你应……应该明白，你是不可……可能永远待在里……里面的。这锁很……快就开……开了，你为什么不……自己出来呢。"那个吉他手肯定是个话痨，尽管不知道哪根神经出了错让他控制不住自己的舌头，但他仍然絮絮叨叨个不停。

请进吧，就像到了自己家一样，不过我就不奉陪了。杰克心里想着，把酒柜推回原位，黑暗笼罩了他，他觉得无比安全。

3

狂欢的人群像潮水一样冲得杰克站不稳脚跟，周围的每一个人都向他露出灿烂的笑脸，却又像看不见他一样把他挤得晃来晃去。

此时的杰克仍然无法理解发生在他身上的事，他记得自己曾经只是个小混混，没有人多看他一眼，生命的意义就是为了能多喝到一口酒。之后米伽的坠落居然让他的生活有了翻天覆地的变化，他似乎是一夜之间有了想要的一切，然而活着似乎仍然是为了多喝一点酒。而现在，在他刚想去一个新的地方，甚至想和丽萨过一段稳定的生活的时候，却有人想要他的命，而且还不止一拨人。

想到这里，杰克猛然想起老板说过他已经把丽萨带走了。他抬头辨认了一下方向，拼命地挤开包围着他的人群，向"破锚"跑去。

酒吧里的人多了些，但柜台后面只有酒吧老板一个人。没有任何丽萨的踪迹。

"不在，她出去有一会儿了。"酒吧老板干脆地回答了杰克的问题。

杰克试着向喝酒的客人打听丽萨的消息，但是这些人或是不在乎，或是怕惹麻烦，没有一个人能给他点让人安心的消息。杰克又在酒吧里转了一圈，现在连那个警察也不见了踪影。没有了文森特的庇护，恐怕这个星球上能够给他提供帮助的，就只有那个警察了。

老查理的旅馆走廊里铺着厚厚的地毯，尽管覆盖着层层叠叠的各种污渍，但仍能隐隐约约地看出地毯原来画着的玫瑰与荆棘的图案。这所旅馆和那个破酒吧以及这个世界的大部分建筑一样，早已失去了往日的活力，只能靠着那么几个有着各种奇怪的理由而不与这个世界一同疯狂的顾客的光顾辛苦支撑着。虽然明知道此时住在这个旅馆的只有那个警察一个人，但经过刚才种种事件的杰克还是小心翼翼地走在走廊里。他

144

轻手轻脚地走着，仿佛害怕被地毯上荆棘的刺扎到一样。

杰克敲了敲门，没有人回应。他又大力地敲了敲，完全忘了刚才小心翼翼的样子，仍然没有人。杰克不甘心失去这唯一的可能帮助他的人，他有些急躁地按下门把手，门居然开了。

房间里亮着灯，显然有人刚刚还在这里停留过。屋子里弥漫着灰尘和发霉的味道，然而室内的摆设却显得出乎意料得精致整齐。整个房间仿照古代田园式的风格，墙壁上铺着富有生活气息的碎花壁纸，实木的家具完全没有现代家具那种冰凉的金属感。在房间的一角，居然还有一个壁炉。墙壁上，几盏小小的壁灯发出温暖的黄色灯光，如果没有远处五颜六色的霓虹灯的映照，这里的环境真称得上温馨宜人，可惜现在这个星球上，这种舒适的环境没有人需要。

一个小小的声音传进了杰克的耳朵，如果在以前，杰克会认为这只不过是木材干裂的声音，或者老鼠偷偷吃东西的声音。但是今天杰克的神经绷得像枪口下的兔子，他条件反射地蹲下身子，然后向前扑去。身后传来一声脆响，杰克很确定那是一盏壁灯破碎的声音。

杰克连滚带爬地躲到一个自认为安全的角落，待他回头时，看到那个袭击者手中握着一根胳膊粗细的棒球棒，正居高临下地看着他。

"原来是你啊，差点就打中你了。"丽萨仍然是一副轻描淡写的态度，但是看到是杰克的时候，明显松了口气。

"你来得可真及时啊，我们正发愁去哪里找你呢。"从一个造型优美的布艺沙发后面，露出了罗恩乱糟糟的金发。

"这个欢迎会有些太隆重了。"杰克站起身，看着对面的这一对组合，一丝酸味泛了出来。"让女士打前站，未免太不绅士了吧。"

"这样说对罗恩太不公平了，刚才有两个混混想绑架我。幸好这位帅哥及时出现，才赶跑了那两个浑蛋。"丽萨向罗恩靠了靠，一只柔软的手轻轻地搭在了罗恩的肩膀上。酸味更浓了。

"他是警察，做出这种事是他的职责所在。"杰克瞟了罗恩一眼，警察显得有些尴尬，一点没有英雄救美后的威风。

"你们两个还是别在这里斗嘴了。"罗恩实在不愿夹在这两个人中间，只好打断了他们的对话，"伍德先生，我们正准备去找你。丽萨从那两个绑架者的语气中听出他们似乎也要对你不利，想必你也遇到了相同的事情，能告诉我是什么原因吗？"

"还能有什么原因，无非是一个希望员工认真工作的严厉老板罢了。"杰克摸了摸头上的伤口，虽然早已不流血了，但肿块还在一跳一跳地疼。

"那么，你来找我，是考虑清楚了我们说过的那件事吗？"罗恩绕过沙发，坐在上面。

"不仅仅是这件事，因为不止一拨人想要绑架我，不然我也逃不出来。"杰克看了一眼在旁边静静地听着他们谈话的丽萨，"又没有人肯为我英雄救美。"

丽萨向他挤挤眼睛，并没有搭话。

杰克又转向罗恩，简单叙述了一下刚才发生的事。

"还有另一拨人也在找你？"罗恩思考了片刻，"我刚才也得到了一些消息，之前说过的洛伦佐和文森特之间的资金来往，又有了新的发现。"罗恩停顿了一下，换了个姿势。他立起上身，压低了声音说："你最近的几十次被顾客租用旅游的时间，和洛伦佐资金往来的时间完全吻合。具体点说，是四十多次。"

"四十多次。"杰克重复这个数字，这么大的数字绝对不能用巧合来解释了。

"这里面一定有什么联系，也许和另一拨找你的人也有关。"罗恩眉头紧锁，他也无法摸透其间的关系。

街头的生存法则向来讲究直来直去，现在摆在杰克面前的谜题让他无从下手。他使劲闭上眼睛，然而混乱的感觉丝毫没有减弱，而且头上的伤口又疼了起来。

丽萨温柔地将杰克揽在怀里，杰克枕在丽萨的大腿上，感受着纤细的手指从他头发间滑过。他宁愿多挨几顿打，也不想坐在这里猜谜。

"我……我……我来……来解释你们的问……题吧。"门口有一个声音说道，杰克猛地从丽萨怀里跳起来。杰克所熟悉的木门碎裂声再次响起，原来门的位置站着两个人，一个一副吉他手的打扮，另一个像个渔夫。杰克又在心里祈祷，希望把刚才想挨顿打的愿望收回。

两个人像上次一样，大方地迈过木门的残骸，站在三人的面前。

"伍德先生，请你还是和我们走吧，具体的原因我会慢慢地向你解释。"渔夫仍然耐心地劝说杰克。

"你还是在这里就说清楚吧，我倒想看看你有什么理由可以说服我。"

"好吧，"两个人对视了一眼，似乎交换了什么意见。"我们受雇于一个不能说名字的老大，你只要知道他在银河系的大部分地域都非常有权势就可以了。"

丽萨用一声冷哼回应了如此之大的名头。而罗恩的双眼亮了起来，就像闻见鱼腥味的猫。

"最近几年老大的身体不是很健康，其实他也知道时日无多，而且已经安排好了后事。但是这里代理旅游的兴起，成了外面世界的一种时尚。老大他本来已经不再过问其他的事，只想趁还活着再尝试一些新鲜的事物，然而能够再次操纵年轻有活力的身体让他重新燃起了希望。他不断地租用不同类型的代理，连心情也变得年轻起来，甚至超负荷、不间断地租用不同的身体，不肯回到现实中来。"渔夫自顾自地边说边找了把椅子坐下来，"直到遇见了你。"

"我？为什么？"杰克不理解。

"因为你的身体对任何人都是完全兼容的，租用了你之后，在老大眼里，其他代理人的身体就都成了扭曲的畸形。因为不兼容而造成的神经痉挛成了无法忍受的缺陷，不信可以问他。"渔夫用大拇指指向同伴的方向。

"闭……闭……闭嘴。"

"于是老大开始有节制地租用代理，他想尽一切办法，使得每次都能租用到你的身体。最近，其实也不只最近，这两年里，你实际上只有一个顾客，就是那位老大。"

原来如此，杰克向罗恩看去，两个人的目光在空中相遇，罗恩会意地点点头。

"可是，最近你'请假'了，老大的期待落了空。要知道，他现在每天盼着的事，就是用你的身体来找回他的青春。可是无法租用到你，老大又不想使用别的代理。于是他现在像进入了戒断反应一样，脾气时好时坏，情绪低落。所以，我们只是希望你能够考虑一下一个将死的老人的心情。"

"没想到还有人对你这样入迷，"丽萨在杰克身上掐了一下，"我应该感到荣幸呢？还是应该嫉妒呢？"

"我也不知道。"杰克真觉得有些尴尬。

"那么，你的回答呢？"渔夫很诚恳地问。

"我们可……可以走……走了吧？"吉他手对着门，做了一个请的手势。

"不行。"丽萨挡在杰克身前，坚定得像大理石雕刻而成的女战神，"这个人是属于我的。"杰克心里涌上一股热流。

"女士，请你理解，我们并不是野蛮人。不过当我们的工作受到阻碍时，我们会想办法排除那些小小的麻烦的。"渔夫仍然和气地说。

"我不会和你去的。"杰克试着鼓起勇气。

"这是你的工作，你要有职业道德。"

"我已经辞职了。辞职信随后就会交给我的老板的。"杰克脱口而出，之后马上想起了向文森特"辞职"会有怎样的下场，他的声音越来越低。

"少……少……少废话。"

"不用再多说了。"丽萨又向前走了一步，现在他和渔夫之间只有不到两米远。"他……"

渔夫突然撕掉了斯文的伪装，丽萨下一句话还没出口，就被他推到了一边。

杰克看到丽萨被渔夫推倒在地，一股怒火突然蹿上来。他愤怒地迎着渔夫冲去，然而等他再反应过来时，已经仰面朝天地被扔在地上，渔夫高大的身影正在他头顶处站着。

在渔夫动手的同时，一直倚在墙上的吉他手也冲向了罗恩。虽然他嘴不利索，但是身手矫健，罗恩被打了个冷不防。罗恩连掏枪的机会都没有，只能赤手空拳地和吉他手纠缠在一起。

杰克从地上爬起来，多年的混混生涯让他明白自己绝对不是眼前这个人的对手，但是这个人对丽萨出手这件事是绝对不能容忍的，而且现在看来也没有逃跑这一选项。杰克后退两步，从壁炉旁抄起一根一米多长的火钩作为武器。渔夫仍然是一副平静的表情，慢慢向杰克逼近。

杰克抡起火钩砸向渔夫的肩膀，渔夫轻松地侧身躲过。杰克毫不气馁，手中的火钩频频出击，但都被渔夫轻松地躲开。

躲得好，杰克很满意渔夫的表现。这些游客经常忽视他们租借来的身体存在着缺陷，总会有那么一次，从大脑发出的信号送不到该去的地方，杰克就在等待这样的机会。

　　终于，渔夫的左腿一颤，身子顿时失去了重心。杰克正盼着这样的事情发生，他正准备发动攻击，突然发现渔夫的身体夸张地颤抖起来，然后像一条死鱼一样扑通倒在地上。渔夫倒下之后，露出站在他背后的丽萨，手中的电击器闪着蓝光。

　　"下次别说没有人对你英雄救美了啊。"丽萨露出得意的笑容。

　　"我马上就搞定他了。"杰克不满地嘟囔着。

　　罗恩和吉他手还在房间的另一边厮打，虽然显得有些狼狈，但可以看出罗恩已经控制住了局面。他将吉他手按在地板上，正掏出手铐准备拷他。

　　"你不要以为可以躲得掉，就算我们失败了，还会有其他人来找你的。"吉他手还在奋力挣扎，情急之下他的舌头似乎听话了些。

　　"我知道你们那个'老大'不会就此罢休，不过这个时候我想你们应该考虑一下自己的下场了吧，我不知道你们那里怎么样。反正我们这，失败的下场很惨。"杰克注视着吉他手的双眼，他看到对方眼中愤怒的火焰渐渐熄灭了，取而代之的是一副迷茫的神色。

　　"现在已经知道洛伦佐的目标是你了，你还是抓紧时间离开这个星球吧。"罗恩说道。

　　"想钓那条大鱼，我是最大的鱼饵。没有了我，你还有什么办法找到他。"

　　"那你的打算是什么？"

　　"帮助你干掉他，然后你再帮助我离开这个星球，当时我们就说好的啊。"

"一定要干掉他，一想到有人惦记着你的身体我就觉得恶心。"丽萨愤愤地说。

"难道你已经有什么计划了？"罗恩怀疑地问。

"当然！"杰克露出一个自信的微笑。

"那他们两个人怎么处理？"

"绑起来吧，毕竟这两个身体还是属于我'同事'的。"

趁罗恩费力捆绑渔夫和吉他手时，杰克拉着丽萨走出门。

"现在我们不得不离开这里了。"杰克看着丽萨褐色的眼睛，认真地说。

"我知道，你总是被逼到走投无路的时候才有勇气做决定。我早就准备好了。"

"还是你最了解我，那么你回去收拾东西。我和那个警察要去一趟管理中心，你到那里找我。"

"会不会有危险。"丽萨露出担忧的神色，杰克很少见到她会紧张。

"当然不会，那个老头离这里可能有几百光年呢。"

"一遇到危险，转身就跑。"丽萨仍然认真地嘱咐。

"没问题，我可是逃跑的能手。"

"当然。"丽萨勉强露出笑容，她快速地吻了杰克一下，转身离开了房间，直到消失在走廊的尽头，都没有回头看一眼。

"下一步怎么办。"杰克猛地回头，看见罗恩正站在自己身后，也在看着丽萨离去的背影。

"去地狱。"

4

从字面的含义来讲，"地狱之门"酒店这个称呼非常恰当。酒店坐落在帕拉克斯山——也被称为末日火山——的南方70公里左右，酒店的每一个房间都可以非常方便地看到米伽飞临时在引力的作用下喷薄而出的地下岩浆。鲜红的熔岩伴随着浓密的火山灰在大地的颤抖中喷向天空，大多数情况下浓厚的云层中还有亮蓝色的雷暴为其助威，俨然一副地狱的真实写照。

由于火山的频繁喷发以及地壳运动的日益强烈，帕拉克斯山周围所有的城市不是被岩浆及落石摧毁，就是变成地震后的废墟。为了能让旅客安全地观看末日奇景，旅游管理中心居然将高效稠化剂倒进了火山危害边界上的帕米尔湖，让整个湖水变成了绝佳的抗震凝胶，然后在湖面上建起了这座酒店。从远处观看，坐落在帕米尔湖中心的"地狱之门"就像放在超大号布丁上的花式果盘，这反差颇有一种喜剧效果。

"地狱之门"酒店的一到四层是旅游管理中心，其中一到三层是各种无人式的购物商场，四层最里面才是旅游代理转录处。这样一来，从四层的旅游代理转录处刚出来的游客要步行经过无数五光十色的特色商店，不知不觉地花上一大笔钱为自己置办一套无比华丽的行头之后，才会自信满满地走出一楼的出口。其实在这些人中的大多数会在末日奇景和纵情狂欢中失去自我，随着其他疯狂的人群尽情地发泄，最后在一条偏僻的小巷里醒来，全身一丝不挂，只有宿醉的头疼陪伴着他们。

杰克带着罗恩从旅游管理中心的员工通道直达四楼，这时值班的数据操作员是科内尔。杰克了解科内尔，一个温顺而内向的技术人员，但骨子里却住着一个时刻想做拯救世界的英雄。杰克清楚想完成他的计划，科内尔是最合适的帮手。

"没问题。"

杰克和罗恩开门见山地向科内尔讲明了来意，不出杰克所料，科内尔连思考的时间都没花，直截了当地将两个人带进了转录操作室。

意识转录操作室并不大，隐藏的光源将整个房间笼罩在一片温馨的乳白色光芒之中，这样可以让刚刚完成转录的游客不至于因为身体上的不适应而产生恐慌。意识转录机放在房间正中，就像一台X光扫描仪的豪华版，由乳白色的复合金属制成的外壳包裹着机芯，流线型的造型透露出超现实的科技感，从上面起来的游客带着一只抽筋的手，或者不太听使唤的舌头兴高采烈地离开，却没有人对这项完成度尚不足80%的新技术表示怀疑或反对。

"真的可以凭这个找到洛伦佐？"罗恩用怀疑的目光打量着这台机器。

"没有问题，为了保证意识流传输的完整性和唯一性，每一台转录机都有唯一的注册号。只要知道了他的注册号，就可以很简单地将他定位。而且，由于游客并没有植入端口，所以在意识流传输之前，要花一个小时左右对游客的意识进行扫描。这段时间足够你召集人马，在那个大坏蛋还毫不知情的时候，冲进房间，把他从转录机上揪起来。等他回过神的时候，就发现自己已经被扔在大牢里，同一个牢房的大块头正朝他抛媚眼了。"科内尔显然对于这样的工作非常兴奋。

"明白了吧。"杰克拍拍罗恩的肩膀，"下面看你的了。"他把刚才从渔夫身上搜出来的星际电话塞在罗恩手里。

"你确定你要这样做？"罗恩还有些犹豫。

"当然，洛伦佐对你来说，只是一份工作；可是对于我来说，他是想夺取我身体和自由的怪物。"

罗恩点点头，深吸了一口气，拨通了电话。

"告诉我好消息！"电话里传来一个苍老的声音，但是语气却像盼着新玩具的孩子。

"我们已经说服了他，现在正在旅游管理中心待命。"罗恩显得有些紧张，连声音都在颤抖。

"很好，很好。"洛伦佐看上去被喜悦冲昏了头脑，对电话这头的罗恩没有一丝怀疑，"我要和他说两句话。"罗恩看了看杰克，把电话递给他。

"你好，伍德先生。我想我的手下已经向你说明了来意，我很感激你的配合。要知道我本来已经是一个快死的人了，是你让我看到了生命的希望。不，不仅仅是希望，你让我体会到了生活的快乐，切切实实地体会到了那种心情。我甚至有几十年没有过这样的感受了。我想郑重地向你表示一下我的谢意，请问你有什么想说的吗？"

"没什么，付钱就行了。"杰克一副公事公办的口气。

"很好，这个很好办。那么，我们开始吧。"

"这里已经准备好了，请把……"只要有了洛伦佐的注册号就能逮到这个黑手党的老大，罗恩有些控制不住，他调整了一下，"请让技术人员把转录机的注册号给我，就可以建立连接了。"

"我会叫他们去操作的。那么，一会儿见。"

"恭候您的到来。"罗恩挂掉电话。

"现在你可以联系你的人开始行动了。"杰克说。

"我不知道怎么感谢你。"

"没什么，我需要你给我安排好后路。"

"没问题。"罗恩认真地说，一只手伸向杰克，"祝你好运！"

"也祝你好运。"两只手握在了一起。

"对了，还有一件事。"杰克把双手并在一起，摆在罗恩面前。

"把我铐起来，传输过程完成后，你一定不想见到一个可以自由活动而且大发雷霆的黑帮老大吧。"

罗恩照办了。

科内尔向两个人伸出了大拇指，示意两台转录机配对完成，可以开始传输了。

罗恩把手按在杰克的肩膀上，点了点头。杰克还以微笑。

一阵熟悉的酸麻从后脑传来，杰克闭上了眼睛。

杰克在转录机上醒来，疲惫瞬间包裹了他，仿佛刚刚参加过星际铁人比赛。他打量着四周，看见罗恩站在不远处看着他。他想翻身坐起来，手腕上像被火烧了一样传来一阵疼痛。

"杰克？是你吗？"罗恩小心翼翼地问。

"罗恩？当然是我，还在那里愣着干什么，快把我解开。"杰克喘着粗气，感觉心脏在胸口里横冲直撞。"到底发生了什么事？成功了没有？"

"成功了，我的同事已经顺利地将他缉拿归案。"罗恩解开杰克手上的手铐和临时将他绑在转录机上的皮带。"他最后还是挣扎了一番，不过是在你身上。"

杰克看看自己，一双手腕已经被手铐勒得血肉模糊，身上也是一道道瘀血的痕迹。

"早知道应该找件束缚衣穿上了，也不会被折磨成这样。"杰克咧着嘴从转录机上下来。

"没想到洛伦佐会有那么抗拒，在我向他说明了情况之后。虽然明知道已经被牢牢地绑在这里，他仍然不停地挣扎，而且破口大骂。直到我接到同事确定逮捕他的信号后科内尔才把他的意识送回去。这期间的一个多小时他连休息都没有。"

"他原来是这么恐怖的一个人，他早应该下地狱了。"科内尔还在控制台后面瑟瑟发抖，好像洛伦佐愤怒的咆哮和恶毒的诅咒还在房间里回荡。

"地狱不就在这里吗？"杰克说着，向窗外远处的火山看去。米伽已经出现在东方的天空，此时的帕拉克斯山显得蠢蠢欲动。

"走吧，你帮助我完成了一项重大的任务，我得请你喝一杯。"罗恩一巴掌拍在杰克肩膀上，疼得杰克直抽冷气。

"后面的事我就指望你了。"

"当然当然，反正我们还要去酒吧接你的女朋友。"

杰克告别了已经从恐惧转到兴奋之中的科内尔，显然这段经历将会在很长时间里成为科内尔吹牛的资本。

走出转录处，面对的就是长长的购物走廊。此时大部分游客都已经找到合适的场所，等待着末日火山的精彩表演。走廊里显得冷冷清清，只有一些假人模特静静地站在橱窗里。外面的米伽已经越来越近，那些硬邦邦的模特在红色的光芒映衬下，显得有些恐怖。

"哈哈，我以为是谁动了我的东西，原来是小杰克。"众多身材高挑的模特之中，闪出一个西装革履的胖子。文森特·古德曼站在走廊的另一头，冷冷地看着杰克和罗恩二人，右手紧紧地握着一支手枪，用枪管神经质地拍打着大腿。在文森特的身后，站着一个身材魁梧的大汉，杰克记得这个人，就是刚刚绑架过他的阿布。

"听说有个警察到我的地盘搞小把戏，就是你吗？"文森特又转向罗恩。

"我只是为了寻找另一个人，并不是专程来调查你的。"罗恩说，手已经放在了腰间的枪套上。

"没有关系，这个星球已经快完了，我也不打算继续留在这里。不过走之前我需要清理一下个人事务，有的人在我这里到处打探，你说我该不该管？"文森特看着远处的火山，鲜红的岩浆正顺着山坡缓缓地向下流淌。

"你可以试试看。"罗恩拔出了枪，指向文森特。

"当然，不止是试试看，我向来说到做到。"文森特举起枪，"对不对？阿布？"

阿布龇着牙，露出一个野兽般的笑容。

双方僵持着，像老式西部片里决斗的牛仔。

轰隆！

一声巨响打破了走廊里的寂静，帕拉克斯山开始爆发。数千吨熔岩从火山口喷薄而出。与以往不同的是，这次的米伽离地面更近了，几乎占据了十分之一的天空。米伽的引力让熔岩直射向天空，笔直的岩浆柱在黑色的火山灰浓雾的包裹下忽明忽暗，仿佛脉动的血管，正向外喷洒着这颗星球的生命力。

罗恩盯着窗外，看得出神，一时忘了对面的文森特。

"小心。"杰克眼角的余光中捕捉到了文森特的动作，他扑向罗恩。与此同时，文森特的枪响了。

两个人撞进一家服装店，带倒了几个穿着华丽的模特。

"你还是警察吗？这么关键的时候走神。"杰克把罗恩拖进柜台的掩护范围。

"这景色太震撼了。"罗恩有些惭愧地说。

"现在怎么办？"杰克问。

"嘿嘿，在这。"阿布的声音在柜台上方响起，一双大手抓住两个人的衣领，把杰克和罗恩扔了出去。

在米伽的干扰下，重力不再发挥原有的作用，杰克和罗恩被阿布轻而易举地扔出了服装店，飞过了走廊，撞破了对面的橱窗，掉在一堆高档的乐器当中，乒乒之声响成一片。

杰克挣扎地爬着来，甩掉压在身上的萨克斯管和长笛。他看见罗恩在一堆压得变了形的架子鼓下翻找，他的枪掉了。一道深红色的痕迹拖在罗恩身后，杰克顺着血迹找到了它的源头，一块十五厘米长的玻璃碎片戳破了罗恩破旧的牛仔裤，扎在他的大腿上。

阿布从杰克撞破的橱窗钻进来，跨过满地的碎玻璃。他略作停顿，最后决定以罗恩作为下一个目标。阿布弯下腰，向罗恩的腿伸出了他的大手，而罗恩此时的注意力完全放在那一堆破铜烂铁下面。

对于阿布的轻视，杰克有些愤怒，他随手捡起一件比较顺手的乐器。

"嘿，你的对手是我！"杰克冲着阿布喊道。直到挥舞起来，他才发现他捡到的是一把电吉他，琴身上画着蓝色的火焰，他的目光跟随着那幅图案，看着它在空中划出一道弧线，直接落在阿布那硕大而且丑陋的脑袋上。轰的一声巨响，火焰变成无数碎片裂开，一张愤怒得有些扭曲的脸出现在杰克的视野里。

阿布放弃了手中的罗恩，向杰克冲来。

来不及再捡别的武器了，杰克转身向橱窗跑去。重力的减轻让杰克无法协调自己的双脚，他没跑出三步就摔倒在地，虽然不疼，但这给了阿布足够的时间。

大步追上来的阿布一脚踢在正在爬起来的杰克腰间，杰克像一只足球一样腾空而起，飞到刚才那堆萨克斯和长笛中间。

腰间的疼痛让杰克无法呼吸，他扭着自己的身子，像一只大虾一样蜷缩成一团。

阿布抓住杰克的脚腕，像抓一只濒死的狗一样把杰克拎起来，现在杰克的体重只有原来的三分之一。

杰克被倒吊着，看着上下颠倒着的阿布的大脸，腰间的疼痛现在扩散到全身，他现在想动都动不了。

阿布扬起拳头，一拳结结实实地打在杰克的肚子上。

杰克再次蜷缩起来，但这次的疼痛让他恢复了对身体的控制。他大叫一声，手里握着的碎玻璃——他刚才摔倒的时候捡的——向前划出，在那张扭曲的脸上，切了一道长长的伤口。

阿布愤怒地大吼起来，他收回拳头，捂着脸上的伤口。而抓着杰克的那只手，却疯狂地挥舞起来。

杰克觉得整个世界都在飞快地旋转，他伸出双手，想抓住什么东西稳住身体，可是阿布狂乱的举动让整个世界毫无规矩可言，让他无从下手。

突然杰克觉得脚踝一松，世界不再是飞速闪过的彩色碎片，而像是凝固了的奶油；他再次飞过走廊，看见红色的米伽已经快飞到了天空的正中，看见文森特正揣着手看眼前混乱的好戏，看见罗恩在乐器堆里一无所获，正挣扎着坐起来；接着，杰克落在了几个身材高挑的模特的怀抱里，世界重新归于混乱。

"嘿，大个子，朝我来啊。"罗恩把一支鼓槌扔向阿布，希望能分散他的注意力。

愤怒的阿布对罗恩的挑衅无动于衷，他迈着坚定的步子，走向杰克。

杰克眼睁睁地看着阿布像一辆坦克一样向自己冲来，但他现在连动一下眼皮的力气都没有。他只能盯着阿布脸上那道伤口，鲜血流出来，在阿布的脸上蔓延着，结出一张红色的网。

此时阿布眼里再没有玩弄杰克的意思，他看着杰克，仿佛在看着一具已经死亡的尸体。

阿布的手像铁钳一样卡住了杰克的脖子，杰克被悬在半空。杰克试图用脚踢这个高大的敌人，结果他非但没有伤到对手，反而让自己憋得更难受。由于颈动脉被压住，杰克觉得自己的脑袋涨成了原来的两倍大。他看着阿布，那张脸上已经没有了人的表情，愤怒和鲜血模糊了他的五官，咧开的大嘴露出参差不齐的黄牙，口水挂在嘴角，就像一头疯狂的猛兽。

　　杰克想记住这幅画面，然而眼前越来越暗，一些闪亮的星星冒了出来，他感觉自己要死了。

　　"大个子！我刚才说过了，你的对手是我！"杰克听到有声音从很远的地方传来，然后他感觉脖子一轻，阿布手上的力量减轻了，世界重新亮了起来。

　　罗恩不知什么时候站了起来，侧着身子，身体的重量都放在他的左腿上，手里的枪指着阿布，扣动了扳机。

　　一朵鲜红色的花绽放在阿布的脸上，血肉四散开来，在空中飘浮着。

　　杰克和阿布的尸体同时倒在地上，而罗恩也被手枪的后座力冲击得仰面倒下——毫无经验的罗恩不知道此时他的体重和一只大号的毛绒玩具熊差不多。

　　文森特轻飘飘地越过杰克，落在罗恩面前。

　　"警察先生，你破坏了一场好戏。"文森特踢掉了罗恩手中的枪，"现在请接受惩罚吧。"

　　"老爹，他是个警察，你没有必要杀他。"杰克向文森特叫道，但是受伤的喉咙让他的声音低沉而且嘶哑。

　　"现在这个世界谁还在乎他是不是个警察。无论是谁，在我的地盘捣乱的，应该得到什么样的下场，你是明白的。"文森特又将手枪指向杰克，"还有，如果我的手下成了叛徒，会受到怎样的惩罚，你也是明白的。"枪口又对准了罗恩，"杀了他之后，就轮到你了，别着急，小杰克。"

"想得美！"杰克集中起身上剩余的所有力量，向文森特扑去。

他一头扎到文森特肥硕的身体上，上等的西装面料带来柔顺细腻的感觉。一时间杰克甚至有一种错觉，仿佛自己正抱着一只蓬松的鹅毛枕，在睡梦里飞翔。好几秒之后，他才发现一个事实——他们没有落地。

他向四周看去，周围已经没有了橱窗，没有了模特，甚至没有了走廊。刚才那一扑的力量让他们冲出了管理中心的大楼。

也许会落在帕米尔湖那凝固的湖面上，杰克这样想着，向湖面看去，却发现湖面离他们越来越远。他调整了一下姿势，向感觉中的"下面"看去。

下面是红色的米伽，米伽表面上阿姆斯特朗环形山犹如一只孤独的巨眼，正在注视着他。

"现在只剩我们两个人了。"文森特最先从混乱的感觉中恢复过来，他举起手中的枪，用枪柄砸向杰克。

杰克向前一蹿，一头撞在昔日老板的鼻子上。鼻血四散，变成一颗颗红色的珍珠，飘浮在两个人的周围。

末日火山还在宣泄着蓄积已久的能量，不时传来阵阵爆响。赤红的岩浆没有回落到地面上，在空中形成了一片翻滚、流动着的晚霞。

天空的颜色渐渐深了，满天的星光开始闪烁，像撒在黑色天鹅绒上的钻石。太阳发出的光不再强烈，而是变成了黑暗中的一个小亮斑。

杰克和文森特在半空中盘旋厮打着，由于身体没有借力的地方，每挥出一拳自己都会受到反作用力的影响，两个人耗尽了体力，却没再受什么伤。

杰克的头靠在文森特的肩膀上，大口地喘着气。冰凉而稀薄的空气经过受伤的喉咙，让杰克觉得很舒服。

"哈哈，小杰克，没想到……没想到吧，你……你会和我死在一起。这么多年，你一直是我手下里最机灵的孩子，就像我的儿子一样。"文森特同样已经筋疲力尽，肥胖的脸上布满了汗液、血液和唾液的混合体。

"我可不这么想，我最不想见到的人……"杰克收起双腿，双脚用力蹬向文森特的胸口，"就是你！"

看着老板在空中扭转着身体越飞越远，直到变成一个毫无特点的小黑点，杰克心里感到一阵舒畅。没有了文森特，没有了等待的客户，连一直束缚他的重力都消失了，奇特的感觉出现在杰克的心中，也许这就是自由吧。

杰克舒展开四肢，飘浮在半空中。米伽已经飞过了天顶，而那只巨大的眼睛仍然注视着他。他勇敢地蹬回去，又被自己滑稽的举动逗得笑了出来。

一个巨大的球体飘浮在杰克下方，半透明的球体折射出淡绿色的光，杰克辨认了很久才看出那原来是帕米尔湖的湖水。杰克眯起眼睛，希望能找到地狱之门在哪，然而下面一片混乱，根本分辨不出那些是什么东西。

一个闪光的亮点引起了杰克的注意，那个亮点的移动速度很快，而且越来越大，一转眼的工夫就飞到杰克的眼前，原来是一架私人飞船。

飞船悬停在杰克旁边，气密门缓缓升起，露出一双迷人的长腿，然后是合体的淡黄色针织衫，最后，一张精致的脸在向他微笑，这笑容的能量甚至超过了太阳，杰克感到一股暖流遍布全身。

"有人需要搭顺车吗？"丽萨问。

8

这张床躺着非常舒服，但是头顶上的两个人一直盯着他，这让杰克有些发毛，他不安地扭动身体，想躲开他们的视线。

"你感觉怎么样。"罗恩问他，其实罗恩看上去和他一样糟糕。

杰克想开口说话，但是喉咙嘶哑，他只能小心地哼一声。

"你会好起来的。"丽萨握住杰克的手，另一只手轻轻地抚摸着他的额头。

"没事，都是些外伤。"杰克慢慢地说，尽力向丽萨挤出一个笑容。他打量着四周，"这是哪？"

丽萨刚想回答，被罗恩的眼神制止了。罗恩站起身，看着舷窗外面，仿佛在自言自语。

"老虎洛伦佐被逮捕了，这个星球的流氓头子文森特·古德曼下落不明。据说之前古德曼想驾驶着一艘私人豪华飞船逃离这里，飞船上带着大量的现金和古董。"罗恩顿了顿，意味深长地看了看角落里几个不起眼的箱子。"现在这艘飞船不知去向，如果没有人报案，或者驾驶这艘飞船的人去科尔星系找一个叫'瘸腿'中村的人请他帮忙更改掉飞船的注册号，那么这艘飞船就可以算是消失了。即使动用全宇宙的星际刑警，也没有办法再找到它了。"

听完这些话，丽萨眼珠转了转说："这艘飞船是我的嫁妆，我祖母留给我的。"

杰克没再搭话，他调整了一下，找到一个让身体各部分最不疼的方式坐起来。

一件东西从他衣服的褶皱里掉在地板上，滴溜溜地打转。在杰克印象里，最后一次见到它的时候，这东西还套在文森特的手指上，那只手正向杰克的脸上砸来。

丽萨从地上捡起这枚戒指，对着光看了看，戒指上的钻石晶莹剔透，光线在钻石的无数个面中来回折射，放出璀璨夺目的光。

"我就知道你会送我一枚戒指的。"丽萨摘下手上原本戴着的那枚戒指，扔在一边，把这个大了好几号的戒指戴上。

"不想打扰你们，不过你们可能想过来看看。"罗恩指着窗外一对正在热吻的两个人说。

末日火山已经不再喷发，因为之前反复的喷发震动，这一带的地壳已经破碎不堪，米伽的引力将这一片大陆整个扯了下来。离开了母体的火山在空中飘浮着，完全没有了曾经不可一世的气魄。

原来火山的位置只剩下一个巨大而丑陋的深坑。在潮汐摩擦的作用下，这个深坑与阿姆斯特朗环形山遥遥相对，如同相互注视着的患难情人。

由于自转速度的改变，整个星球表面刮起了狂风，大气层中的云层变成了一道道条纹状的。海水在惯性的作用下涌上陆地，冲入城市。更不用说城市中脆弱的建筑，还有更渺小的人类。也有一些人活了下来，但他们并不能被称为幸存者，因为不久之后米伽就会调转方向，再次从他们头上一次又一次地掠过，越飞越低……

"末日到了，这个世界再也不存在了。"丽萨说，声调里带着一丝惆怅。

"是啊，不存在了。"杰克重复丽萨的话，嘴角露出一丝微笑。

（完）

诸神的黄昏

序章

"就要来了!"秦川的声音有些颤抖,"还有三十秒。"

秦天感到腋下一紧,那是他的孙子秦川由于紧张而夹住了他的手臂。他把手轻轻地放在孙子的手上:"别紧张,没事。"

看着正值壮年的孙子涨红的脸,秦天不禁想起六十二年前的秋天——他第一次来到这里时——的情景。

那时也是爷孙二人,只不过秦天还是十岁的小孙子,带他来紫金山天文台的是爷爷秦可儒。

对于秦天来说,一切就是从那时开始的。

1

那是一个晴朗的秋夜,天气有些发凉,山中弥漫的雾气让地上的青草叶子上结了一层细密的水珠。10岁的秦天跟在爷爷后面，气喘吁吁地爬上一级一级台阶，直到确定爷爷已经到达目的地不再前进了，才开口问道："爷爷，你带我来这里干什么啊？"

秦可儒笑笑，一屁股坐在草地上，毫不在意露珠弄湿自己的衣服。他轻轻拍拍身旁的空地，示意秦天也坐下。

秦天过去，学着爷爷的样子，先坐下，然后双手放在脑后，躺在草地上。这时，秦天的目光投向天空，看到满天的繁星布满了整个天穹。从小在城市长大的小秦天从来没有见过那么多星星，他愣住了，几乎忘记了呼吸，大自然就这样扑面而来，一切变得无比清晰。微风带来草地和树林的味道，耳朵里灌满了昆虫的鸣叫，面前的星空像一幅奇妙的画，充满了未知。

秦天出神地看了好一会儿，才想起要问的问题。

"爷爷……我落了两天课，我爸该收拾我了。"

"没事，我已经替你请假了。"秦可儒拍拍秦天的头，抬手指向天边，那里有一条细长的阴影遮住了星光，"知道那是什么吗？"

"我爸爸跟我说过，那是您的发明，对吗？"

"哈哈，我哪里有那么大的能耐。那是全世界三千多名科学家和两万多名工程师共同设计的，我可不敢一个人居功。那家伙开始立项的时候，我才跟你差不多大呢。"老人来了兴致，"小天，你知道奥丁吗？"

"知道，他是北欧神话里的主神。"

"对，那个大家伙也叫奥丁。"秦可儒伸出手臂，在天空中划出一段距离，"它是由一对超重离子加速器组成的。总共长1800公里，是目前人类建造的最大的东西，也是最贵的东西。自从2013年LHC强子对撞机发现了希格斯玻色子之后，人类在微观物理上就没法再进一步了。我们曾想再建造比LHC大一倍的粒子加速器，但仍然只有几十公里的长度。最后，科学家前辈们想，为什么不索性做个大的，于是奥丁计划就这么诞生了。"

"为什么叫奥丁呢？"秦天问。

"在神话里，奥丁使用的长枪叫作冈尼尔，这支枪有着神圣的力量，一旦向它发誓，就不能反悔。而且当冈尼尔划过天空刺向敌人时，会划出耀眼的火焰。于是后人将划过天空的流星当作了奥丁的神枪，而把对着冈尼尔发誓的习惯改成了对着流星许愿。今天，我们的奥丁也将向宇宙深处投出两束超重离子，我们的愿望，就是能够发现宇宙的奥秘。"

"嗯！"秦天似懂非懂地点头。

"等一会儿就到了奥丁发射的时刻了。它将会以五分之三光速的速度向宇宙深处发射两束超重离子，它们之间有一定的夹角，会在经过周密计算的路径上穿越三十年，靠着各自前进途中的恒星引力获得加速和改变轨道，最终达到光速的98.48%。经过漫长的旅途后，这两束超重离子将会在十三光年外的地方相撞，碰撞的结果将让我们更加接近宇宙的真相……"秦可儒突然叹口气，"奥丁计划从立项到今天经过了六十一年，而等结果传回地球还需要四十三年。这次撞击到底能发现理论中的基本粒子，还是与粒子超对称的宏粒子，或者激发更高纬度的空间，无数种可能性就要靠这次跨越百年的实验来验证了……"

秦可儒手腕上的表震动起来，他深吸一口气，指向空中的奥丁："开始了。"

奥丁原本模糊的轮廓突然亮起来，那是无数个姿态调节喷射装置正在调整角度，闪烁的光芒将奥丁马蹄形的加速轨道勾勒出来。

超重粒子加速器是由两条加速轨道叠加起来的，此时，在它的体表上，上下两组光芒分别从两端出发，相对着向另一端流动。丝丝的光芒越来越密越来越快，最终汇集到加速轨道两端的出口。一股闪光过后，两束看不见的超重离子已经射向了宇宙深处，开始了长达三十年的漫长旅途。

"好了。"秦可儒长出一口气，仿佛悬着的心终于落下，"等消息回来的时候，我可能已经不在了……"他抚摸着秦天的头，"我带你来，只是希望……希望将来由你替我接收答案。"

秦天看着天空中已经黯淡的奥丁，用力点了点头，尽管爷爷这一大段话他一个字也没听懂。

第二天秦可儒把秦天送回家，爸爸为这事还和爷爷吵了几句。

秦天快步跑回自己的屋里，将争吵关在门外。他小小的心里已经有愿望在生根发芽，他抓紧时间补课，要把这几天落下的功课补回来。

不仅如此，秦天知道自己还需要吸收更多的知识才能让自己的愿望实现。尽管在那时，他还并不太清楚爷爷寄托在他身上的愿望意味着什么。

小秦天将大部分时间都用在了学习上，但仍觉得不够。

时间就这样不可阻挡地一天天过去，如同射向宇宙深处的超重离子。

2

直到秦天上了大学，他才知道爷爷的工作还有奥丁计划所代表的意义。大学四年之后，秦天考上了南京大学的理论物理研究生，他以为自己已经更接近爷爷的愿望了。

但是，秦天发现越往深处学习，越有一种陷入泥潭的感觉。理论物理已经有很多年停滞不前，当前的技术手段在宏观和微观两方面都遇到了无法突破的天渊。在奥丁计划的结果传回来之前，似乎没有人愿意认真搞研究了，大家都在等待着最终的结果。甚至有人对奥丁计划是否能够成功也抱有很大的怀疑。

秦天深受打击。正当他在为要不要继续考博士而纠结时，秦可儒的病情恶化了。

为了见爷爷最后一面，接到通知的秦天立刻离开学校赶回家中。

在秦天的印象中，爷爷一直是最聪明、学识最渊博的人。无论什么问题，秦天都能在爷爷那里得到准确而且简洁易懂的答案。然而在爷爷的最后几年里，阿尔兹海默症袭击了老人的大脑，夺走了他最宝贵的东西。

秦天见到了弥留之际的爷爷，老人家浑身连接着各种监控设备，氧气罩下的脸上只有麻木的表情。混浊的双眼直勾勾地盯着前面的虚空，对任何人和任何事物都没有反应。只有心率监控器上跳动的曲线显示出爷爷还活着。

一天夜里，秦天留在病房陪护。他正就着床头黯淡的灯光翻看教材，身旁的爷爷突然有了意识，开始扭动身体。

秦天扔掉书，快步走到病床前。

秦可儒在床上侧过身，看着窗外的星空，他想向星星伸出手去，但是线缆阻住了他的动作。老人不知从哪里生出的力量，猛地挣脱线头，却用力过猛，险些从床上翻下去。

秦天赶紧上前扶住爷爷，将他抱回床上。这时，老人才看见他。

"小天。"隔着氧气面罩，老人的声音有些模糊。

"我在这呢。"秦天回应道。

爷爷的目光又转向窗外，张了张嘴，却没发出声音。

秦天感觉手臂上的身体突然重了许多，他低下头，发现怀中的爷爷已经闭上了眼睛。心率监控器上划过一条直线。

秦天知道爷爷在那短暂的回光返照时想要说什么，但他无能为力，只能眼睁睁地看着爷爷带着遗憾离开人世。

办完爷爷的丧事，秦天没有回到学校，而是去了南方，投靠以前的同学。秦天打算白手起家做生意，永远不在理论研究上浪费生命了。

带着秦可儒希望的两束超重离子仍然在物理规则画好的路径上毫不停歇地前进，无休无止，直到最后一刻的到来。在那里，是毁灭，也是希望。

3

秦天的生意真的做起来了，凭着出色的头脑和认真到苛刻的工作态度，他的公司越做越大。

当秦天40岁的那年，他在印度开了第一家加工厂，他把这个成绩作为自己的生日礼物。

同样是在这一年，正如计划中的那样，两束超重离子在距离秦天13光年外的宇宙空间中准确地相遇了。

在那一片空间早已布置了十一组传感器，它们在奥丁计划初期就被发送出来，经过了七十年的长途跋涉到达这里，就为了记录这一刻产生的数据。然后再将这些数据发送回地球。

这又是一段历时十三年的旅途。

2197年，五十三岁的秦天厌倦了在商海中的锱铢必究和钩心斗角。过了知天命的年纪，秦天便辞去了董事会的职务，在大山里买了片地盖了间房，过起了种种地、钓钓鱼、遛遛鸟的悠闲日子。

然而，一通电话打破了秦天理想中的宁静生活。

电话响起时，秦天正在小院的躺椅上欣赏山中落日的余晖。尖锐的铃声打断了他的沉思，他没好气地接起电话："什么事！"

"爸，"来电话的是秦天的儿子，"我今天接到一个电话，说是中科院的。"

"哦，知道了。我最近过得不错，晚上喝了一碗粥，我自己种的小米。"

电话那头有些尴尬："我最近有些忙，等有空了就带小川去看您。"

"你来不来无所谓，小川放假了送来陪我几天就行。"

儿子没回话，但是秦天听到话筒里传来小声嘟囔的声音："想看孙子就回城里来啊。"

"你说什么？"秦天问。

"没什么，没什么。"儿子顿了顿，"爸，说正事。今天中科院打来电话，说是要邀请我参加一个庆祝仪式。"

"那你去呗，跟我说什么。"

"我最近有些忙，真的走不开。他们说您也可以去，是秦可儒的后代都在邀请范围。秦可儒就是我太爷爷吧？好像是有关什么奥丁计划的。"

秦天的目光投向天空，日落后星光已开始逐渐显露。他四处寻找，没有发现奥丁的踪迹，大概那个大家伙正在地球的另一面吧。

算起来已经到了奥丁计划得到结果的日子，没想到一转眼已经四十三年了……

"爸！爸？"很久没有收到回应，儿子有些着急。

"好的，我去。"秦天答道。

4

"请于6月17日21点前，到达FAST数据中心，参加奥丁计划信息接收仪式。"

秦天无奈地看着这简单到只有一句话的邀请函，如果没有相关的知识背景，恐怕大多数人都不知道FAST是"五百米口径球面射电望远镜"的简称。单凭邀请函的这种"诚意"，就足以将九成的人拒之门外了。

FAST是世界上口径最大、灵敏度最高的射电望远镜，却建设在贵州省最偏僻的大山里。

秦天乘飞机到达贵阳，又坐大巴到了平塘县，然后租了一辆农用轻卡送他进山。蓝色的小卡车行驶在颠簸而且弯弯曲曲的盘山路上，发动机一直哼唱着令人厌烦的噪声。

行在途中，秦天惊讶地发现这居然是一辆汽油车。在电动车早已普及的年代，只有钱多无聊的富豪才会出高价购买内燃机车来扩充藏品库。但是在这大山里，村民却用这宝贝似的古董作为谋生的手段。

秦天想和司机聊聊，可是布依族的老爹只懂得几句普通话，其中最熟练的就是："价钱好说。"秦天只好放弃了聊天的打算，转而观赏车窗外的风景。

正当秦天在有节奏的颠簸和单调的窗景中昏昏欲睡时，卡车转过一个弯，FAST巨大的镜身突然出现在眼前。

它静静地铺在翠绿色的山林中，白色的镜体像一片安详的湖泊，正安静地等待着来自宇宙的信息。

秦天下了车，向旁边的数据中心走去。在FAST的衬托下，四层楼高的数据中心好像袖珍版乐高玩具。数据中心的外围挂了一些五颜六色的彩旗和欢迎标语，大概是为了迎接科学家们的后人而准备的，但在秦天眼里，这就跟中学生的元旦联欢晚会没什么两样。

秦天在门前等了一会儿，没见到有人出来迎接，便推开玻璃门走了进去。数据中心内部干净整洁、一尘不染，淡灰色的墙壁和头顶整体发光的天花板与外面原始的自然环境截然不同。

"有人吗？"秦天高声问道。

最起码应该派专人来迎接科学家的后人啊。秦天想，科学家的后人，他玩味着这个词，不知道如果自己仍然在搞研究会是一副怎样的状态。

"你好。"一个声音响起，似乎有些犹豫，"欢迎欢迎。"

顺着声音看去，一个年纪和秦天差不多的研究人员正站在走廊对面。研究人员戴着黑框眼镜，花白的头发梳成整齐的三七分样式，胳膊下夹着平板电脑。看到秦天正看着他，那人微微挺了挺胸。

"你好，我是……"秦天突然停住，他皱起眉头，再次打量那个人，"谢广义！"

"你是……秦天？"

秦天大步向前，给谢广义一个结实的拥抱。

谢广义挣脱出来，扶了扶被挤歪的眼镜："你怎么在这里？"

"不是你们邀请我来的吗？"

"对了，你是秦可儒教授的孙子。"谢广义拍拍脑袋。

"那么你怎么在这？"秦天问。

谢广义清清喉咙："我是'奥丁计划'第四阶段中国组的负责人。"

"没想到你仍然在继续搞研究。"

"还不是拜你所赐？如果不是你，我说不定就成了外科医生或者律师什么的。"

"我？"

"当然是你。当时高一刚开学，咱俩分到一个班，第一节课老师点名，你一下课就过来说我的名字有什么意义，给我扯了一大堆广义相对论、量子物理之类的东西。从那时起我就对物理产生兴趣了。"

"嗨！那是我随口说说，还是要感谢你父母给你起这个名字啊。"秦天摊手。

谢广义突然想起了什么，他向秦天身后看看："就你一个人？"

"还能有谁？"

"我们向所有参与过奥丁计划的174位科学家本人和他们的后人都发出了邀请。"谢广义抬头看看走廊里的电子钟，"还剩不到6个小时，可现在……"

"一个人都没来？"秦天接过谢广义的话头，"我说老谢，你也不仔细想想，你邀请函上就写了一个FAST数据中心，没有专人负责迎接来宾，没有具体来往路线，再加上这里穷乡僻壤的，谁愿意来？"

"这个……"谢广义开始咬指甲，没想到这个毛病跟随了他几十年。

"还有……"看到熟悉的场面，秦天觉得这趟没白来。他继续说，"数据接收和解读要到深夜了，这些嘉宾的住宿问题……"

这栋数据中心虽说有四层楼房，但大部分空间是机房。同时容纳五十个人都够呛，别说几百个家属了。

谢广义眉头皱得更紧了，脸上的表情好像要把整个手吃进去。

"所以说啊，你好好做你的研究就行了。搞什么科学家子女大联欢啊。"

"唉，我这不是为了做些科普宣传嘛。"谢广义叹口气，"奥丁计划从开始设计到今天，经历了快一百年，这本应该是人类史上最重大的实验，可惜时间过得太久，已经没有多少人再关注了。"

"别灰心，等有了结果，就能证明人类这一百年的等待没白费。"

"对了，为什么只有你来了？"谢广义突然问秦天，"到这里确实不容易，可是你还是来了。当年你义无反顾地放弃学业，到头来还是发现科学才是你的真爱吧？"

"得了吧，我只是闲得无聊。"秦天假装咳嗽，"吃饭的地方在哪？我坐了一路车，早饿了。"

数据中心的饭菜颇为寡淡，却是山中的新鲜野味，挺合秦天胃口。

秦天和谢广义边吃边聊，这位老同学从高中一直到研究生都和他在一起，是好得不能再好的朋友。可是放弃学业后秦天就不愿再和这些人接触，没想到几十年不曾碰面，这次相见并不觉得生疏。两人拉开话匣子一阵猛聊，几十年的经历才讲了不到一半就到了接收数据的时间了。

谢广义带着秦天来到数据中心的观测室，在观测室的一边早摆好了几排椅子，大概是为"嘉宾团"准备的。嘉宾座位的正对面是一整面墙的大屏幕，此时正显示着倒计时，为接收信号做准备。观测室中间是两排办公席，每台电脑上都显示着不同的数据。在等待信息的同时，FAST还有本职工作要做。

"你就在这里观摩吧。"谢广义指指靠墙的一排座椅，"我要到那里去了。"

秦天看看空无一人的嘉宾位置，撇撇嘴，跟着谢广义去了工作区。

"你跟着我干什么，这里都是数据，你看不懂。"

"有什么看不懂的，物理学这几十年也没什么发展，我研究生那会儿的知识还够用。"秦天耸耸肩。

几个年轻的工作人员听到这话，从电脑前抬起头，用幽怨的目光盯着秦天。

"开个玩笑，开个玩笑。"秦天连忙解释。

"收到信号了。"

终于来了，十一个传感器所捕捉到的海量数据穿过时间和空间的距离，将十三年前的碰撞结果传回了地球。

因为信息量巨大，即使所有的下行通道都让给了奥丁计划，仍然需要四十分钟才能传输完毕。

看着进度条如同蜗牛般在屏幕上爬行，焦急的谢广义开始来回转圈。

"你停下坐一会儿，别那么激动。"秦天说。

"如果有现在的技术，传输速度起码要快一百倍。"

"奥丁计划的传感器毕竟是一百年之前发射出去的，你不能要求太多。"

不仅仅是观测室里，信息通过网络已经传到了四面八方，其他国家的望远镜也在同步接收着奥丁计划的实验结果，但FAST仍然是主战场。

当数据传输到79%的时候，信号停止了。观测室里的人全盯着屏幕，进度条也没有移动哪怕一个像素。

"信号……消失了。"一个工作人员说。

"什么？"谢广义皱起眉头，"再检查一遍！是几号传感器信号中断了？"

"呃……所有的。所有的传感器信号全部中断了。"

传输没有完成，那之前下载的数据也没有任何意义。这意味着耗资3000亿美元，历时将近一百年的奥丁计划，完全失败。

谢广义气急败坏地拿起电话，怀着一丝希望拨通了美国国家射电天文台（NRAO），但是美国的甚大天线阵由于角度的原因，只收到部分信号，现在也失去了奥丁传感器的消息。

智利的阿塔卡马拉、荷兰的LOFAR、澳大利亚的SKA……每打一个电话，谢广义的心就向下沉一截，十一个传感器同时消失了，没有人知道13光年外发生了什么。

"这到底是怎么回事？是怎么回事？"放下电话，谢广义边自言自语，边在大屏幕前来回踱步。

"是不是撞击的能量太大，会对宇宙产生危险，所以实验被外星人阻止了。我记得有小说写过的。"秦天试探着问，紧接着某个研究员发出一声冷笑，秦天自觉地闭上嘴。

"不，不可能。传感器已经开始回传信号了，说明撞击已经发生。现在十一个传感器同时失去联系，不知道哪里发生了什么事情……"谢广义抬起头，目光仿佛穿透了屋顶投向遥远的宇宙，"不知道实验到底产生了什么东西。"

"好了，不要多想了，去休息休息吧。"秦天拦住还在踱步的谢广义，"你再着急也没有用。"

谢广义无奈地对着空气猛踢一脚："这本来应该是人类史上最重要的一刻！"

就在谢广义带领的奥丁计划研究组众人终于接受了现实，陆续离开观测室时，原本留在FAST值班的国家天文台的研究员慌慌张张地跑进观测室。

"你们究竟做了什么？"

"怎么了？"正一肚子怨气的谢广义大声问道。

"你们……你们……Ross614爆发了！"研究员气喘吁吁地说。他快走两步，在大屏幕上调出NASA网站上的图片。

图片上是一片模糊的暗红色星云，分辨率不高，显得斑斑点点。

"这是什么？"谢广义问。

"这是Ross614，是一个双星系统，两颗恒星都是红矮星。这样的恒星质量小，内部压力小，不能够让氢元素聚合，所以它没有那么多能量爆发，只会慢慢收缩，直到消耗掉内部所有的氢元素。"研究员解释道，"按道理说它是不可能爆发的，但就在你们的碰撞实验——以光线到达地球的时间来说——碰撞实验一个半小时之后，Ross614突然爆发了，这是个巧合吗？"

"这个……"谢广义又把手送向嘴边，"等我打几个电话。"

谢广义和整个小组又回到计算机前开始忙碌，秦天站了一会儿，没人理他。他知道这里再没有他什么事了，便知趣地退出观测室。第二天起来，秦天发现谢广义和研究组的人员仍然在观测室争论，看上去他们一夜都没合眼。秦天放弃了向谢广义道别的打算，悄悄地离开了FAST。

奥丁计划的失败让秦天再次为爷爷秦可儒感到悲哀，但同时又让他想起了小时候和爷爷度过的快乐日子。

秦天退掉了回山中别墅的车票，到儿子居住的城市去看孙子。儿子一家表示欢迎，毕竟多一个人带孩子能够轻松一些。

9

又过了几年其乐融融的日子，孙子秦川渐渐长大了。趁着暑假，秦天打算带着孙子出门走走。第一站就是爷爷曾经带秦天去过的紫金山天文台，他在那里认识到了大自然，了解了地球外面的世界居然那么壮丽。所以，秦天也想带孙子去看看。

坐在天文台外的草地上，时间仿佛又回到了五十多年前，不过这次秦天成了那个讲故事的人。

秦天抬起手，指着在头顶上缓缓飘过的黑影："知道那是什么吗？"

"不知道。"

"它叫作奥丁，是你的高祖——也就是我爷爷参与设计的，是那个时代最伟大的工程奇迹。"秦天的手指划过天空，"还有那里，奥丁就向那个方向发射了……"

秦天的话没说完,手指指着的方向突然爆出了耀眼的光芒,将整个世界照得如同烈日下的正午。

秦天连忙用手护住秦川的双眼,自己则眯着眼睛向那个方向偷瞄。

闪光过后,那片天空留下了一片亮斑,有些模糊,像是强光留在视网膜上的残像。秦天揉揉眼睛,那片光晕挂在半空,照得大地一片雪白,天空另一边的半月倒显得有些黯淡了。

秦天带着秦川早早回到宾馆,虽然已经到了晚上十一点多,但窗外被照得格外明亮。小孙子玩得累了已经睡熟,秦天却翻来覆去睡不着。秦天翻身起来打开电脑,进入全球巡天系统的网站,网页打开很慢,大概是因为同时登录的人数太多,云服务器已濒临崩溃。

刚才爆发的恒星照片就在巡天系统首页,秦天点击右上角的感叹号图标,立刻弹出了那颗恒星的信息。

鲁坦星(Luyten's Star),红矮星,质量是太阳的0.26,直径约为太阳的十分之一,光度是太阳的0.0004,是小犬座内的一颗恒星。

在信息后面的关联恒星列表里,距离鲁坦星最近的,是天空中最亮的十颗星之一的南河三(Procyon)。而距离鲁坦星第二近的,就是现在已成为一片暗红色星云的Ross614。

尽管已经有些预感,但秦天心里还是一紧。这次恒星爆发难道仍然和奥丁计划有关?

秦天犹豫再三,最终还是拨通了谢广义的电话。

"你好,哪位?"几声响铃之后,话筒里传来谢广义的声音,秦天脑海里浮现出他眉头紧锁着一边接电话一边翻材料的样子。

"我是秦天。"

电话里传来尾音拖得很长的"哦……",然后才恍然大悟:"老秦啊，什么事。"

"刚才，又有一颗恒星爆发了，我查了一下，是12光年外的鲁坦星，距离之前的Ross614只有不到两光年。"

"嗯。"

"这已经不能算巧合了，是不是奥丁计划……"秦天大胆说出了自己的猜测。

"好的我知道了。"谢广义截断秦天的话，"我会关注一下的。"然后挂断了电话。

秦天愣了一会儿，把手机放下，现在这件事已经和他无关了。秦天这样想着，便回到床上去睡觉了。

天空中的光晕逐渐变暗，到第四天晚上的时候，已经完全看不见了。秦天把这件事抛在脑后，又带着孙子去了几个地方玩。当秦天正打算送小秦川回家时，谢广义打来了电话。

"老秦，五天之后，你来上海复旦大学一趟，ICTP（国际理论物理中心）要召开一个紧急会议。"

"这跟我有什么关系？"

"鲁坦星的爆发可能确实和奥丁计划有关。你是第一个发现这个线索的人，这是属于你的荣誉。"

"我……"

"不要拒绝了，这很重要。"

"好吧。"秦天叹口气，他一直想和之前的学业保持距离，没想到已经六十岁了，却又重新回到了老路上。

6

秦天把孙子送回家，乘飞机去了上海。

秦天本以为会在ICTP的紧急会议上见到物理界的各位泰斗，中学时代的偶像们。但是没想到复旦物理研究所是一个分会场，这是一个网络会议，会议桌四周都以全息投影的方式投射出各位会议参加者。

谢广义在座位上坐得笔直，其他参会者也都端端正正地露出上半身。

"干吗一个个都跟参加追悼会似的？"秦天问。

"全息摄像机需要高精度拍摄，动作幅度太大会带来干扰。"谢广义解释道。

这时，ICTP主席菲尔·卡马克轻咳一声，示意会议开始。

来自NASA的一位天文物理学家在众人头顶调出了爆发后的鲁坦星和Ross614的照片，两团暗红色的星云颇为相似。

"鲁坦星和Ross614在大小和质量上都很相似，是红矮星。但由于它们的质量较低，内部的元素会充分对流而不是堆积，这样的恒星从理论上讲没有爆发的可能，它们只会逐步收缩，直到氢元素耗尽。"科学家将两幅图放大，"但是在几年之内，包括Ross614双星体系在内有三颗红矮星爆发，这很难被认为是一场巧合。"

菲尔·卡马克说完，向空中点点头，这时又一个人开口说话。秦天注意了一下，准备发言的这人面前的标签上写着史密松天体物理中心。

"中国科学院首先提出了恒星爆发可能与奥丁计划有关联，我们对此进行了时间轴分析。"头顶上的投影有了变化，显示出一条时间线，"奥丁计划的超重离子碰撞的准确时间是2184年2月17日04点32分，但地球与碰撞点距离十三光年，我们暂且以地球时间来描述整个经过。收到信号的时间是2197年6月28日23点14分，收到信号22分钟之后，全部传感器失去联系。

到2197年6月29日00点41分，Ross614的两颗恒星爆发。原奥丁计划中碰撞点与Ross614距离30光分，而碰撞与Ross614爆发相差87分钟。2202年8月2日21点43分，鲁坦星爆发。鲁坦星距离碰撞点大约1.7光年，而爆发时间相隔5年零一个月。

我们有理由推断，奥丁计划的超重离子碰撞产生了某种未知物质，而这种未知物质以三分之一光速向外扩散，催化了Ross614和鲁坦星的爆发。"

"我认为碰撞的巨大能量引发了暗物质的连锁反应。"卡佛里物理研究所的一位代表说。

"不，这应该是碰撞的能量激发了一条卷缩维的展开，使局部空间扩展为四维。"

"希格斯玻场的坍塌造成了恒星分解！"

……

各方科学家就什么造成了恒星爆发展开了讨论，秦天看看身边眉头紧锁、一言不发的谢广义，突然想到什么。

秦天推开谢广义凑到全息摄像头前，这个动作使得其他人眼中的谢广义成了一团模糊的影子。

"各位！各位！"秦天对着话筒喊道，会场渐渐安静下来，"请问，这种未知物质什么时候到达地球？"

同声翻译将秦天的话转换为各国语言，参会的人员理解这句话的含义之后，会议室里响起一片倒吸冷气的声音。过了一会儿，NASA的天文学家喃喃地说："还有……21年。"

紧急会议在不安中散会，出了会场，秦天向天空望去，试图找到那未知物质的一丝痕迹。谢广义则仍然一副正在思考的模样，漫无目的地向前走。

"你是不是有什么想法？刚才你为什么不发言？"秦天问。

"我……"谢广义等了很久才回答，"我还没考虑好。"

秦天快走两步拦住自己的老同学："我说你就不着急吗？这事关整个太阳系的生死存亡，你还藏着掖着……"

"一个月，"谢广义抬手止住秦天，"我需要一个月来验证我的理论。"

"这个……"秦天叹了口气，"好吧。"

7

紧急会议之后，人类所有的大型望远镜都聚焦在Ross614的方向，关注着那里任何可能的迹象。

没过多久，一个奇怪的泡状物体出现在那个方向，它很大，以Ross614为中点，半径超过1.8光年，将已成为星云的鲁坦星包括在内。而且它还在飞速增长，根据韦伯空间望远镜和FAST望远镜传回的数据分析，泡状物半径的增长速度大约是三分之一光速，与之前未知物质的推断速度相吻合。

得到这个消息，谢广义兴奋地直搓手。

"这正是我要的结果，"谢广义抬手就给了秦天肩膀一拳，打得他一个趔趄，"我知道那未知物质是什么了。"

"到底是什么？"秦天揉着肩膀，着急地问。

"不只是这样，我想我们还是有办法拯救太阳系的。"

"你倒是快说啊。"

"现在还不是时候，我要把我的理论发给其他几个物理研究所验证一下才能确定。"

"你不说我可揍你了，你这个死心眼。"

"好吧。"谢广义推推眼镜，"奥丁计划还在筹备中时，就有人担心能量如此巨大的碰撞会不会产生黑洞，这也是将碰撞点设在距离地球13光年之外的原因——为了保证地球的安全。从目前的结果来看，碰撞确实产生了一个瞬时黑洞，但下一个瞬间，两束超重离子由于对撞，大部分质量都转化成了纯能量和一些基本粒子碎片。没有了超级质量，黑洞自然消散了，但是因此而造成空间扭曲过于剧烈，以至于撕裂了空间。"

谢广义停了停，看着秦天，脸上表情好像在问"听懂了没？"

秦天哼了一声，示意谢广义继续。

"空间有自愈的能力，但是会产生一些副作用，就是我们现在观察到的'未知物质'了。"谢广义转回电脑，在屏幕上调出两幅图，那是Ross614和鲁坦星现在的样子，"在广义相对论里，嗯，这个我记得最熟。大质量的天体会使周围的空间凹陷，因此产生引力。空间被过度凹陷而撕裂后，会产生一道让空间鼓胀的波来弥平那里。'未知物质'就是那道空间鼓胀的波，它的效果正好和引力能够抵消，于是这道波经过Ross614和鲁坦星的时候，破坏了恒星的内外压力平衡，使它们异常爆发。"

谢广义又调出一幅图，是韦伯天文望远镜拍到的超大泡状物体。

"这正好证明了我之前的猜想。那道使空间鼓胀的波——我称它为推力波，就像海浪一样，会推着波峰前的物体前行。空间中的微尘，恒星最外围的离子，它们会在波前越积越多，多到能够被看见——就是现在这样子。所以我们只要观察这泡状物体，就可以知道推力波的位置了。"

"那它的传播速度为什么只有光速的三分之一呢？"秦天问。

"不，它的速度确实是光速。"谢广义解释道，"只是它不仅仅在我们所熟悉的三维空间里传播，它也存在于更高维的空间。这三分之一的速度只是它在三维空间的投影移动的速度，它的大部分速度分量是在另一个维度。"

"好了好了，我知道了。"秦天摆摆手。

"你知道吗？老秦，几年前我认为奥丁计划失败了，曾经消沉了很久。这几年来我什么都没做，也没搞研究。是你那天的电话救了我，奥丁计划不仅成功了，而且是巨大的成功。它给了许多我们意想不到的答案。空间不仅可以凹陷，而且还能鼓胀！这说明了什么？这样暗物质和暗能量都可以用空间形态的变化来分析了！"谢广义越说越兴奋，秦天只好打断了他。

"老谢，当务之急是想办法拯救太阳系，理论上的东西只有活着才能研究。"

"哦，对，抵消推力波的方法。"谢广义嘿嘿一笑，"我要卖个关子，过几天再说。"

"我真的揍你了啊。"

8

两周之后，在谢广义的号召下，ICTP再次召开紧急会议。参加这次会议的，除了物理科学家之外，还有联合国秘书长以及各国国防部长、主管科技的教育部长。

秦天扫了一眼通过全息投影参会的各色人等，科学家们脸上都带着兴奋的表情，奥丁计划显然为他们开启了一扇通往新境界的大门。而坐在会议室另一端的政客们却各有各的表情，似乎都有其他要操心的事。但是他们之间是有共同点的，就是对太阳系即将被毁灭这件事没什么概念。

谢广义简要地讲述了他的理论，推力波一说目前已经是最经得住推敲的理论。大部分科学家都表示了赞同，仍有一部分科学家提出了其他的说法，但由于数据的缺乏并未得到验证。

"那么，我们需要做些什么，才能……消灭那道推力波？"谢广义说完之后，联合国秘书长埃里克·斯文顿问道。

"我们没有办法消灭那道推力波，秘书长先生。"谢广义有些遗憾地说，"以人类的力量，只能祈求我们能够在那道推力波中开一个小缺口，让它漏过太阳系，给人类一条活路。"

"哦？"秘书长露出失望的表情。

"那要怎样做呢？"E国国防部长问，"用核弹轰炸吗？"

"不，人类的武器在宇宙级的自然现象面前比小孩手里的木头枪还无能。"谢广义面无表情地向国防部长看去，部长一声冷哼。

"要拯救太阳系，我们还是需要人类智慧的结晶。"谢广义指指头顶，"我们必须修复奥丁。"

会场里开始出现窃窃私语的声音。

"奥丁能够做什么？这场灾难不就是它造成的吗？"有人问。

"是它造成的不错，但我们中国有句老话，叫作解铃还须系铃人。我们要让奥丁重新工作，发射粒子束，让粒子束的碰撞产生引力波，来抵消空间鼓胀的推力波。"

"你怎么敢保证这次的粒子束碰撞不会产生同样的东西？"

"我们将奥丁的基本参数调低，让碰撞能量在可控范围内。而且还要把奥丁改装成可重复、快速发射粒子束的装置，通过多次碰撞产生的叠加引力波来抵消推力波，而不是一次产生高能量的引力波。"

"你的意思是把奥丁超重离子加速器从手枪改造成机关枪？"

一阵哄堂大笑。

秦天看着谢广义，他扶着讲台的手开始发抖。有些政客根本就是抱着看戏的态度来参加这次会议的，他们根本就不知道推力波会对人类世界造成什么影响，或者知道也不在乎，毕竟那是二十年后的事情。

秦天叹了口气，走上前把谢广义推开："你去休息一会儿吧，我来和他们谈谈。"

谢广义像被掏空了一样，失魂落魄地离开讲台。

秦天把手机掏出来，调出Ross614爆发后的图片。

"各位，这是一颗恒星爆发后的样子。我们的太阳也是一颗恒星。你们知道太阳为什么会发光发热吗？因为它的内部时刻进行着热核反应，它内部的能量想爆发出来，但又被强大重力所吸引，所以保持了内外平衡的状态，只能温和地向外辐射热量，人类才能生存。但是如果推力波经过太阳，会立刻破坏它的内外平衡。太阳内部高达1500万度的物质就会以接近光速的速度喷射出来，并且随着太阳的自转而洒满整个太阳系。所有的人类，所有的生物，太阳系所有的星球，都不能幸免。"秦天把手机重重地拍在讲台上，"你们觉得这是在开玩笑吗？"

会议大厅重新安静下来。

"我们需要重建奥丁，只有这样才能给人类一丝机会。"秦天接着说，"这需要在座各位所有人的帮助，需要全人类共同努力。"

"我们国家势单力薄，连温饱问题都没能解决。这场灾难是你们几个国家联手造成的，应当由你们几个国家负责解决。"Z国驻联合国大使开口反对，他的意见得到了不少响应。

"你是要宣布贵国不参与拯救人类的联合行动吗？"秦天问Z国大使，但他的目光却一直看着联合国秘书长的方向。

"没错！"

"好吧，但是我要提前告知你一下。这并不是什么政治游戏，而是在商讨人类的生死存亡。即使人类所有的资源都集中起来，也不一定能够躲过这场灾难。对于那些想保存实力做旁观者的国家，为了得到你们的资源，也许到时候会用一些强制性手段。"秦天向全场扫视一遍，几个国家的国防部长在传递眼色，微微点头。秘书长仍然不动声色地坐着。

"你这是在威胁我的国家吗？"Z国大使大怒，他猛地站起来，全息半身像一阵颤抖后才跟上他的动作。

"不！"秦天转过脸，这才第一次和Z国大使对视，"是你在威胁我们所有人。"

Z国大使愣了几秒，才慢慢坐回椅子，不再说话。

接下来的会议进程要顺利很多，各国都表示全力支持"新奥丁"计划。

由于谢广义教授第一个发现了空间鼓胀，并且提出了应对措施，科学界一致推选谢广义为新奥丁计划的总负责人。

"老秦，你刚才的语气……是不是过了。"出了会场，谢广义避开前来打探情况的记者，拉着秦天走到偏僻的角落。

"我说老谢啊，你是搞研究的，讲理论没问题。但是跟那些政客打交道，就得威逼利诱，他们眼里只有自己的利益，总想着把那一亩三分地管好就够了。告诉他们会得到什么或者告诉他们会失去什么，他们就会听了。"秦天耸肩。

"我知道，你做了大半辈子买卖，这方面你清楚得很。"谢广义注视着秦天，一脸严肃，"所以我得麻烦你件事。"

"有什么需要的就说。"

"我要任命你为'新奥丁'计划的副总指挥。"

"别……别开玩笑了。"秦天后退两步，好像这样就能离那个想法远一点，"我一个研究生没毕业的，当新奥丁计划的副总指挥？"

"理论研究的事，中科院已经和美国、欧洲还有日本的研究所达成联盟关系，这不用你操心。正像你刚才说的，我需要你商人的头脑，为了利益最大化可以不择手段的决心。"

"你说得真是太客气了。"

"我是认真的。"谢广义睁大眼睛，"我需要你协调好各个国家之间的关系，将所有的资源都利用起来，只有这样才能争取更多让人类继续生存下去的机会。你的观点很有效，刚才的事情已经证明了这一点。"

"嗯……"秦天想要拒绝，他皱紧眉头，目光越过谢广义的肩膀向远处看去，脑子里努力思考托词。

忽然间，秦天发现自己所在的物理研究所正是爷爷秦可儒曾经工作过的地方。灰色的小楼看上去毫不起眼，可就是在这里，秦可儒和其他的科学家一同设计并建造了人类史上最大、最复杂的机械。

"你要知道科学方法的实质，不要去听一个科学家对你说些什么，而要仔细看他在做什么。——爱因斯坦"。走廊的墙壁上，还挂着科学家们的名言。

"去做什么？"秦天喃喃地说。

"老秦？"

秦天叹了口气："好吧，我干。我们什么时候开始。"

"现在还只能做些筹备工作，理论还需要完善，而且我们还需要更多的数据才能做出准确的计划。"

"那是要等多久？"

谢广义看看天："等到下一颗恒星爆发的时候。"

9

两年半之后，新星爆发的光芒照亮了整个宇宙。南河三，这颗天空中亮度排名第八的恒星，以最暴烈的方式结束了自己的生命。它喷射出的恒星物质使它的体积暴涨了数千倍，地球上的夜晚被它照耀得如同白昼，只要抬起头，就能够看到南河三仍然在不断扩大的恒星云，它的亮度比晴朗夜晚的满月还亮，目测大小甚至达到了满月的四五倍。

不同于前两次恒星爆发，南河三是一颗F5IV型的亚巨星，它的体积是太阳的6.5倍，质量是太阳的1.5倍。它的爆发产生了巨量的中微子、X射线、伽马射线、微波光子和可见光，这股激流席卷了地球，又呼啸而过。

80亿人类赖以生存的星球，只是湍流中一颗微不足道的小石子。

这两年多，谢广义和世界各国的科学家对推力波理论进行了反复论证，并且对新奥丁计划进行了预先规划。

南河三如期爆发，当所有人都走出房间抬头仰望闪亮星云的时候，谢广义和研究组却在研究所里没日没夜地反复验证得到的数据。

"怎么样了？"秦天问谢广义，尽管同在研究所工作，这还是秦天半个月来第一次见到他。

"现在还不确定。"谢广义回答得比较保守，但嘴角的微笑说明情况比较乐观，"你那边怎么样？"

"SpaceX公司，喷气实验室和航天重工一起改进了姿态调整装置，CERN也重新设计了加速管的超导装置……"秦天抖了抖，拉好拉链，"总之，一切顺利，就等你们的数据了。"

"我们会成功的，对吧？"

"你只要考虑以后怎么养老就行了，马上就没你什么事了。"

"就差这最后一哆嗦了。"

"我刚才已经哆嗦过了。"秦天咧嘴一笑。

两个人并肩走出厕所，分别向两个方向走去。

秦天回头看着老同学的背影，笑容渐渐退去。两年之间，谢广义已经苍老了很多，头顶已经全部秃了，剩下的头发也是白多黑少。由于很久没有出过门，他和研究组的成员个个脸色苍白、双眼红肿，如果不是秦天专门安排了人负责监督他们进食和休息，恐怕他们的身体早就垮了。

"这些科学家啊。"秦天低声自言自语。秦天在走廊的窗前停下脚步，窗外绿油油的草坪让他的心情稍微好点，南河三星云仍然挂在天空的东北方，即使白天也清晰可见。秦天觉得自从南河三爆发以后，草坪似乎长得更快了。曾经有专家提醒说，超新星爆发的射线可能会导致人类以及地球上的物种产生变异。秦天在那之后再也不看那个节目了，他本来就有很多事要操心，不能再添加令人担心却无法控制的东西了。

秦天在那站了一会儿，便快步回到自己的办公室。因为再过半个小时，一艘俄罗斯运载火箭将点火升空，运送一批物资给在天空中忙着改装新奥丁的工程师们。秦天必须在办公室看直播，因为他觉得，如果火箭升空时他在干别的，那很可能会出事。这不是什么迷信，秦天这样告诉自己，但他也说不清这是一种什么心情。

还有十八年。秦天想着，这段时间真是尴尬，说长不长说短不短。

最终数据出来的时候，秦天正准备参加一场中国火箭技术研究院和美国ATK公司的协调会，谢广义快步走进他的办公室，脸上带着如释重负的表情。

"结果出来了？"秦天问。

"出来了。"

"终于可以正式开始反击了。"秦天兴奋地直搓手，"我们需要发射多少次粒子束才能抵消推力波？"

"687459次，我们经过了三十多次反复检验才确定了这个数值。"

"多少次？"秦天不敢相信自己的耳朵。

"六十八万七千四百五十九次。"谢广义又重复了一遍。

"怎么会需要那么多次？"

"这是保证撞击能量安全有效的最高值了。"

"他妈的。"秦天一屁股坐到椅子上，"我们设计出的新奥丁发射轨道最高能够承受两万次的发射，这还是最大负荷，安全发射数值是七千次而已。"

"这完全还差得很远。"谢广义刚刚放松下来的心又绷紧了，"我再试试别的算法，加大能量看看。"

秦天深吸一口气，起身拉住谢广义。

"不用了，你的工作已经完成了，快去好好休息休息。"秦天拍拍老同学的肩膀，"下面就交给那些工程师了，他们一定能想出办法来的。"

10

"什么！这么说我们之前的设计被全部推翻了。"

“这不可能！六十多万次，AK47拼了老命都达不到五万次！”

“即使能够持续发射，以我们现在的技术，每次发射后姿态调整引擎需要五分钟才能让新奥丁对准下次发射的位置。即使一直不间断发射，五分钟乘以六十八万次……”

“六年半！”有人很快算出了结果。

“……对，要持续发射六年半。”

“还有，即使我们满足了全部条件，能源怎么办？”

“对啊对啊，能源，太阳能完全没法供应这么高强度的能量消耗。”

“还有散热问题。”

“零件损耗。”

……

得到最终数据的工程师们乱成了一锅粥，七嘴八舌地说出新奥丁改造所面临的困难。当抱怨的声音渐渐变小之后，秦天才开口说话。

“说了这么多，你们到底能不能完成全部的改造设计？”

工程师们开始转动眼珠，抱怨之后，之前所有的困难变成了一个又一个的挑战，而他们血液中流淌着的渴望探索、追求解决途径的因子又活跃起来。

“能！”

“没问题！”

“还敢再困难些吗？”

秦天点点头：“我们的时间不多了，推力波到达地球的时间还有十八年，我们必须在三年内完成改造，才有可能赶在推力波到达之前将它抵消掉。知道了吗？三年内。”秦天站起身，严肃地与每一名工程师对视，“这是政治任务。”

工程师们郑重地点头回应。

会议室沉默了片刻，一个瑞士的工程师问："什么是政治任务？"

11

秦天和谢广义并肩站在物理研究所门外的草坪上，抬头看着星空。南门三恒星云的光芒早已减弱，现在只剩下模糊的一团光晕。

新奥丁庞大的身躯正悬挂在西方的天空，在月光的照耀下，可以看到它的身后拖着细长的尾巴，一直与地面相连。为了给新奥丁提供充足的能量，工程师们用碳纳米管编织的缆绳连接新奥丁和地面，缆绳中是直径一米的常温超导材料制成的电缆，为新奥丁提供源源不断的电力。

重新设计的真空加速管和人造元素构件也达到了八十万次的设计寿命，新的等离子姿态喷口可以在两分钟之内调整好新奥丁的发射方向。

三年，工程师们真的做到了。

"明天，就要发射了。"谢广义说。

"终于可以放松一下了。"

"多长时间没喝过酒了。"谢广义咂吧咂吧嘴，"明天这个时候，咱俩就可以好好喝上两杯了，还有研究组的那些人，还有其他国家的科学家们，还有那些工程师，还有……"

"行了行了老谢，"秦天按住老谢的肩膀，"你不是一直反感喝酒吗？"

"这次不一样，"谢广义认真地说，"这次真的不一样，这才是值得庆祝的日子。"

"没错，我在学校的时候多少次想灌你点酒，你打死都不喝，这次主动送上门来了，看我不让你喝个痛快。"

两个人傻笑了一会儿，谢广义突然收起了笑容。

"能成功吗？"

"废话，你以为我们这么多年都在干吗？"

"如果我的理论有错误怎么办？"

"怎么可能，就算你突然犯傻出现了错误，不是还有那么多科学家进行核查和验算吗？"秦天伸个懒腰，"别想那么多了，已经到了这个时候，顺其自然吧。"

"不行。"秦天越劝，谢广义的两道眉毛皱得越紧，"我要再检查一遍，这事关人类的生死存亡。"

"我说老谢你就不知道放松一下？老谢！你回来，别费那劲了，新奥丁已经定型了，即使更改方案也来不及了。老谢！"

谢广义丢下秦天，自顾自地走回研究所。秦天知道谢广义这一夜又要通宵计算，他耸耸肩，知道自己拦不住老谢，也不再叫了。

秦天在外面又待了一会儿，想到肩上的担子马上将要卸下，他觉得一身轻松。山里的小屋已经很久没有回去打理，还有他的孙子秦川。在秦天忙新奥丁的时间里，秦川已经长成了大孩子，今年就要高考了。自从那年和秦天一起目睹了鲁坦星爆发，秦川就一直想当一名天文物理学家。这孩子简直跟自己当年一样，只是……秦天想想这一辈子的经历，突然想回家，和秦川好好谈谈。

要做的事太多了，只要等明天启动仪式完成，剩下的就可以完全交给新奥丁的主控电脑，人类所能做的，到此为止了。

突然多了很多计划，这让秦天有点兴奋。秦天抬头看着新奥丁，终于理解了爷爷秦可儒当年的心情。秦天对着新奥丁点点头，好像在与它交流，然后他转过身，哼着不成曲的小调回到研究所。

第二天，是新奥丁发射的日子。

六年零七个月，在这段时间里，地球没有了国界，四千多名科学家通力合作。为了满足所有的要求，有六万多项新技术被应用在了新奥丁上，这是全人类共同努力的结晶，也是全人类最后的希望。

只要再按一个按钮，人类的任务就结束了。剩下的，就交给物理规则——这世间最强大的力量了。

但在按下按钮之前，还要再经过一套复杂冗长的仪式。

幸好现在不用活人祭祀了，秦天一边等待来接他和谢广义的直升机一边想。

旋翼的轰鸣声从视野之外传来，飞机就要到了。

秦天四处寻找，却看不到谢广义的身影。

一定是还在进行数据核算，秦天轻轻摇头，返回研究所去找老谢。

谢广义办公室的门虚掩着，从里面传出LED灯青灰色的光。

"老谢！快收拾收拾，飞机来接咱们来了。"秦天说着，推开门。

谢广义的办公室像往常一样混乱，四台显示器上显示着各种图表。一面墙的图板上写满了公式，秦天只能认出其中几个，还不敢确定它们是什么意思。

秦天走过满地扔着的废纸团，在书桌旁发现了他的老同学。

谢广义趴在桌子上，双眼微闭，胳膊下压着写了一半的演算公式。

"老谢别睡了，大家都等着呢。"秦天推推谢广义的肩膀，打算叫醒他。

然而谢广义没有反应，他顺着这一推的力量从书桌上滑下，重重地摔在地上。

秦天连忙去扶，可下手处觉得冰凉僵硬，那触感让秦天的动作停了下来。

死了？

谢广义死了！

秦天坐在地上，背靠着墙。谢广义躺在他的脚边，脸上密布的皱纹反射出蜡样的光泽，大小不一的褐色老年斑分布在他的手上、脸上。

他已经这么老了？秦天猛地发现，自己也已经六十二岁了。疲惫、疼痛、关节炎、气管炎……衰老似乎在秦天意识到的那瞬间突袭了他，他猛地咳嗽起来，大汗淋漓。

走廊里响起了脚步声，助理研究员发现谢广义和秦天不在，也过来寻找。

助理研究员闯进谢广义的办公室，发现了这一幕。在秦天招呼他之前，他又转身跑了出去。

片刻之后，所有的人都聚到了办公室门口。

驻研究所的医生穿过人群进来，仔细检查了谢广义，摇了摇头，下了最终的判决。

人群中发出细细的哭声，秦天转过脸，发现所有的目光都集中在他身上。

现在，所有的担子都在秦天身上了。

"嗯……"秦天的腿开始发抖，他扶着桌子，目光看着研究员们脚下的地板。耳朵里传来咯咯的响声，那是牙齿摩擦的声音，他在为将要说出的话下决心。

"计划不能耽误，留下十个人处理谢总指挥的后事，其他人在外面集合。"说完，秦天分开人群，快步向外走去。

12

直升机将秦天等人送到新奥丁计划指挥部，他低着头下了飞机，在旋翼的强风下跑向总部大楼。嗡嗡的轰鸣声在耳朵里回响，让人心烦。秦天一抬头，发现主席和国防部长就站在自己面前，一脸严肃，他们大概已经得知了谢广义去世的消息。

"首长……"秦天愣了半天，从嘴里蹦出两个字，然后就不知道该说些什么了。

"怎么，听说连美国的首席工程师都被你骂得一愣一愣的，现在却不敢说话了？"主席说，"谢总指挥的去世确实令人遗憾，但现在不是哀悼的时候。新奥丁已是箭在弦上不得不发，你要拿出来最大的自信，今天，全世界都在看着你。"

"这个……我……明白，保证完成任务！"秦天突然来了精神，抬手敬了一个笨拙的军礼，"请首长放心。"

主席笑了："电视剧看多了吧。"

秦天也跟着笑了，他这才觉得心情舒畅了一些。

直播启动仪式的时间到了，秦天走进指挥中心，找到标有自己名字的座位坐下。实际上，此时离正式启动还有两个小时。但是在正式启动前，联合国秘书长、主席以及其他几个国家的元首分别作了简单的致辞，大意是向研究组人员致谢，向全球人民致谢，预祝计划成功什么的。

坐在镜头边缘的秦天如坐针毡，新奥丁计划到现在的六年多时间，没想到最难熬的是最后的两小时。那些赞扬的话听到秦天的耳朵里总觉得那么别扭，他一个研究生就离校出走的人，现在却是领导着全世界四千多名科学家的"代理"总指挥，不知道这是命运对他的讽刺，还是他对命运的讽刺。

启动仪式终于结束了，关键的时刻到了。所有的摄像机都瞄准了秦天，他站起身，走到控制台前。控制台上有一个绿色的按钮，醒目的红黑色斜线条将这个按钮与控制台上的其他按钮分开。秦天掀开按钮上的透明保护盖，等了一下，又缩回手。

秦天从衣兜里掏出一台平板电脑："这是谢广义总指挥的平板电脑，它将代表谢总指挥按下启动按钮。"他对着摄像机说。

控制台正对面的电子钟上显示着倒计时，当时间将要归零时，秦天用平板电脑的一角按下按钮。

实际上，新奥丁的发射时间并不是由那个按钮来决定的。因为每一对粒子束的发射都要精确到万分之一秒，才能保证碰撞的准确性。

启动按钮的按下，代表着新奥丁计划中，人类的任务已经完成了。在按下按钮3分49秒之后，新奥丁发射出第一对粒子束。电子钟上本已归零的数字变成了0000001。

控制中心里灯光一暗，秦天转过头："首长，为了新奥丁有充足的能源发射粒子束，我请求限制民用能源，以保证计划成功。"

主席点点头，在直播过程中现场签发了一份主席令，宣布进入民用电能限制时期，期限为新奥丁发射的这几年。其他国家的元首也纷纷发布法令限制能源。

这是计划好的事情，但是在现场直播过程中签发，显得更有说服力，也能够得到最大限度的理解。

这又是一套漫长的仪式。

最后，直播结束，主席和国防部长首先离开，然后是各界人士，最后大部分的媒体也离开了现场。

原本纷乱燥热的控制中心突然显得有些冷清。

秦天扫视一圈，监控组的人员正注视着新奥丁的各项数据，而研究组和工程师们则一脸茫然。

"给你们放个假，都回家休息休息吧。"秦天说，"把大厅的灯都关了，能省点电就省点。"

0000089。

秦天走出控制中心，平原上的风迎面吹来，他打个哆嗦。

秦天向天空望去，水晶般的蓝色天空上飘着几朵蓬松的云。现在是午后，阳光刺眼。秦天眯着眼寻找新奥丁的痕迹，却没有找到。

秦天只能在脑海里想着：发射—姿态调整—充能—发射—姿态调整……

13

发射—姿态调整—充能—发射—姿态调整—充能—发射—姿态调整……

0674621。

时间在周而复始的节奏中又走过两年半，秦天每天的日程安排就是在指挥中心转转，和监控组的人员聊聊天。剩下的大部分时间，就是坐在活动区的长椅上看着天空。不论白天和黑夜，只要一有空，他就会坐在那里。实际上，他的视力已经大不如以前，即使在观测条件最好的夏季黄昏，他也看不清飘浮在日夜交际线之间的新奥丁。但是他知道它就在那，他甚至只需数着自己的心跳就能够知道新奥丁处于什么状态，仿佛已经和它连成一体。

在看不见的宇宙中，那六十多万对粒子束结果如何？是否产生了叠加引力波？对于谢广义理论中的推力波是不是确实产生了作用？秦天不知道答案，但并不因此而慌张。每到这时，爷爷秦可儒去世前的不甘、谢广义不安的慌乱表情都让秦天感到历历在目。秦天不知道此时这份平静来源于何处，是他终于对科学产生了信仰，还是已不在乎？也许，这期待中的平静生活对他来说已经够了。

背后传来杂乱的脚步声，秦天转过头，看到年轻的助理研究员向他跑来。

"怎么了？"

"秦总，你快去看看吧。"助理研究员气喘吁吁地说。

起初，秦天对这个称呼很敏感，总会强调自己的"代理"身份。但时间长了，秦天在年轻的研究员眼里也没那么疏远了。秦天不懂技术，也没什么理论底子，倒像是个保姆一样照顾着他们。"秦总"这个字带上了戏谑的色彩，秦天反而能够接受了。

"发生了什么？"

"新奥丁……报警了。"

"什么！"秦天猛地站起身向控制中心跑去，没走两步便眼前一黑摔倒在地上。

秦天缓缓睁开眼睛，助理研究员正满脸惊慌地看着他。

"怎么回事？"那一跤把秦天的额头摔破了，黏稠的血流过眼角。

"您摔了一跤。"助理研究员把秦天扶起来，帮他拍掉身上的尘土。

"我问新奥丁！"

"黄色警报。"

秦天粗暴地推开助理，快步走回控制室。

"怎么回事？"

"2号机有一个偏向磁铁发出了黄色警报。"监控组的值班组长抬起头，指着面前的屏幕说。

"怎么会这样？"

"不清楚，大概是被宇宙微尘或者外空间碎片击中了，必须等到有人上去实地检查才能知道。"负责人注视着秦天的双眼，"我们必须停机检查，不然偏向磁铁失效的话，粒子束会直接撞击在真空管壁上……"

话音未落，屏幕上警示的黄色变成了红色，并且有扩大的趋势。

秦天意识到了停机的必要性，他从兜里掏出安全阀的钥匙，刚抬起手，便被值班组长一把抢去。

组长三步并作两步跑到控制台前，用钥匙打开安全阀，按下了红色的停机按钮。这一套动作完成之后，才回过头来，意味深长地看了秦天一眼。

手中空空的秦天愣了一会儿，才意识到发生了什么，他低下头，看着组长。

组长脸上露出了愧疚的表情，静静地走过来把钥匙递到秦天手上。

秦天左右看看，指挥室里一片寂静。他觉得脸上有些发紧，抬手一摸，刚才没来得及擦掉的血已经干了，成了硬块。

"我要去向上面汇报一下。"

秦天在众人沉默地注视中离开了指挥室。

14

"新奥丁2号机的故障报告大家都已经看过了，偏转磁铁失效，主管道破损，三组冷却系统失效。需要人上去维修，但是需要耗费一年左右的时间。"秦天环视着会议室，对面坐着的是联合国秘书长和各国元首。他突然觉得这不是工作汇报，而是一场审批。

"这场事故会造成什么影响？"

"新奥丁在停机之前，已发射了676325对粒子束，完成了原计划的98%。望远镜观察到的结果表明，朝向地球方向的推力波造成的微粒堆积效果确实减弱了。"

"这么说新奥丁确实产生效果了？"

"是的，根据我们的推算，以推力波剩下的2%的能量，也不会对太阳造成太大的影响。"

"那么，你的建议呢？"

"我们认为修复新奥丁的工程耗费的人力物力与获得的效果不成比例，会浪费大量资源。现在CERN正计划重启大型强子对撞机LHC，也可以起到与新奥丁类似的效果。并且哥伦比亚大学对空间扭曲的研究有了新的进展，正在针对保护太阳这方面进行防护膜的研究，目前已经有了一定的效果。我的建议是：终止新奥丁计划，将资源用在更有效的项目上。另外，还有一件事……"秦天停了停，深吸一口气，"因为我个人身体方面的原因，再加上新奥丁计划的终止，请接受我的辞职。"

19

"这不是秦总工程师吗？您老身体还挺硬朗啊。"

"哦，还好，还好。"秦天礼貌地回答道，他抬起脸，正对着声音的方向。秦天眯着眼睛看向前方，同时露出笑容，但他眼中只有模糊的人像。

尽管已经从新奥丁计划中辞职十年了，人们还是以"秦总工程师"这个称号称呼他，他总会微笑着回应，尽量显示出自信的样子。在很多人眼里，秦天、新奥丁，仍然代表着人类的未来。

"爷爷，咱们还是别去了。"孙子秦川在他耳边说，"几百级台阶呢，您哪里吃得消。"

"不要紧，"秦天笑笑，"这点路不算什么。"

秦川犹豫了片刻，将手伸到秦天腋下："那我挽着您。"

爷孙俩顺着狭窄的台阶缓步上行，来往的游客不多。当经过他们身旁时，游客们都会侧着身让过他们，秦天则会把身体的重量靠在孙子的手臂上，转过身，向对方点头致意。

山路比记忆中更加漫长，尽管来这里的次数不多，但每次在这里发生的事都是秦天命运的转折点。秦天一步一步走着，尽管有秦川的扶持，但他的腿却像石头一样越走越沉，同时还传来火烧一样的疼痛。

秦天咬着牙，在心里数着台阶。这样走了一段时间，秦天突然发现自己在用另一种方式计算登台阶的节奏：发射—姿态调整—充能—发射……

秦天猛地咧开嘴笑了，却让身旁的秦川一脸惊恐。

他们终于走完了所有的台阶，那片熟悉的草地仍然像六十二年前那样茂盛。

秦天坐在草地上，喘着气，不停地捶着麻木肿胀的双腿。

"爷爷，快起来，地上凉。"秦川低着头，无奈地看着他。

"没事，我这会身上正热着呢。"秦天不但没起来，反而躺在草地上，双手枕在脑袋下面。"那年我爷爷带我来这里，让我看奥丁的发射，这一眨眼已经七十多年了。"

秦川没办法，只好躺在爷爷旁边："我还不是一样，您第一次带我来这里，正赶上鲁坦星爆发。那时的我从来没见过那么壮观的场面，简直把我惊呆了。"

"所以你决定当个天文物理学家？"

"是啊。我听我爸说，您当初也立志成为一个物理学家来着？"

"嗯，"秦天双眼望着天空，但是由于双眼已经严重老花了，他的视野里只是一片漆黑。"好像是有那么回事。"他悠悠地说。

"那您后来为什么做生意去了？"秦川又接着问。

"这个……"秦天停下了，好像在思考。他停了很久，当他再开口时却说："几点了。"

秦川看看表："快到了。"

"那扶我起来吧。"

爷孙俩站起来，秦天的腿舒服了些，但还是有些发僵。他跺跺脚，感觉终于好点了。

"就要来了！"秦川的声音有些颤抖，"还有三十秒。"

秦天感到腋下一紧，那是他的孙子由于紧张而夹住了他的手臂。他把手轻轻地放在秦川的手上："别紧张，没事。"

"5、4、3、2、1……"

经过了三十九年的漫长行程，这道推力波终于来到了地球。

那一瞬间秦天感觉到一阵轻松，仿佛自己飘浮在空中。腿上传来的痛苦消失了，不仅如此，秦天觉得浑身充满了活力。

可那感觉仅是一瞬间的体验，推力波经过地球，向太阳而去。秦天又回到了现实世界。

24分钟后，秦天这一辈子的努力，就要到答案揭晓的时候了。这不仅是他一个人的期待，他还肩负着爷爷秦可儒和谢广义的那份期望。

但这还不是最终的结果，即使小小的太阳系得救了，推力波仍然不可阻挡地向宇宙中扩散，无数颗恒星将会毁灭。很快，不，应该是很久很久以后，天空中将不会再有星星。那将会是怎样的夜晚？

秦天闭上眼睛默默等待着。

推力波经过时的失重体验似乎加剧了他身上的不适，小腿开始发酸，腰也有些难受。

秦天转动身体，试图找一个比较舒服的姿势。突然间，秦天感觉一道温暖的白光笼罩了他。

那是什么？

人类的实验毁灭了数个恒星，而且这个数字还在增加。外星人终于现身打算制止这场灾难了？

还是恒星爆发产生的超量射线已经让他的身体产生了变异？

又或者，死亡已经等待了太久，终于来找他了。

不，我还想知道答案！秦天在心中祈求。

你真的想知道吗？你做过的那些，就是答案。另一个声音说，它同样来自秦天自己。

秦天沉默了很久，终于放松了身体。

白光笼罩了他。

狩猎季

1

班恩和笃高悬在天空，投下淡淡的光芒。

查维斯躺在一片鞭草丛中，看着布满繁星的天空。微风吹过，身边的树上垂下细如发丝的枝条，它们飘散开来，有些划过他的脸，弄得他痒痒的。一些戴克斯星上的小动物从他身边爬过，但没有一只对他产生兴趣。

如果不是孤身一人，而且还带着伤的话，查维斯真的会喜欢上这里。

查维斯扭了扭身体，腹部刚刚凝结的伤口又被撕开，他连忙停下动作。血流出来，在双月的淡蓝色光辉下呈现出诡异的紫色。风继续吹，带着鞭草发出的沙沙声和血腥味飘向远方。

不知又过了多久，班恩已经在天空中划过了三分之二的距离，而笃早已隐没在了森林深处。东方露出了亮光，森林仿佛苏醒了一样，开始沸腾起来。不知名的动物和昆虫开始拼命发出持续而且让人烦躁的叫声，就像几百个伐木工人同时开动了手中的电锯，其中几个还出现了故障，轰鸣中夹杂着不连贯的突突声。

头顶的树枝上，几只猴子一样的戴克斯生物发现了他，但它们只是远远地坐在那里，叽叽喳喳地看着他。也许几万年后，这些生物会进化到智能阶段，它们会穿上笔挺的西服，戴上文雅的金丝眼镜，但它们仍然会冷眼旁观与自己无关的事，还毫无顾忌地在一边风言风语，和现在能有什么区别。

查维斯正在胡思乱想着，身旁的草丛里传来了动静，好像有什么东西正向自己靠近。他吃力地把头转向声音的方向，满怀期望地看着随风轻摆的鞭草，同时心里不停地祈祷千万不要是什么凶狠的食肉动物。

查维斯静静地等着，几乎忘记了呼吸。当四只深棕色章鱼触手一样的柔软肢体从草丛里伸出来时，查维斯才长出一口气，心中甚至涌出一种中了彩票头奖的喜悦之情。触手之后是一只白色带着斑点的鼻子，潮湿的鼻翼一开一合，在空气中嗅着什么味道。接着，一个头部扁平，身材粗壮的沃尔人露出了他的全貌。他有着沃尔人的标准相貌，身高一米五左右，肩宽背厚，浑身都是突起的结实肌肉。在沃尔人的两腮处，各有两只柔软的操作肢，用来进行精密细致的动作，而两只前臂则粗壮有力，力量型的工作都要靠这对前臂来完成。他穿着淡绿色的无袖织物上衣，身上除了一个斜挎着的背囊外，并没有其他沃尔人那样炫耀性的复杂装饰物。

"帮帮我。"查维斯用沃尔语虚弱地说。他的右手在左臂上轻拂，用左臂皮下植入的发声器来弥补人类无法发出的高频声音。当初有人问查维斯想不想学一门演奏乐器一样的语言，他痛快地答应了，但是没想到这门语言就是由复杂的卷舌音、鼻腔音、嗒嗒声和不停地挠左胳膊组成的沃尔语。

沃尔人长时间地看着这个会说自己语言的异族生物，他被细密短毛覆盖着的小眼睛冷冷地打量着查维斯。然后他迈开仪式般的步子围着查维斯绕起圈，除了身上衣服摩擦时发出的沙沙声，他再没有发出其他声音。他用操作肢轻轻地在查维斯身上拍打，仿佛在检查什么货物。他那对健壮的前臂始终垂在胸前，一双手不自然地一张一合。

"弱者！"沃尔人最终说出了结论，他沉闷的声音仿佛乌云中的滚雷。

"是的，你也看出来了。"面对这个可能会救他的异族人，查维斯只能顺着他回答，"请你帮帮我。"

"这是软弱的代价。"沃尔人似乎对查维斯并没有同情之心。

"不，别这样，我受了伤，我的同伴以为我死了，他们丢下我不管，现在可能都已经逃离这个星系了。"查维斯的声音像是快要哭出来，"不是我软弱，那雪狰实在是太快了……"

"等等！"沃尔人突然打断了查维斯，"你说雪狰？"他提高了警惕，小心地向四周打量。除了鞭草，他的视野里看不到其他的东西。

"有意思。"沃尔人转身面对着查维斯，开始用一种不同于前的眼光再次打量着他，"居然能在雪狰的袭击中活下来。"

"帮帮忙吧，"查维斯觉得沃尔人似乎对他产生了好感，他决定不放过这个机会，"我的背包刚才被甩到那边的草丛里了，能帮我捡回来吗？"他试着挤出一个笑脸。

沃尔人停顿了一会儿，似乎在思考要不要帮助这个软弱的人，不过最终他走进草丛，把查维斯的背包捡了回来。

"谢谢。"查维斯从背包里找出医疗凝胶，喷在腹部的伤口上。然后他站起来，活动了一下麻木的手脚。凝胶收缩了伤口，里面含有的麻醉成分降低了疼痛的感觉。除了仍然有些虚弱，查维斯感觉还不错。

"你是谁？为什么会说我们的语言。"等查维斯恢复了活力，沃尔人才开始提问。

"我是地球人。"查维斯左手拎着还敞着口的背包,右手胡乱把东西塞了进去,然后开始在左臂上挠,心中暗骂这种愚蠢的说话方式,"到这里来打猎,旅游的。"说完,他向沃尔人礼貌地伸出右手。

沃尔人对他友好的表示无动于衷,只是冷冷地说:"你还没有回答我的问题。"

"哦,那个,我有一个朋友是沃尔人,他总是向我们说戴克斯星球是一个打猎的好地方,我的沃尔语就是和他学的。"查维斯收回自己的手,有些尴尬地在裤子上擦了擦,"我和其他几个地球人约好了趁戴克斯气候适宜的时候来这里打猎,没想到刚离开飞船没几步就被个什么怪物给袭击了,他妈的,看见我倒下了那帮狗崽子掉头就跑。对了,你也是来打猎的吗?在地球上我可是个不错的猎手……"

"够了!"沃尔人粗暴地打断查维斯的话,"这里是沃尔人追寻力量的地方,弱者。你不适合这里,赶快离开吧。"说完,他转身走进了草丛。

粗壮的小腿和宽阔的肩膀给了这个沃尔人压路机般的气势,他迈着坚定而稳重的步子向前走着,速度不算快,但势不可挡,面前的鞭草像是有自我保护意识一样,自觉地向两边倒下,为他让出一条路来。

"等等!"查维斯慌忙背上背包,跟着进了草丛。其实他三两步就能追上这个不通情理的矮子,不过他觉得还是跟在沃尔人后面可能更礼貌一些,"你看,我受了伤,装备也丢得七七八八,同伴们都走了,把我丢在这里……我十分感谢你救了我,可是我能不能再提个要求,你好人做到底,能不能等你忙完了,让我搭个顺风车什么的?"

沃尔人停下脚步,转过身来认真地对查维斯说:"弱者,你要听清楚。我将要进行一次很艰苦的灵魂试炼,即使对我来说也是十分危险的，你最好不要跟着我。"

"求求你了，让我一个人留在这里的话，我很快就会死的。只有跟在你这么强大的人身旁，我才有活命的机会。"

"强大……"沃尔人轻声咀嚼着这个词，仿佛对它的含义有些不确定。

查维斯满怀期待地低头看着沃尔人，然而沃尔人给他的回应却是转过身，自顾自地走了。

查维斯只好硬着头皮追上去，继续保持着谦卑的态度说："我叫查维斯，真是太感谢你了。请不要太在意我，我不会给你添麻烦的。只是遇到麻烦的时候，你稍微照顾一下我就好了。在我们那里，像你这样强大，却将力量用于帮助弱者的人，被称作英雄……"

沃尔人又向前走了一百多步，突然之间停了下来。查维斯正全神贯注地试图拉近关系，一下没收住脚步就撞在沃尔人水泥墙一样结实的身上，险些跌倒。

"你可以叫我恰卡。"沃尔人说完，又继续前进。几步之后他再次停下，"还有，闭嘴。"

查维斯乖乖地把嘴闭上，安静地跟在恰卡身后。被沃尔人压倒的鞭草反弹回来抽到他的身上，有点痛，但他却露出了笑容。

太阳升起在半空，查维斯和恰卡终于走出了那片茂密的鞭草地，眼前是一片开阔的平原。没有了树和草丛的遮挡，空气中的热量像湿毛巾一样裹住了他们。查维斯用手搭在眼睛上，遮挡住刺眼的阳光，眼前稀稀落落的植被下露出了深褐色的土地，有几株陷阱草将它的枝丫平铺在地面上，形成蜘蛛网一样复杂的结构，徒劳地等待着有那么一两只倒霉的动物不小心走入它布下的落网，好让自己饱餐一顿。远处还有几棵特大号花瓶一样的树，几只鸟在树枝上的阴凉处没精打采地叫着，那声音就像是把一块猪排扔进了油锅里。

查维斯抬头看看仍然保持着旺盛精力的恰卡，沃尔人就像一个不眠不休的机器人，不达到目标誓不罢休。查维斯有几次想停下来歇一歇，但是刚张开嘴，弱者两个字就开始在脑子里盘旋，他只能晃晃悠悠地跟着，好在沃尔人的短腿走得不算快。

背包里的东西一直敲打着后背，查维斯翻了翻，发现还有几包营养条和半瓶水。他边走边吃掉了营养条，又喝了几小口水润了润嘴唇，但是这些水马上就变成汗流了出来。被浸湿的衣服贴在身上，查维斯感觉自己就像被某个怪兽含在嘴里一样。查维斯挠着腹部的伤口位置，尽力向前看，希望那里出现一片绿洲或者类似的什么东西。

一条不太宽的小河毫无征兆地出现在草原当中，河水静静流淌，几乎没有声音。如果不是恰卡停住了脚步，已经头晕脑胀的查维斯可能等一头扎进去才会发现它的存在。

岸边的空气清凉而潮湿，河水几乎清澈见底，但是河面上反射着的诡异的淡淡红光让查维斯及时止住了想趴在那里大口喝水的欲望。

恰卡一反常态地在岸边站了很久，然后他盘腿坐下，从身后斜挎着的背囊里掏出一样东西。

"这是什么？"查维斯盯着恰卡手中暗金色的金属棒问。

"这是圣杖，神的化身，我们的族人每个人都有一支。"恰卡用两只前臂虔诚地托着他的圣杖。

"你现在拿出它来做什么？"查维斯疑惑地问，"是要祈祷吗？我应该回避还是要陪着你一起？"

"不用，当沃尔人需要帮助的时候，我们就会拿出圣杖。"恰卡说着，操作肢从圣杖的柱体上取出一节更细一点的短棒。查维斯这才发现圣杖上遍布的花纹中，有一些是细小的缝隙。

恰卡将短棒安在圣杖的一端，然后在顶端一拉，短棒像无线电天线一样一节一节伸长。他站起来，将伸长了的圣杖探入水中。圣杖碰到水底的石头，恰卡检查了一下深度，满意地点点头，然后他又恢复了之前一往无前的状态，毅然决然地，跳入及腰深的河水中。

查维斯跟着迈入河水，微凉的河水从他两腿之间流过，带走了他身上的炎热和烦躁。这让他打起精神一边趟着河水，一边饶有兴趣地看着沃尔人像盲人一样用他的圣杖在河水里一走一探。

"这条河水不深，水流也不急，有必要那么谨慎吗？"查维斯问。

"当你一个人在不熟悉的地方时，最好小心点。我想你深有体会。"恰卡回头白了查维斯一眼，"我还有自己的目标要完成，在途中最好少出差错。我已经有一个麻烦了。"

查维斯耸耸肩，尽管沃尔人句句都针对自己，不过还好，最起码他开始说话了。

"这么说你们所谓的圣杖，不过是你们的工具而已？"

"不，它是我们生活的一部分，我们无论做什么都需要它。"

"我以为神是应该尊敬的，需要供奉的。"

"你应该知道，神是由我们自己创造的。我听说有的种族把自己的神形容成全知全能，但他却让自己的子民生活在艰难和痛苦之中，这完全不符合逻辑。我们沃尔人的神和我们一样，他创造了我们，然后化身成我们之中的一员，和我们一起创造未来。"恰卡骄傲地拍了拍手中的圣杖，"它就是我们自己。"

"在我们那里管这叫作自恋。"查维斯小声地嘀咕。"它还有什么……呃……神迹？"他继续问。

"挖掘、焊接、控制等离子供能塔、钓鱼，什么都行，我们的生活离不开它。"恰卡头也不回地回答。

　　一个有能力制造星际飞船的种族，却仍然保持着这种原始的信仰。查维斯还想再问，他抬头看了一眼岸边，张开的嘴又闭上了。

　　几只戴克斯草原狼正等在岸边，土黄色的毛已经脱落了大半，皮松垮垮地耷拉着，清晰地露出肋骨和背后双脊的轮廓，一副饿了很长时间的样子。群狼虎视眈眈地盯着正在缓慢渡河的两个人，半张的嘴里流出黏稠的口水，眼睛里露出贪婪的光。

　　"狼！狼！"查维斯尖叫着，快走两步，想制止仍在前进的恰卡，然而他的努力就像想用双手拖住前进的火车一样徒劳。

　　"我知道，那是戴克斯草原狼。"恰卡回答道，语气里带着不屑，不知道是针对查维斯还是针对那些狼。

　　查维斯见状，决定听从恰卡之前的建议：保持谨慎。他停在原地，看着沃尔人一步一步向对岸的那群狼走去。

　　恰卡保持着稳定的速度向对岸靠近，几乎耗尽了查维斯和那群狼的耐心。在他离岸边还有三四米距离的时候，一只狼尖嚎一声，高高跃起，向恰卡扑来。

　　查维斯向后一缩，好像那狼是向他扑来一样。但是他看见恰卡不慌不忙地旋转了一下圣杖的末端，"咻"的一声，一只一米多长，窄身薄刃的刀片从圣杖中弹出。恰卡向上举起圣杖，那只倒霉的草原狼正扑在刀尖上，被扎穿了。

　　这时第二只狼也扑了上来，恰卡举起扎了一只狼的圣杖凌空一挥，第二只狼在半空中被劈成两半，尸体掉进河里，染红了一大片河水。

　　没有第三只挑战者了，群狼很聪明地蜷缩着慢慢后退，嘴里发出呜咽的声音，就像被踢了一脚的狗。

恰卡摘下圣杖上的狼，在河水里洗了洗刀刃，倏地一下，刀刃缩回到圣杖里。他又用水冲了冲身上的血，发现效果不太明显，血迹已经渗进了衣服里。于是他索性不再理会这些，又继续向岸上走。

目睹了这场面的查维斯被惊呆了，他张着嘴愣在原地，直到他发现有一只狼的注意力已经转移到了他的身上，他慌忙迈起步子，跟上恰卡。

恰卡上了岸，又走了很远，直到狼群变成几个小黑点他才停下。他取下圣杖顶端的伸缩短棒，放回杖体上的暗格里。但是他没有把圣杖收回背囊里，而是提着它再次上路。

惊魂甫定的查维斯心有余悸地回头看看地平线尽头，这才长出一口气，说出已经憋了半天的话："你们的神一定是瑞士人。"

2

临近黄昏，天气终于凉了些。查维斯和恰卡隐藏在一片草丛后，眼前一百多米的地方，一群魁梧的生物正在悠然自得地吃草。

这些食草动物就是恰卡此次灵魂试炼的目标——骨甲牛。这些食草动物可不是好惹的主，看它们头顶四只尖锐的角和浑身反射着夕阳余晖的骨甲就知道。这种动物脾气暴躁，而且逞凶好斗，仗着头顶的利角和浑身的骨甲，它们的冲锋就像装甲车一样不可阻挡。每个沃尔人都要经过一次这样的考验：面对着骨甲牛的冲锋，他们必须克制住想逃跑的冲动，等到骨甲牛冲到面前时，用手中的长矛或别的什么武器刺入它脖颈下唯一没有骨甲覆盖的位置。只有这样，才能证明一个沃尔人的勇气和力量。

查维斯从一些关于沃尔人的只言片语中知道了有关骨甲牛的信息，

不过所有的描述中沃尔人要面对的都是为了仪式而圈养的牛，而且场地也只是一条铺了黄沙的跑道，骨甲牛和沃尔人各站一端，两边是观众、屠夫和医护人员。

"我们怎么逮到它们？"查维斯问，他从来没听说过在野外应该如何面对一群骨甲牛。

恰卡沉默了很久，他的操作肢缩成一团，仿佛在拒绝什么东西。

"我不知道。"最后他说。

"你不知道？"查维斯提高了音量，他差点从藏身的草丛里站起来。

"别急！我正在思考。"恰卡双手紧握住圣杖，"现在只差一步了。"

"哪一步？"

"只要让一只骨甲牛向我冲来，我就有把握杀掉它，找到我的勇气和力量的证据。"

"你从来没了解过要怎么做吗？"

"我只看过骨甲牛冲过来之后的那部分，看了无数次，对此我有十足的信心。"

"你在哪看到的？"

"竞技场。"

查维斯停顿了一下，然后他小心翼翼地开口问恰卡，"你以前究竟打没打过猎？"

"我为这次狩猎准备了很久。"恰卡很认真地回答，语气里没有半点犹豫。

"真他妈见鬼了。"查维斯懊恼地转过身，没想到这个骄傲的沃尔人居然是个菜鸟。

查维斯把目光投向不远处的牛群，它们还在享受悠闲的下午时光，根本没有注意草丛里这两个不怀好意的生物。或者，它们注意到了，却根本不在乎。

突然，查维斯眼前一亮："如果让牛向你冲来，你有多大把握干掉其中一只？"

"百分之百的把握。"

"你知道吗？如果因为你逞能死在这里，我就没法再回家了，所以请你认真点好吗。"

恰卡抬起头，对着查维斯的目光。可能是感觉到了地球人的愤怒，片刻之后，他从圣杖的一个暗格里抠出一个八边形徽章一样的东西，递给查维斯。

"这是我飞船的核心钥匙，如果我失败了，你可以自行离开。飞船就停在我们相遇的地点东南方向不远处。"恰卡顿了顿，"我是不会失败的。"

"很好。"查维斯接过核心钥匙，放在背包里。"现在我来告诉你怎么做。"他直起身子，指向前方，"看见那是什么了吗？"

恰卡伸着他并不长的脖子，目光在草原上仔细搜索，"那里什么都没有，只有一些腔鸣树而已。"

查维斯点点头："你需要的就是腔鸣树、腔鸣树。"

戴克斯草原上有许多有着奇特繁殖策略的植物，腔鸣树就是其中一种。它的树干中空，以独特的造型形成一个大的共振腔。到了繁殖的季节，它一部分美味的根会长出地面，吸引食草动物来享用，这时树冠上的种子会趁机掉落在这些动物的身上，卡在皮毛里。当动物正大饱口福的时候，腔鸣树的共振腔会突然发出巨大的响声，受惊的动物掉头逃窜，将腔鸣树的种子带向远方。

"你找好位置，让那些牛处于你和那棵树之间。"查维斯向恰卡讲解他的方案，"我会去激活那棵树，然后那些受惊的牛就会向你跑来。你只要放倒其中一只就可以了，是吗？"

在这种条件下，这算得上是最合适的方案了。恰卡看看牛群，又看看腔鸣树："好主意。"接着他把目光放在查维斯身上，再次说，"好主意！"

"你确定没问题？"查维斯不放心地问。

恰卡怒视着他，没有回答。

"好吧，我就是问问。"查维斯无奈地说，"那么我就去了。"

"等等！"

"怎么了？"

"要激活腔鸣树，必须刺破树冠上的苞囊。"恰卡有意无意地转了转身体，把圣杖挡在身后，有些为难地说，"但是我还需要圣杖来面对骨甲牛。"

"吝啬鬼。"查维斯哭笑不得，他在背包里翻出一柄多功能折叠刀，那是他身上唯一可以称得上武器的东西。他举着折叠刀在恰卡面前晃了晃，"这是我的圣杖。"

那棵树离藏身的草丛有三百米左右，但是查维斯必须绕过那群骨甲牛才行。起初他半蹲着身子，慢慢地一步步向前挪。有几头牛发现了他，看了他一眼之后，它们的注意力又回到美食上。于是他试着站起来像竞走运动员那样走，但最后他干脆小步跑起来，但那些牛连看都不再看他。

关于腔鸣树，查维斯知道两点：第一点是它的共振腔会发出巨响；第二点是如果想让腔鸣树发声，就要刺破它的苞囊。但当他骑在一根树杈上，将刀刺入苞囊时，他突然意识到关于腔鸣树，还要注意非常关键的第三点：在刺苞囊的时候，要捂住耳朵。

查维斯感觉自己的脑袋就像被塞进了轮船汽笛里一样，巨大的声响就像大锤一样砸在他的头上，他失去了平衡，从树杈上摔了下来。

查维斯爬起来，有那么一段时间他甚至想不起来自己是谁、正在干什么。他迷茫地看着奔跑的牛群身后扬起的尘土发呆。

就像查维斯说的那样，腔鸣树的响声让骨甲牛没命地跑向恰卡的方向。

"终于来了。"恰卡握紧手中的圣杖，注视着跑在最前面的那头牛。

尖锐的牛角闪着刺眼的光，牛群身后扬起的尘土几乎遮住了腔鸣树和查维斯。随着牛群的临近，恰卡感觉到手中的圣杖在剧烈地颤抖，他无法分辨这颤抖是来自脚下的地面，还是来自他自己。

"你能行的，你会证明自己的勇气。"恰卡自言自语道。然而他的脑海却不断浮现出自己被牛角扎穿、高高挑起的画面。那画面如此真实，他甚至感觉到自己身上的某处在隐隐作痛。

他再次使劲地攥紧圣杖。

牛群越来越近了，他甚至可以感觉到潮湿的、带着青草味道的气体从牛鼻子里喷出，喷到他的脸上。

牛角上的闪光在他的视野里画出一条线，就像闪亮的流星。

他闭上了眼睛。

查维斯看着那群牛奔向恰卡，沃尔人摆好了迎战的姿势，然而牛群跑到他的面前时却自然地分开，绕过了恰卡继续奔跑，就像红海在摩西面前分开。查维斯十分纳闷，这时他看到了那个身影。

他大叫起来，想让恰卡警惕身后，但是耳边的嗡嗡声还在轰鸣，他连自己都听不到自己在吼着什么。他开始向回跑，没跑几步就跌倒在地，他爬起来继续没命地跑向恰卡。

那一刻始终没有到来。

恰卡可以听到奔跑的声音从他身边掠过，也感觉到溅起的土块石子打在他身上，但是没有任何东西碰到他。

他睁开眼睛，看见牛群莫名其妙地在他眼前分开，从他身边跑过。

恰卡有些不知所措，呆呆地看着高速流动的骨甲牛从自己的两边经过，带起的风和尘土让他有种不真实的感觉。一定有哪里不对。

从牛群的缝隙中，他看见查维斯向自己跑来，边跑边挥舞着双臂。

突然，他好像明白了什么。他的手使劲握了握，圣杖已经被他的体温暖热，还有一种滑腻腻的感觉。他叹了口气，仿佛久未保养的机器一般，以一种生涩的姿势，缓慢地转过身。

一只雪狰正半卧在他的后面，好奇地看着他。

雪狰是一种骄傲的动物，它优雅、沉着而且冷酷，它是戴克斯星上效率最高的杀手。任何来到戴克斯星，见到过雪狰的种族，都会给它起一个带"雪"字的名字，因为它全身上下都是纯白色的，但不可思议的是，戴克斯星从来没有下过雪。它就这样披着一身显眼的白色皮毛游荡在终年绿油油的草原上，以至于它的猎物在好几公里外就可以看到它。在进化论里，这种不适合捕猎的装扮显然早应该被淘汰。但雪狰有大自然给予的另一个长处，就是它的速度，被它锁定的目标，都无法从它的尖牙和利爪下逃脱。

此刻，它仿佛对恰卡产生了浓厚的兴趣。

牛群中没有一只敢接近雪狰，它们没有停留，飞奔着跑向远方，只剩下对视着的恰卡和雪狰，还有正向这里靠近的查维斯。

弥漫的尘土让恰卡睁不开眼，他眯着眼睛，不敢直视雪狰的双眼，那里有它全身唯一的一处异色——黑色的瞳孔。他也不敢看雪狰的脚，闪闪发光的利爪直刺他的眼睛。最后，他微微抬头，将注意力放在雪狰柔软的颈部，随着雪狰的呼吸，那里一上一下地搏动着。

恰卡知道自己不能转身，如果露出恐惧的样子，雪狰就会立刻扑上来。它不会当场咬死自己，而是弄断自己一条胳膊，或者一条腿，让自己继续逃跑，直到筋疲力尽。

他试着给自己鼓劲，于是他突然大喝一声，举起手中的圣杖，刀刃的尖端指向雪狰。

仿佛是要迎接挑战一样，雪狰站起身子，四只脚在地面上踩了踩。它调整好姿势，俯下身子，双脊向两侧张开，将背后堆叠的皮肤绷得像一面鼓。它的两根脊柱收缩、弯曲，像两张对开的弓。它在积蓄力量，一旦时机成熟，它会像箭一样射向它的猎物。

恰卡将注意力放在自己的刀尖上，对面的雪狰化作一片白色的浓雾。他从未听说过有沃尔人曾单枪匹马战胜过雪狰，除了"危险！""别引起它的注意！"这样的词，他基本上对这种动物一无所知。等待总是最难熬的，他又想闭上眼睛了。

越接近雪狰，查维斯越想停下脚步，悄悄地转身溜走。白色的怪物伏在地上，后背上的皮绷得紧紧的，看上去像一张扁平的冲浪板。冲浪板下面，露出四只尖利的爪子，在地面上不安分地抓挠着，留下一道道令人恐惧的痕迹。他索性不再去看雪狰，向着恰卡跑完最后几步。

一阵酸麻从手心传来，恰卡暗暗叫苦，由于紧张，他将圣杖握得太紧了。他想试着不动声色地放松双手，这时，他才注意到身后重重的脚步声。他条件反射地偏了偏头，想回头看看。但是他猛然醒悟，制止了自己的行为。

然而雪狰抓住了这一瞬间的放松。

恰卡只觉得眼前一道白影闪过，他的肩膀遭到了重重的撞击，然后是扑面而来的大地、突然充满嘴里的土腥味，最后，他仰面躺着，头顶上是淡蓝色的班恩。

恰卡站起来，发现雪狰早已不见了踪影。他捡起脚边的圣杖，圣杖尖端的一丝红色引起了他的注意——那是血迹。地面上还有一串远去的血点在印证他的发现。他的心中涌起一阵喜悦，但立刻被愤怒取代了。

"我刺中了那只雪狰！如果不是你……"他转身向撞倒他的查维斯骂道，但他马上闭上了嘴。

查维斯在血泊中痛苦地扭动着，他的大部分左臂落在离他三四米远的地方，沾满了尘土。

恰卡扔掉圣杖，跑过去按住查维斯，用操作肢紧紧箍住他的伤口。

查维斯脸色苍白，他张了张嘴，想用右手去摸左臂上的发声器，可是摸了个空。于是他指了指自己的背包。

恰卡猛然醒悟，他从背包里翻出医疗凝胶，学着之前查维斯的样子在伤口上喷了厚厚的一层。

又过了一会儿，查维斯的呼吸渐渐平复了。他挣扎着爬起来，在恰卡的帮助下捡起他的左臂——没有它的话他无法和恰卡交流，用医疗凝胶处理好伤口。他把断臂夹在左腋下，右手探了过去。

"谢谢你，你又救了我一次。"查维斯说。

"不，我要感谢你，是你救了我。"恰卡说，但他不知道查维斯有没有听到，因为他已经晕倒了。

3

地面忽远忽近，在查维斯眼前缓慢地移动，一丛丛的绿色植物摇晃着叶子走向远方，他抬起头，眼前的大地似乎无穷无尽，它们都在离他远去。这是怎么回事？他想开口问自己，但他只听见自己嘶哑的呻吟声。

大地开始旋转，脚下有了踏实的感觉。一张沃尔人的脸突然出现在视野中，把他吓了一跳。

"你终于醒了。"沃尔人说，查维斯一时想不起他的名字，恰拉？恰恰？

"我背着你走了大半天，这是你的背包，你找找有什么可以让你好受点的。我不了解你们这个种族，没敢对你进行治疗。"沃尔人伸出大手，查维斯犹豫了一会儿，接过背包。恰卡，对了，他叫恰卡。

"还有这个。"恰卡又递过来一样东西，查维斯感觉头晕再次向他袭来，那是他的手。

手臂摸上去像是蜡做的，又凉又硬。查维斯用左臂残留的部分夹住它，摸索着找到发声器的位置："到底怎么了，这是在哪。"

"我们遇到了雪狰，你还记得吗？"恰卡轻声问，好像查维斯是某种容易受惊的小动物。

查维斯点点头，从背包里翻出一只能量棒，撕开吃掉了。

"你为了救我，被雪狰抓伤了。"恰卡顿了顿，"你救了我的命。"

查维斯不置可否，仿佛他的注意力都在那个能量棒上。

"我们这是要去哪里？"查维斯问。

"回我的飞船去，我想你现在急需治疗，我要把你送回你的星球。"

"那么你的……那个……灵魂试炼呢？"

"唉……"恰卡的四只操作肢无力地垂下，查维斯认为那是一个沮丧的表情。"我放弃了，我现在终于确定了我确实不会成为他们那样的人。"

"谁？"

"我的家人。"恰卡抬起他的双手，打量着他那像百年红杉一样粗壮的双臂，"我是我们家族中最弱小的一个。"

查维斯张了张嘴，最后只能无奈地应和一声："呵呵。"

"我一直被欺负，甚至我的弟弟妹妹也拿我的软弱开玩笑。"恰卡接着说道，"我实在无法忍受这种生活了，我要证明自己。所以我偷了家族的飞船，要独自捕杀一只骨甲牛给他们看看，让他们知道小看我的下场。"他深吸一口气，"我以为我准备好了，可是当那些牛冲向我时，我连动都不敢动，更别提后来面对雪狰了。你知道吗？我当时吓得匀运得筑了。"

"匀运得筑？"查维斯从来没听说过这个词，他只能凭感觉猜测，"你的意思是说你吓得差点尿了裤子？"

"不是差点。"恰卡纠正道。

"嗯，好吧。"查维斯无精打采地回应。

"我想你说得对，强大的人如果不运用自己的力量帮助弱者，那还有什么意义呢。我从出生开始就被那些强壮的人欺负，我曾不止一次地暗暗诅咒他们，可是现在我又拼命想证明自己和他们一样。"

"那你想怎么样？"

"我决定了，我要离开那个唯力量至上的地方。我不想再待在那个暗无天日的地洞里。"他抬起头，笃的光芒柔和地照在他的脸上，"我要像你的那个朋友一样，去周游宇宙，见识新的世界。"

"什么我的朋友？"

"你的沃尔族的朋友，教会你我们的语言的那个。"

"哦，对了。"查维斯说，"你决定了吗？"

"决定了！"

"那我们赶紧回你的飞船好吗？我不想死在野地里。"查维斯停了停，"还有，闭嘴行吗，我的头都快炸了。"

沃尔人的飞船就在眼前，它看上去和一块大石头没什么区别，表面是凹凸不平的某种赭黄色材质，查维斯实在不明白他们是怎么让这么一坨毫无美感也和空气动力学毫不沾边的东西飞上太空的。也许是凭蛮力扔上去的？

"好了，给我吧。"沃尔人站在飞船前，向查维斯伸出一对操作肢。

"什么？"

"飞船的核心钥匙，之前我交给你的。"

"对了，在我这。"

正当他在背包里翻找时，身旁的恰卡突然发出一声低沉的嘶吼。仿佛回应恰卡，查维斯的背后传来一声咆哮。

查维斯想转身，却被恰卡一掌推得飞了出去。他在落地前看到恰卡举起圣杖，然后那只雪狰——它的腹部有一道长长的红色印迹——一爪将圣杖打飞。

查维斯就地一滚站起身来，他看见雪狰已经扑倒了沃尔人。恰卡躺在地上，不知是死是活。雪狰的一只爪子踩在恰卡的胸膛上，正露出满嘴的尖牙，向它猎物的喉咙咬去。

"不！"查维斯叫道，他随手用手里的东西向雪狰砸去。那东西飞过一道弧线，打在雪狰的脑袋上。查维斯这才发现，他扔出去的是自己的左手。

被击中的雪狰一惊，它嗅了嗅落在地上的胳膊。突然一口咬住，开始咀嚼起来。骨头在它的嘴里碎裂，发出让人牙根发酸的声音，就像有人正用指甲挠黑板。

只用了片刻的工夫，手臂就消失在雪狰的嘴里。它舔舔嘴唇，目光看向了新的食物。它松开恰卡，把脸转向查维斯。

意识到危险的查维斯开始后退，突然脚下被什么东西一绊，他摔倒在地上。

雪狰注视着即将成为它口中食的猎物，刚才那块东西的味道还在它口腔里回荡，这让它的心情好了些。但是仍然不能抵消这两个奇怪的动物让它受伤的耻辱，它从来没有感觉到过这样的疼痛，它要报仇。雪狰开始收缩双脊，准备向查维斯扑去。

查维斯疯狂地挥舞着左臂的断桩，想用早已不存在的胳膊帮助他站起来，却徒劳无功。他斜坐在地，双脚乱蹬，想尽量离雪狰远一点。他向后退着，突然一个圆柱形的东西出现在他眼角的余光中。

雪狰把力量集中在大腿和背肌上，它已经这样做过无数次了。发力，扑出，撕咬，简直不用思考。明晃晃的刀尖突然出现在它脑海里，腹部传来一阵疼痛。它愤怒地喷出一口气，向查维斯扑了过去。

查维斯捡起圣杖，把它徒劳地举在面前，希望能阻挡住雪狰。他呆呆地看着雪狰向他扑来，仿佛慢动作一般，他甚至能看清它身上白色毛发的轻微晃动。然而雪狰扑在半空却猛地停住，他看见恰卡用他的双臂抱住了雪狰的后腿。

"呼唤圣刀！"恰卡叫道，他的声音戛然而止，雪狰船桨一样的尾巴重重地砸在他的头上。

恰卡的呼唤提醒了查维斯，他在脑海中回忆在小溪旁看到的情景，恰卡在圣杖的一端一旋，一节刀刃就会从圣杖之中弹出。

查维斯右手握着圣杖，但幻想中的左手却起不到作用。他抬起双脚，试图夹住圣杖，但是杖身很滑。

雪狰摆脱了恰卡，它再次伏下身子。被这两个小东西三番五次地作弄，它的愤怒和腹部的疼痛让它迫不及待地想要杀掉眼前的生物。

"快点！快点！"查维斯弯着身子，尽力用双脚夹住圣杖，他感到腹部的伤口正在一点一点被撕开。

铮的一声，刀刃弹了出来。查维斯抬起头，看到雪狰已经向他扑来，他已经来不及换手了，于是他双脚夹着圣杖，向外蹬了出去。

腹部传来一阵凉意，他听到自己的肚子发出刺啦一声，好像谁撕开了一匹丝绸。

查维斯眼前一黑，失去了意识。

查维斯睁开眼睛，眼前一片模糊。他费了好大的劲才调整好双眼的焦距，发现自己正躺在某个洞穴一样的房间里。

"你终于醒了。"一个声音在身旁响起，充满了喜悦。

查维斯看看身旁的恰卡，点了点头。

恰卡用两只操作肢把查维斯扶起来，带着他走到另一个房间。查维斯这才意识到他现在正在恰卡的飞船里。

"看，这是我们的猎物。"

雪狰静静地躺在地板上，大半个身子已经被染成了红色，原本雪白的毛发被血凝结成一簇簇的，硬邦邦地向外挺着。

"这是我的族人连想都不敢想的事。"恰卡兴奋地说，两只操作肢缠住查维斯的右臂。"凭我们两个人就捕杀了一只雪狰，我现在都可以想象得出，当我带着雪狰回去的时候，他们会用怎样的目光来看我。"

查维斯冷冷地看着恰卡。

恰卡愣了一下，突然恍然大悟地说："你放心吧，我的朋友。我已经设定好了路线，在那之前会先把你送回你的星球去治疗。"

"别总是绷着脸，看看，现在难道不是应该庆祝吗？"恰卡高兴地说，"我必须跳上一段托兹舞，来迎接我将要获得的最高荣誉。"说着他迈开步子，双手挥舞，自顾自地跳了起来。

"酒。"恰卡又跳了一会儿，突然听到查维斯的声音在他身后响起，却是他听不懂的语言。他转过身，看见查维斯正靠在墙壁上，手里拿着一个圆形的小筒。

"在我们那里，庆祝的时候是要喝酒的。"查维斯用地球语说，没有了左手，他已经无法说出沃尔语了。"对不起了，朋友。"说完，他按动了小筒上的按钮，一只飞镖射了出来，钉在恰卡的胸口。

恰卡觉得胸口一痛，想问查维斯是怎么回事。他张了张嘴，但是一个字也说不出来，他觉得自己的脚正慢慢地消失，他想低头看看，却仰面摔倒在地上。

查维斯走过去，无力地坐在恰卡身边的地板上。恰卡的操作肢颤抖着伸向他，仿佛想要向他要一个答案。

"我告诉过你了，我是来打猎的。"查维斯伸出手，握住其中一只操作肢，"不过我的猎物就是你。"

"你们沃尔人有着奇妙的循环系统，地球上所有的琼浆玉液加起来，也不及你的血液美味。"他知道恰卡根本听不懂他的话，但他仍然自言自语地说着，"几百年前，我们两个种族刚开始接触的时候，地球人就发现了这一点。我的祖先们想了很久，最后放弃了靠战争夺取沃尔人血液的想法。他们渐渐地淡出了沃尔人的视野，谨慎地不与你们再见面，所以到了现在，你们的族人根本不知道地球人的存在。"

查维斯动了动有些发麻的腿，向后靠在了恰卡结实的肩膀上。

"我们知道戴克斯星是你们沃尔人的狩猎场，所以每年狩猎季节到来的时候，就会有一些人——不会太多，因为怕被你们发现明显的迹象——潜入到戴克斯星上，想方设法骗取你们的信任，与你们同行，最后把你们带回我们的星球。在那里，你们会被妥善地照顾，只是每隔一段时间就会抽一些血拿来拍卖。你知道吗？一升你的血，就可以换一艘豪华的个人飞船。"查维斯拍拍恰卡，仿佛那是一件非常值得骄傲的事，"你将会舒舒服服地活上很多年，直到你的血液被地球上的合成食品填满，不再有那种特有的味道。从某方面来说，比起你回到沃尔星，天天在地面之下挖洞要强得多了。"

他看看恰卡，沃尔人喘着粗气，小眼睛已经失去了神采，朦胧的眼神不知道看向什么地方。

"其实我并不愿意这样做，只是我也要生活。你以为我为了装成受伤的样子而在自己肚子上割一刀是很容易的事吗？况且我为此还失去了一条手臂。"查维斯在操作肢上轻轻地抚摸，"我想你不会介意我先喝一杯，毕竟这是我应得的。"然后他掏出折叠刀，在操作肢的末端切了一道口子。

沃尔人的血液流出来，那是一种半透明的红色，就像液态的棉花糖。

血酒滴在准备好的容器里，滴了小半杯。

查维斯举起容器，对着恰卡做了一个祝酒的动作，"干杯我的朋友，现在是庆祝的时候。"

关于品酒师，有传说是这样讲的：最好的品酒师，可以在一口血酒里品出一个沃尔人经过了什么样的一生。而查维斯只觉得那是一团混合着苦涩和辛辣的火焰，从口腔一路烧到胃里。

他咳嗽两声。鼻子有些痒，他揉了揉。

他还觉得眼眶有些湿润，但他没有去擦。

最后的条件

1

那天，C市出了两件大事：一是一艘外星飞船突然飞来，莫名其妙地停在C市广场空地的上方；二是望海大厦上有人跳楼。

跳楼这件事自然被外星飞船的到来给盖过了，这正合许志辉的意，因为他就是那个跳楼的人。

不过当他站在楼顶的时候，外星飞船还没来。

"你别激动啊！冷静一下！"正在劝说许志辉的警察嘴上说着冷静，但显然自己已经开始崩溃了。

倒是许志辉已经看开了一切，他从容地向那个警察递过一个微笑，大概是想安慰这个尽职尽责的人。

然后，他在警察反应过来之前，向边缘之外迈出了一步。

楼顶和楼下的马路上突然安静下来，仿佛时间凝固了一般，连许志辉都产生了自己仍然飘浮在空中的感觉。

但很快，错觉被打破了，他开始坠落，伴奏是几百人的齐声尖叫。

耳边呼啸的气流将城市嘈杂的背景音还有尖叫——冲淡成含混的呼呼声,许志辉看看下面,确实挺高。

他试着扭动身体,让自己背面向下,在生命的最后时刻,他发觉让脸先着地可能会不太美观。

现在他脸朝着上方,通过头顶大楼的缝隙,能看到一线天空,那天是个难得的好天气,湛蓝的天空中点缀着朵朵白云,就像传说中的天堂,安静祥和。

这时一个巨大的黑色物体显露出来,它慢慢地侵占着许志辉眼中的蓝天。在高楼的遮挡下,看不到那个物体的全貌,只能看见那个物体的表面有星星点点的各色灯光、复杂但有规律的曲线条纹。

它很快遮住了全部天空,周围暗了下来。

那是什么玩意!

许志辉的脑中闪过这么一个念头。

蓦然他就摔在望海大厦下方铺好的充气救生垫子上,晕了过去。

还没有睁开眼睛,许志辉就闻到了强烈的酒精和消毒水的味道,他知道自己又回到了医院,那个他最不愿意待着的地方。

他叹了口气,但声音听上去像是呻吟,两个守在他床边的人听到声音马上凑了过来。

"许先生,你醒了吗?"许志辉向声音的方向看去,一团青色的人影就在眼前,他眨眨眼睛,渐渐看清楚那是一名警察——不是天台上那个,这个更年轻,脸上的表情也更烦躁。大概等候自杀的人苏醒并不是一件好差事。

许志辉点点头,看向床的另一边,一个穿着白衣的护士正站在那里,他认识。

"张护士，"他说，"又让你看到我了。"

"别理我！"张护士沉着脸，"这个警察跟你有话说。"

"你现在清醒了吗？"

"有点晕，不过好多了。"

"那好，你的大致情况我已经和张护士沟通过了，这个……活着……是吧，你……那个啥……"这个警察大概还没有处理过这样的情况，他显然缺乏基本的词汇量。警察想了想，最后舔舔嘴唇，"还是活着好。"

"警察同志，你的好意我心领了。"许志辉向后挪动身体，想坐起来，但是四肢使不上劲，张护士见状按下床尾的按钮，病床缓缓地立起一个舒适的角度让许志辉能够靠着。

"谢谢，"许志辉向护士致意，又转向警察，"你可能知道了我的经历，但是不知道我受了多大的苦，我真的累了，真不好意思。"

警察脸上露出为难的神色，许志辉赶紧补充了一句："不过我不会再跳楼了，给你们添麻烦了。"

"你再说一遍。"警察说。

"我不会再跳楼了。"

"好的。"警察在笔记本上写了几笔，然后"啪"地合上本子，"还有一件事，希望你做好心理准备，你……你……"警察又开始搜肠刮肚，试图组织合适的词汇，看上去他还不习惯把坏消息传递给别人。

许志辉笑笑："没事，你就直说吧，我跟死神战斗了十几年，从38楼跳下来还活着，还有什么坏消息能吓到我？"

"还是你说吧。"警察对张护士说。

张护士哼了一声："我知道你不怕死，那我也不跟你绕弯子了。你这个蠢货，不就是肝上长了一个恶性肿瘤吗，有什么了不起的。上次癌症你都熬过来了，为什么这次这么轻易就投降了？"

"别急，别急，我知道你想骂我，可是……"

"闭嘴，我还没说到重点。救生气垫救了你一条命，你的狗屎运让你没有受到任何外伤，可是撞击把你的肿瘤震破了，把你送来的时候你的肝区大出血。我们用了17个小时才把血止住。"

"这不是挺好吗？"

"你的肝癌细胞已经完全扩散了，原本积极治疗的话，你还能再活五到十年。"

"现在呢？"

"只有六个月了。"

几次呼吸之后，许志辉又笑了起来："有什么了不起的，上次你们说我只能活三年，结果过了十二年我还好好的。"

"这次可没那么好运了。"张护士低声说，声音里带着颤抖。

"嗨，怎么你还哭起来了，我本来……本来……警察同志，我来这几天了？"

"四天。"

"哦，张护士，你看，我本来四天前就应该摔死的，现在已经赚了。"许志辉还在试图安慰张护士，可是张护士似乎更难过了，她背过身去，面对着墙角，用白大褂轻轻地擦眼泪。

"对了，"警察突然想起了什么，"我们没有找到你的家人，所以……"

"没了，我的家人都没了。"许志辉看着墙上的一片污渍说。

"所以……"警察从被打断的地方接着说，"我们通过你口袋里的遗嘱，联系到了你提到的受益人。"

"什么！"这个消息让许志辉猛地从床上蹦起来，输液瓶和监控仪器被带得稀里哗啦倒了一地。

"你们……你们也太荒唐了！"许志辉双手抓着警察的双肩，猛力摇晃，"那是遗嘱！我死了以后才生效，你们现在通知……唉……你们怎么说的？"

"我们……"警察挣脱了许志辉，后退一步，把帽子扶好，"你先别激动，"他伸出一只手，阻止许志辉再靠近，"她已经来了。"

"你！"许志辉惊慌失措地在房间里四处打量，希望能够找到一条逃跑的路线，可惜病房唯一的出口被一个人堵住了，一个他不愿意见到的人。

他和她注视着对方，没有说话，甚至连眼都舍不得眨，似乎想努力填补十二年未见留下的空白。

警察和张护士对视一眼，安静地站到一边，等待着离开病房的机会，好给这两个人留出时间和空间。

她变了，变化很大，早已不是那个留着及腰长发，和他漫步在午夜街头的女孩。现在的宋歆，烫着大波浪披肩发，穿着端庄的米灰色套裙，虽然细细的皱纹已经爬上她的眼角，但她的眼神仍然清亮透彻，许志辉仍然能透过那双眼睛读出她心里的话，仿佛心有灵犀。

你就是因为这个离开我的？

这个问题的答案如此明显，却又那么难以启齿。许志辉曾经战胜过癌症，事业上也小有所成，并且还敢微笑着从38楼上跳下去，可是面对宋歆，他连轻轻地点一下头都做不到。

他愣着，看着眼泪在宋歆的眼眶里打转。就在眼泪将要从那张熟悉而陌生的脸庞上滑下来的时候，宋歆突然扑了过来，将他推倒在病床上。

张护士也快步走过来，许志辉这才发现自己的腹部已经湿了一大片，原来刚才的挣扎撕裂了刀口，疼痛这才缓慢地传递到大脑。

他想向宋歆伸出手去，但手还在半途，他就晕了过去。

　　再次醒来时，宋歆还在。肚子上传来一跳一跳的剧痛，这下许志辉不用掐自己就能确定现在不是做梦。

　　"你还在啊。"他虚弱地说，经过跳楼、手术、见到宋歆的惊恐，他的精力已经所剩无几，就连说话也要用很大的努力。

　　"还在。"宋歆肩膀动了动，仿佛是想牵他的手，可是很快她又停下了。她瞟了一眼身后，那个动作变成一声叹息。

　　她的背后站着一个男人，个子不高，一寸长的头发又黑又密，那人穿着棕色的运动夹克，掉色的牛仔裤，一个很普通的人。

　　许志辉试了几次，都没看清那人的面容。

　　"那是谁啊？"他问。

　　宋歆又向身后看了一眼，似乎不确定他说的是谁。

　　"他是我丈夫。"宋歆说，许志辉看到一只手搭上她的肩膀。

　　"我们在一起十二年了。"她补充道。

　　许志辉一阵心慌，某种说不出的疼痛在他体内游走，让他浑身都不舒服，却没有任何办法，就像那些该死的癌细胞。

　　他向那团模糊的影子点点头，想说你好，可是开口时却是："我要再睡一会儿。"

　　最初的几天，许志辉就这样在半梦半醒中度过，警察来过两次，不过他不确定是不是同一个人。张护士也经常来，但一直陪在病房的，还是宋歆夫妇。他们大概是这个世界上仅有的愿意照顾他的人了，或许可以去掉大概两个字……或许还要再把宋歆的丈夫排除在外。

　　三四天之后，伤口不再疼了，许志辉的头脑也清醒了很多。病房的电视里铺天盖地的都是关于外星人飞船的新闻。它从哪来？为了什么？它的原理是什么？为什么要停在C市？无数人提出了无数个问题，引来了无数的答案，但是没有一个能够得到验证。飞船只是静静地停在空中，对任何种类的交流都毫无反应。它唯一的作用，就是让电视台能够用各种方式填满所有的时间段。

这样的一个话题，在其他任何一个有两个人以上的空间中，都会成为源源不断的谈资。然而在许志辉的病房里，众人却始终保持沉默，就像是一出滑稽的默剧。

那些已经扩散到身体各处的癌细胞还在韬光养晦，在它们发动总攻击之前，许志辉还有一段时间。

也许该想想如何面对现在这种情况了。

"嗯……"一柄勺子堵住了许志辉的话，他顺从地张开嘴，喝光了勺子里温度正好的米粥。趁下一勺还没送过来，他连忙说："我……我不知道该怎么说，对不起……还是谢谢你。我本来以为眼一闭就死了，没想到……"

"我也没想到。"秦朝东——宋歆的丈夫说，他吹了一口勺中的米粥，动作轻柔地像是在哄一个婴儿。

可是在许志辉眼里，对面的人更像是一名乘着战马的骑士，手中的勺子则是一柄长枪，正向着他的喉咙突刺。

"张嘴。"秦朝东说，"我来照顾你，并不是我想，而是因为我不能看到宋歆来做这件事。"

许志辉好像听到一丝咬牙切齿的吱吱声，他怀疑那不是错觉。

"你很爱她。"许志辉张开嘴，偷偷瞟了一眼宋歆，她正假装看着电视，但身子绷得直直的，正在偷听这边。

"比你爱。"秦朝东把勺子塞进许志辉嘴里，多停了一会儿。

"唔！唔……"

"别闹！"宋歆转过身来，打在秦朝东肩膀，他才把勺子拿出来。

"过两天就可以出院了，你打算怎么办？"这是几天里宋歆和许志辉说的第一句话。

许志辉摘下嘴角的几个米粒放进嘴里："还能怎么办，回家，安安静静地等死。"

"我和医生谈过了，你还年轻，再接受几次放化疗，能挺过去的。"

许志辉笑笑："我累了，上次为了治病，我爸妈跑断了腿，花光了家里所有的钱，亲戚们被我家借钱借到断绝来往。后来我慢慢康复了，可是他们……"他叹了口气，"可是就在同一个医院，同一个大夫前几天还宣布我已经康复了，没过多久又发现癌症换了个地方驻扎，现在已经全身扩散了，更不需要再费劲了。"

"可是你不能就这么放弃啊。"

"我十二年前就放弃了，"许志辉看着宋歆的眼睛，有意无意地说，"现在能活这么久，还能再看到你，我已经是赚了。"

听到这话，秦朝东猛地站起来，把饭盒递向宋歆："你去把饭盒洗了。"

"我还没吃完呢！"许志辉抱怨道。

"你吃完了。"秦朝东一字一句地说。

"你去吧。"宋歆拒绝。

两个人对视了几秒，秦朝东败下阵来，他瞪了许志辉一眼，拿着饭盒走出病房。电视节目的主持人在他背后一惊一乍地说："这个宇宙真是太奇妙了！"

"别在意，他心不坏。"宋歆看着秦朝东走出病房，苦笑着说。

"我才是该道歉的人，我其实不想打扰你们的生活的。"许志辉沉默了几秒钟，说："我还是要声明一下，虽然我大概还有几个月的生命，但请不要同情我，或者觉得愧疚，我们之间不会有任何亏欠。"

"我明白你的意思，不然我就自己一个人来了，而不是带着一家三口一起。"

"三口……三口？"许志辉猛地醒悟，"你是说你……"

宋歆点点头，脸上带着阳光般温暖的笑容，就像许志辉遥远的记忆中，她收到录取通知书时那自信而又惊喜的神态。

"嘘，小声点，他还不知道。"宋歆抚摸着自己的肚子，"我本来打算前几天告诉他的，结果接到了公安局的电话，说你出事了。"

"对不起。"

"闭嘴吧，十几年没见面，除了对不起你还会说什么。"

许志辉顺从地做了一个闭嘴的动作。

"对了，警察说了遗嘱什么的，你有什么遗产给我？"宋歆问。

许志辉不好意思地用连着输液管的手挠挠头，若无其事地说："我有两家电子产品公司的一部分原始股份，按现在的股价算的话，值两千五百万元左右吧。"

"多少？"宋歆惊呼一声，但很快恢复了平静，"你那个时候就爱倒腾无线电什么的，没想到做到这么大。"

"正好赶上通信业的大发展。"许志辉耸耸肩。

"不过我不会要这些的。"宋歆笑着说，好像只是拒绝了许志辉送的一支玫瑰。

"为什么？"

"我们对未来的生活有自己的计划。"

"可是……"

"你们在说什么呢？"秦朝东从门口进来，手湿漉漉的，拿着饭盒在甩。

"警察不是说他准备留给我们一笔遗产吗。"宋歆凑过去，对自己的丈夫说，"你猜是什么？"

"我不知道。"

"差不多两千五百万元。"

秦朝东的反应比宋歆小一点，他哼了一声："咱们有自己的计划，不要这钱。"

"我也是这么说的。"宋歆很满意秦朝东的回答，她在丈夫脸颊啄了一口，两人的双手缠绕在一起。

许志辉翻了个身，用被子蒙住头，仿佛自己才是不该出现在这个病房的人。

2

又过了两天，伤口好得差不多了，秦朝东帮忙办好了出院手续。他楼上楼下来回跑了好几天，走进病房时，额角已经有了微微的汗珠。

"给，还缺什么吗？"秦朝东把所有的单据塞在张护士的手里，站在一旁。宋歆过来给他擦汗。

许志辉从床边站起来，慢慢挪到张护士身边，等着"判决"。

"许志辉，你怎么这么不明白事理。"张护士甩着出院证明，不满地说，"你腹部手术的伤好了，可是你的……"

"我的什么？癌症？"许志辉轻松地笑笑，"张护士，我真的不愿意再受那个罪了，你就放我回家，让我安静地去死吧。"

张护士把求助的目光投向宋歆，宋歆张了张嘴，但是没有说话。

"你……唉，你……"张护士气得眼圈都红了，"那你去……"她一跺脚，快步走出病房，那个"去死吧"始终没有说出口。

"你挺让人讨厌的。"秦朝东说。

许志辉不知道秦朝东指的是哪方面，便没有接他的话，只是自顾自地解释："我第一次得癌症的时候，张护士还是刚毕业的实习护士，她照顾了我好几年，病房里就活了我一个。她看着我从活死人一天一天好转起来，她把我看成她的奖杯了。"他叹了口气，"没有哪个医生和护士能够接受自己的病人去寻死的，这说明他们最值得骄傲的工作全白费了。"

"那你为什么还要……那个。"秦朝东做了一个俯冲的手势。

"我真的怕了，放疗、化疗、靶向基因疗法、各种试验阶段的药物，希望、失望、希望、失望……最后，就只剩下绝望了，太累。"许志辉摇摇头，"笑着死也没什么不好的。"

"我不懂。"秦朝东撇撇嘴。

许志辉突然哈哈一笑："算了，不提那些破事了。"他向秦朝东伸出手，"谢谢你，如果在别的情况下，真希望和你交个朋友。"他的目光越过正和他说话的人，看着后面的宋歆。

"你和别人交朋友的时候，总是惦记别人的老婆？"秦朝东的手和他碰了碰，但没有握住。"别想太多，我做这一切都是为了她。"

"好吧，还是谢谢你们，别担心，我们以后可能不会再见了。"

"我们会去看你的。"宋歆连忙说。

"还是别了，过几天我的模样可能会很惨。"

宋歆咬了咬嘴唇，没有再坚持。

他们走出病房，秦朝东找来了轮椅，但是许志辉拒绝坐上去，于是秦朝东自己乘着轮椅下到一楼。

"你们在门口等着，我去开车。"

看着秦朝东从方便通道滑下去，许志辉说："你们的感情真好，我还怕会造成什么麻烦。"

"不会的，我们在一起经过了很多事，不会因为你而改变什么的。"

"你这么一说我不知道是该高兴还是该难过。"许志辉摸摸鼻子。

"他就是一个大孩子，心里有什么就说什么，不会怀疑，不会犹豫，不会给自己平添什么压力。"宋歆顿了一下，"不像某些人一样。"

"噢——"许志辉拖长了声音，"原来你还是以我为模板进行选择啊，相似的或者相反的。"

"别臭美了。"

"宋歆，我……"许志辉突然压低了声音，严肃地看着宋歆，可是一开口就被阻止了。

"不，志辉，别说。"宋歆打断许志辉的话，"这样就很好，最近我经历的事太多了，我肚子里有了新生命，我小时候最好的朋友那边又传来了不幸的消息。"她转过身，走出医院门厅的阴影，站在午后的阳光下，"还有那里，谁能知道那东西代表着什么。未来已经有太多的不确定了，请别让它变得更复杂。"

许志辉跟在她身后，顺着她的目光看向远方，一个黑色的巨大物体露出一角，阳光在它不规则的表面流动，看上去那艘被称作"飞船"的东西正在缓缓转动。他想起跳楼时在头顶一闪而过的阴影，大概就是这个东西。

车开来了，秦朝东摇下车窗，和许志辉、宋歆两个人一样看着飞船发呆，在医院里没日没夜的几天，虽然新闻看了不少，但是亲眼看到这来自外太空的、完全未知的东西，还是会让人感到不知所措。直到后面的车子一个劲地按喇叭催，三人才回过神来，乘上车子离开。

许志辉在市中心有一套高层公寓，面积不小，但是冷冷清清的。秦朝东把许志辉的行李扔在地板上，咳嗽了一声，感觉还能够听到回声的样子。

"那，就这样吧。"许志辉说。

"你一个人能行吗？"宋歆问。

"我会请护工来的，你不用操心了。"

"我们走了。"宋歆站在门口回头说，这时秦朝东已经站在门外等着了。"好好活着，别再自杀了。"

"我就不说再见了，祝你们幸福。"许志辉挤出一个很难看的笑，"对了，遗嘱我不打算改了。到时候会有律师把东西交到你们手里的，用不用是你们的事。还有，秦朝东，恭喜你。"他在秦朝东反应过来之前关上了门，然后看着门想象宋歆该如何对丈夫说孩子的事，他们还要担心那些股份的问题。

许志辉对自己最后的玩笑颇有些自得，一个人傻笑了很长时间。然而宋歆的最后一丝味道从房间里溜走之后，寂寞来了，还有孤独。

一个人的公寓像广场一样空旷，那些许志辉用高价买来的、极富设计感的现代家具，每一个抛光的表面都反射着青白色的光，像冰山一样冒着冷气。他在公寓里来回踱步，越走越烦躁，直到腹部的伤口又快崩裂才停下。

跳楼之前，他已经把一切都整理好了。而现在，他还活着，也许六个月以后，他还是会如愿以偿，但是这六个月要怎么度过？

许志辉打开冰箱，拿出一罐啤酒，关上冰箱门时，他眼前浮现出张护士不满地瞪着他的神情。不过他仍然扣开拉环，猛灌了一口。

他打开网络电视，所有的话题全都围绕着那艘外星飞船展开，不知道为什么它要选择停在这座三线城市，电影里的外星人不是非常喜欢纽约吗？这一点确实有很多人在意，甚至有不少外国人来到C市近距离观察那艘飞船。

这间公寓位于这栋高层建筑的最顶楼，在C市这样的地方，高度能排到全市的前十名了。站在巨大的落地窗前，能够俯瞰全市的景色，天气晴朗的时候，连远处山上的登山小道都可以看得清清楚楚。

可惜因为角度的原因，许志辉绕着房子转了两圈，都找不到一个适合观察飞船的位置。

他想了想，与其在公寓里面等死，还不如找点事干打发时间。喜欢看热闹是人的本性，连这个快死的人也不例外。

广场上挤满了人，尽管网络上传播着各种令人恐慌的流言，比如飞船辐射会导致不孕不育，外星人是来入侵地球的，飞船的旋转能够干扰地球磁场什么的，但人们还是像聚集在尸体上的苍蝇，密密麻麻地围在飞船周围，墙上、树上、房顶上坐满了人，就那么呆呆地看着。C市抽调了不少穿制服的人维持秩序，但一多半制服加入了观察飞船的队伍里。

周边的宾馆酒店也都爆满，来自外地的"飞船观察者"早就占据了所有的空间。

许志辉找了七八家，最后在皇朝花园酒店找到一间空房，顶楼，总统套房，视野良好，正面的大窗户距离飞船的直线距离不超过800米，价钱超贵。不过许志辉不在乎这些，他办完手续，双手插兜，一个人晃晃悠悠地在服务生惊诧的目光中去了顶楼。

大多数时候，他都坐在窗前，静静地看着巨大的飞船缓慢地旋转，船身上的光芒变幻莫测，繁复的花纹像是某种语言，正在讲述来自宇宙的奥秘。

许志辉已经不记得多久没有仰望过星空了，自从第一次被查出癌症之后，活着就是他唯一的目标。每一次抽血，每一次脊髓穿刺，每一次化疗，每一次呕吐，他都忍了下来，只为了活着，他从来没有想过明天，或者未来，一切都停止在十二年前。

但是看着那艘飞船，他的好奇心被唤醒了，他想了解那个更大的世界。

许志辉开始活跃起来，他参与网上对外星飞船的讨论，对着电视吐槽节目主持人的胡说八道，记录下飞船的自转周期，将它表面彩灯的变化拍摄下来，试图破译。他的记录和其他的人——包括来自各个国家的科学家们一样，详细，却徒劳无功。

渐渐地，他的左手抬不起来了，从肩胛骨到尾椎的位置持续火烧火燎地疼。他的胃也时不时地罢工并且抗议，所有吃下去的东西又都吐了出来，一起吐出来的，还有胃酸和血。肺也不太好，好像总有一个胖子坐在他的胸口，让他喘不上气来，还时不时地咳嗽。除此之外，还有各种时有时无的症状摧残着他的身体和他的精神。

许志辉在网上找了一个男护工，30岁左右，身强力壮，工作轻柔而迅速，而且手续齐全。可以给他注射营养液，擦洗身子。在许志辉不那么疼的时候，还能将他抱上轮椅，推着他去中心广场晒太阳。

总统套房的费用不菲，尽管许志辉支付了足够连续入住半年的费用，可以说是皇冠花园酒店贵宾中的贵宾。但是他以肉眼可见的速度一天天被癌症摧毁，还是引起了酒店的警惕。

"对不起，许先生，恐怕我们不能让您再住下去了。"酒店经理站在许志辉床前，恭敬地说。

许志辉抬起右手，摆了摆。

"我不明白您的意思。"

"你挡住窗户了，他要看飞碟。"护工在一旁解释说。

"哦，对不起。"经理后退一步，不满地看着套房里的摆设。许志辉把这里完全变成了医院，输液架，呼吸机和止疼泵立在一旁。床上铺着淡蓝色的一次性防水布，而豪华的双层绣花桑蚕丝床品则被丢在了一边。

"许先生！"经理又叫了一声，这次声音大了些。

"你说什么？"许志辉说。

"恐怕我们不能让您继续住在这里了，您的身体……"经理摇摇头，没有继续说下去。

"好吧，不过你得给我一些时间。我的……行李有点多。"

"谢谢您的配合。"经理没想到这么快就谈妥了这件麻烦事，他想了想，"我给您所有的房费算个九折吧。"

许志辉没有回答，只是摆了摆手，经理悄悄地退了出去。

护工收拾好了一切，全部运回了许志辉的公寓，许志辉把房费的折扣优惠全给了护工作为辛苦钱。

"你有这么大的房子，干吗还去住酒店？"护工问，但很快又说，"算了，你们有钱人都这样。"

许志辉笑笑，这时电话响了。

"真巧，那么长时间都没有电话，你一进门就有人找你。"护工说着，把电话递给许志辉。

"志辉，是我，你看新闻了吗？"电话那头传来急切的声音。

"谁？"许志辉听着像是宋歆的声音，但他不敢确认，还以为自己止疼剂打多了出现的幻觉。

"我是宋歆，你看新闻了吗？"

"没有啊，我刚刚到家。"他挥挥手，指着电视，护工找到遥控打开。

"我打开电视了，要看什么？"

"外星人刚刚和我们联系了。"

"我们？"

"就是我们地球人啊。"

"哦，怎么了？"

"他们给了一个坐标，和一个时间。"

"嗯。"

"换算下来是十二年前，C市桃园路荣华小区。"

"那又怎么……哦。"许志辉猛然醒悟过来。

"那时你正住在荣华小区啊。"

确实，当时许志辉刚刚毕业，在荣华小区租了一间阁楼，只有十多平方米，夏天热得要死，冬天则奇寒彻骨，尽管是这样，那仍然是他一生中最幸福的一段日子。

现在电视上正飘着通告，在中心广场已经建立起了十八个供采血的医疗帐篷，希望所有十二年前曾经在荣华小区居住过的，活动过的，甚至路过的人，能够去进行抽血化验。但是外星人为什么要这样做，还不得而知。

"我知道了。"

"你会去吗？"宋歆问。

"会，万一外星人能给我治病呢。"

"对，我也是这么想的。"

"那你会去吗？"

"我为什么……"宋歆停住，她光顾着提醒许志辉了，却忘了自己也在那里住了不短的一段时间，直到许志辉把她赶走。"我，也会吧。"

"那你明天去吧，我现在就去，和你错开。"

"好的，那个，再见。"

许志辉没有说再见，他直接挂断电话扔在一边。

"你说那些外星人能救我吗？"他问护工。

"我希望你最好别死，你给的工资高。"护工说。

许志辉笑了，他突然明白了自己为什么选择这个护工，大概是他看上去有点像秦朝东吧。

"那我们走吧。"

3

许志辉不知道他们是怎么做到的，上午离开广场的时候，这里还被围得水泄不通，各色人等挤在一起观察飞船。而现在完全变了样子，几个白色的大帐篷设置在广场各处，人们有秩序地在帐篷前排好长队，等待采血。

"你当时也住在荣华小区吗？"许志辉排在队尾，问前面的人。

"开玩笑，在这排队的有几个……呦呵！"许志辉前面的年轻人本来懒洋洋地叼着烟，回头看见他，吓了一跳，"您这身子骨也来凑热闹，我还以为是霍金呢。"

"谁知道外星人找人干什么，万一呢，是吧。"

"可不是，"小伙子从鼻子里喷了一股烟，"你看这排队的里面，能有几个是符合要求的，大家都来碰运气。就跟国王选妃子一样。"

许志辉左右看看，发现队伍里还有七八岁的小孩，十二年前还没他呢，也来跟着起哄。

"别抽烟了，你看我，肺癌晚期。"

小伙子瞥了他一眼，往地下吐了口吐沫，不说话了。

队伍前行得不慢，看来帐篷里的效率很高，离得更近些之后，许志辉看到人陆陆续续从帐篷里走出来，捂着自己的指尖，脸上带着欣喜的表情，仿佛占到了什么便宜。

很快就要轮到许志辉了，他在轮椅上挪了挪身子，想坐得直一些。他甚至产生了一些期待，是啊，万一呢。

就连那个满不在乎的小伙子也偷偷掐灭了烟头，仰首挺胸迈着大步走进帐篷，装作阳光青年的样子。

"伸手。"戴着口罩的护士说。

许志辉颤巍巍地伸出手去，但是轮椅顶住了桌子，他只能把手放在桌边。护士有些不满，抬眼看了他一下，发现是个虚弱的病人，便没说什么。护士站起来，用一支笔一样的仪器在许志辉的指尖刺了一下。

许志辉把手收回来，看到护士手中的仪器亮起了红灯，他不知道什么意思。

"我可以走了吗？"他问。

护士显然也没有料到这个结果："先生，我可以再测一次吗？"

许志辉点点头，男护工这次把轮椅调整了一个角度，让他能够更方便地伸出手去。

护士换了个手指又刺了一次，还是红灯。

"您等一下。"护士拿起电话开始拨号。

许志辉在轮椅上费力地扭过身子，笑着对护工说："看来就是我了。"

他话音刚落，几个穿着便装，但一眼就能看出是军人的人快步走进帐篷，护士向许志辉指指，这几个人便围了过来。

大概是没有料到目标是一个坐着轮椅的病人，便衣围住许志辉之后就没有进一步的行动了。一个队长气质的人问护士："你确定是他？"

"我测了两次。"护士说。

"再测一次。"

许志辉主动伸出手，等着护士来再刺他一下。

还是红灯。

这下队长放心了，他对许志辉说："你好，你应该是看了新闻才来这里的吧。"

许志辉点点头。

"你很可能是外星人要找的人，但是我们也不知道他们具体要做什么。外星人只是要求送你一个人上飞船去，请保持镇定对待，不要引起……两种文明的纠纷。并且，有可能会遇到危险，你能接受吗？"

许志辉又点点头。

"好。"队长做了个手势，一个便衣走过来推轮椅，另外两人一左一右站在许志辉身边。

"我呢？能让我去吗？"护工问。

"不能，对不起。"队长头也不回地说。

便衣们拥着许志辉从帐篷的后门出来，一路走向广场中间的一个大帐篷。正在其他帐篷前排队的人发现了这队人，都目不转睛地看着。

"许志辉！"人群中突然有人在叫。

许志辉顺着声音看去，发现宋歆也在队伍中站着，一只手扶着微微鼓起的肚子，另一只手在空中挥动。

"继续走！"队长低声吩咐道。

许志辉抬起右手摆了摆，算是向宋歆回了个招呼，很快一个便衣站到他身边，挡住了他的视线。

他不满地哼了一声，又缩回轮椅。

进了帐篷，许志辉被带进一个小隔间，两个年轻人动作熟练地在他身上连上各种感应仪器，然后退了出去。几分钟之后，一个戴着眼镜，有些谢顶的中年人走进来，坐在许志辉对面。

"姓名。"谢顶问。

"许志辉。"

"籍贯。"

"本地人。"

"血型。"

"B型。"许志辉想了想，"等一下，这是在测谎吗？"

"你有什么想瞒着我的吗？"谢顶面无表情地说。

"没有。"

"那么我们继续。"

许志辉无奈地耸了耸肩，继续回答。

测试完之后，他又被推到下一个房间，里面只坐了一个人，还有十二个屏幕，每个屏幕上有一张脸——来自各个国家的脸。

"许先生你好，我是特别小组的负责人，叫孟刚，专门负责这次和外星人联系的所有事务。你也看到了……"孟刚向周围一指，"我们接下来所要谈的事情，是国际性的，你明白吗？"

许志辉明白，孟刚的言外之意就是别出什么幺蛾子，实际上他只想知道外星人找他干什么。

"知道了。"他回答道。

"你的身体怎么了？"孟刚问。

"哦，这个，几个月前我跳了一次楼，没死，可是把肝上的一个恶性肿瘤给摔破了，导致了癌细胞全身扩散，现在我就成了这个样子，可能没几个月的活头了。"

许志辉实话实说，但显然没有讨到大家的欢心，无论什么肤色、什么民族，皱眉撇嘴所表达的意思大概是相同的，就像现在许志辉在那些屏幕上看到的那样。不过说实话，反正许志辉也不喜欢他们。

"许先生，你将是第一个和外星人联系的人类，你这种状态……"

"这是我最好的状态了。"许志辉压低声音说，"我刚打了双倍的止疼剂。"

他看着孟刚那张故作严肃的脸皱成一团，突然有些恐惧，毕竟作为一个如此重要的行动的负责人，必定位高权重。但他转念一想，管他呢，反正自己快要死了。

"许先生，我看过你的档案了，知道你是一个怎样的人。不管你为何要做出这样的态度，还是请你收敛一些。"

孟刚只是低声说着，像是自言自语，但散发出的气势却给了许志辉极大的压力。他咽了口口水，收起嬉皮笑脸的表情，轻轻点了点头。

"现在，会有人送你去和外星人见面，那里的情况我们一无所知，你要牢牢记住你见到的、听到的一切。并且，无论外星人对你说什么，不要从你自己的角度考虑问题，记住，现在你代表全人类。"

"明白了，去之前，能给我换一下尿袋吗？"

准备妥当之后，一个一杠三星的上尉把许志辉推进了另一个房间。这个帐篷从外面看并没什么，没想到里面竟然这么大。那个房间四壁空空，只在地面上有一个圆形的平台，表面乌黑，不知道是什么材质。便衣把许志辉推到平台上，从兜里掏出一支笔样的针管。

许志辉见状，自觉地伸出手来。

当然，五根手指，才扎了三下。

上尉在他手上一刺，然后将采来的血液滴在平台一脚的凹槽里。整个过程像极了某个邪教的奇怪仪式，尤其是一个穿着制服的军人做这件事，更显得诡异。

"你们该不会把我当祭品吧！"许志辉叫道，但是话音未落，就觉得眼前一花，再仔细观察，他已经身处另一个空间了。

他在无数科幻电影里见过瞬时传送的技术，但亲身体验之后觉得不过如此，没有任何感觉。他翻个身，让自己坐起来，身下的轮椅并没有一起传送过来，并且，衣服也不见了，还有新换的尿袋。

"喂！"许志辉喊道，"有人吗？"

四面只有乳白色的白发光墙，房顶和地板也是一样，明亮却并不耀眼，这是科幻电影里经常出现的场景，看来这其中确实有着某种美感，而不是拍摄经费的问题。许志辉向四面看看，没有发现出入口，或者其他什么可以收集的信息。

"你好，地球人！"一个柔和的女声说，声音仿佛是从四面八方传来的，让许志辉找不到来源。

"你好，你是……Siri吗？"许志辉问，他盘腿坐起来，双手有意无意地挡住自己的私处，谁知道这些外星人是不是变态。

"我不明白你在说什么。"

"确实很像。"许志辉嘟囔一句，"还是说正事吧，你们为什么要找我？"

"我们希望得到你的谅解。"外星"Siri"说。

"你说什么？"

"我们希望得到你的谅解。"那个女声又重复了一遍。

这一切无论如何都像是一个低劣的恶作剧，尤其是自己被裸体扔在这，还有一个不愿意露面的人正在恳求他的原谅。许志辉四下看看，没有发现摄像头或者其他可疑的东西，毕竟那巨大的飞船和瞬间脱衣服传送的技术不是假的。

"你说的原谅是什么意思？"

"原谅，对过失、错误等宽恕谅解。"

"我不需要你解释这个词，我是说，你们想得到我的宽恕？"

"是的。"

"那么，你们做错了什么事？"

"是我们造成了你的疾病。"

"我的疾病？我的……癌症？"

"是的。"

"我不明白，地球人每25秒钟就有一个人会被发现患有癌症，这跟你们有什么关系。"

"这一切都是因为我们的失误造成的？"

"请你解释一下。"

"我们的考察队在地球时间417549年前曾经到过地球，当时大概由于技术操作上的问题，污染了地球的生物圈。造成了一部分生物技术片段与地球生物融合，改变了进化历程。"

"40万年前……你是说你们的技术失误造成了人类起源吗？"

"也许是，也许不是，进化是多重因素造成的，但是很有可能那段废弃的基因片段促进了你们种群脑容量的增大。不过这不是最重要的，那段基因的主要作用是会产生细胞的病态增殖，就是你们所说的癌症。"

"天呐，这简直就是潘多拉的盒子。"许志辉喃喃地说。

"我明白这个比喻。"

"所以你要为四十万年前的事向我道歉？"

"是的。"

"为什么是我？"

"因为你向联盟议会提出了申诉。"

"我？"

"是的，我们对申诉的信号进行了回查，就是在那个时间，那个地点发出的，带有你的癌细胞编码的信号。"

许志辉想起来了，二十六岁那年，他被诊断出了肺小细胞未分化癌，这是几种肺癌中发展最快的一种，医生郑重地告诉许志辉，趁着年轻身体好，多接受几轮放疗化疗，生存的概率要大很多。

他拿着宣判他死刑的病历回到出租屋，假装镇静地与宋歆分了手，然后蒙在被子里哭了两天。第三天，他砸掉了带有宋歆痕迹的所有东西，在最后一样东西前，他停住了。

那是一台高功率全频微波通信发射机，它所有的部件都是许志辉设计的，但却是由宋歆一部分一部分组合起来，他们在这个小玩意上讨论争吵了七个月，造好的那天，许志辉向全宇宙发出了"宋歆我爱你"的信号，那是他们的定情信物。

他看了它很久，突然掏出病历，把他的基因检测报告输入发射机传送出去。他的癌症基因图谱在地球上空盘旋了六秒钟，因为功率过大，有十一个飞过这片区域的卫星都受到了严重的干扰。

当然他不知道这些，更不知道十二年后会有外星人会因为那次无心之举而来寻找他。

"那么，你能治好我的病吗？"许志辉试探着问。

"不能。"

尽管没有抱多大希望，但是女声冷冰冰的拒绝还是让他的心凉了半截。

"那你们凭什么让我原谅你。"许志辉说。

"因为如果你不原谅我们，我们就会受到联盟议会的制裁。"

"所以如果我原谅了你们，你们就会逃脱制裁？"

"我们已经做好了接受制裁的准备，不过我们认为，如果我们能做一些弥补的事情，来博取你的原谅，这样比我们单方面接受制裁更好。"

"比如……"

"比如我们完全抹除掉那段生物片段，这样这个星球上的所有生物都不会再受到癌症的困扰了。"

"是永远消除吗？"

"是的，这部分生物片段无法自然合成，所以你的信号一被联盟议会收到，立刻就追溯到了来源，也就是我们。"

许志辉咽了口口水："我还有其他选择吗？"

"……"女声停顿了几秒钟，这时许志辉才发觉之前的交谈中自己和它的对话都是瞬间得到答案的，"现在的提议不是最好的吗，难道还需要其他选择？"

"毕竟有选择权在手要更好一些，这是我们人类的习惯。"许志辉向着空气摊手。

"你也可以提出要求，如果我们能够做到的话，也是可以的。"

"很好，"许志辉点点头，"请送我回去吧，考虑好之后，我会再来的。"

话音刚落，他眼前一花，又回到了之前的大帐篷里。

他看着等在那里的上尉说："看来外星人的高科技也没有什么了不起的，你看，传送回来的时候竟然没有替我把衣服穿上，能不能麻烦你一下？"

4

许志辉在那间满是屏幕的会议室里完整地复述了发生的一切，当说到可以谈条件的时候，他看到所有人都露出了同样的表情，他甚至可以听到他们在心里噼里啪啦打算盘的声音。

虽然有那么几个国家的人根本不用打算盘，不过管他呢。

然后许志辉自己说累了，要回去休息。那个上尉过来送他出去，还没有出门，身后就开始议论起来，他们每个人都有想要从外星人那里得到的东西，必须用更高的嗓门来表达自己的立场。

直到许志辉离开很远，还能听到他们的声音。

"这是去哪？"许志辉发现上尉并没有从来路送他出去，而是推着他走向一辆黑色的SUV。这时广场上的人已经散去了大部分，但是仍然还有不少人留下来看热闹。许志辉找了找，没有发现宋歆的身影。

"你现在是世界上最重要的人了，所以要把你送到一个更安全些的地方。"

"就用比亚迪送？"

上尉沉默了一下："多功能防弹车已经装到运输机上了，明天上午就能到，现在你就委屈一下吧。"

"真的假的？"许志辉不屑地说。

"真的。"

许志辉不知道他们将要把自己带到哪儿去，难道军方在这个三线城市也有秘密基地吗？是不是那种深入地下几百米，还能够防御核武器打击的坚固堡垒。他没能幻想多久，SUV转了个弯就停下了，车门打开，许志辉愣住了。

原来他们的目的地就是皇冠花园酒店。

"就住这里吗？"

上尉点点头："顶楼，总统套房。那里的位置很好，视野开阔，周边没有更高的建筑，到达顶楼也只有一个出入口，便于保护。"

"好吧，反正这地方我熟。"

经过大堂时，许志辉还想见见当时的经理，就是他将许志辉轰了出去。但是整个酒店似乎已经被全盘接管了，到处都是穿着便衣，神情严肃的壮年汉子。

在这里一待又是五天，孟刚来过两次，虽然没说什么，但是看得出他已经心力交瘁，和许志辉说话的时候经常走神，大概为了权衡各方面的利益费尽了口舌。

许志辉的初衷是想为人类谋取更多的利益，现在宇宙中不仅有外星人，还有更高的联盟议会，一个全新的宇宙就摆在人类面前，可是人类却还在争论谁该多分一点儿蛋糕。

这些许志辉都不在乎，既然外星人没有办法治疗他的疾病，那么无论世界会如何变化，他都无法见到。

病情愈发严重了，他的精力必须全部用在与癌症带来的病痛做斗争上，无暇他顾。

可是时间不是无限的，癌症带来的影响也并不止于疼痛。

许志辉坐在大窗户前，像往常一样晒着太阳、看着外星人的飞船缓慢盘旋。谈判组还在争论不休，在人类的讨价还价清单上一项一项地增加条件。

飞船上的闪灯像无数星辰，组成了仿佛银河的复杂图案，许志辉正看着它沉思，只觉得天空突然暗了，那些星辰好像突然之间飞起，离他远去。他猛地抬头，一瞬间连星光都不见了，眼前只有一片漆黑，接着，他的后脑一阵刺痛，昏了过去。

"他脑部的肿瘤生长速度太快了，已经压迫了视神经，其他部分的癌细胞也在飞速生长。"许志辉听到一个声音远远地说，"他的时间不多了。"

"能不能再想想其他的办法，我们还有几个重要的条款没有敲定。"这是孟刚的声音，许志辉听着却觉得可笑。

"不能了，他现在随时都有生命危险。"声音像医生的人说。

"但他是唯一能够和外星人谈判的人。"

"现在让他去谈判，或者永远都别去了。"

孟刚沉默了一会儿："好吧，我这就准备。"

"等……一会儿。"许志辉向前伸出手，但是没有摸到任何东西。他的视力尽失，越是瞪大眼睛，越觉得脑袋深处针刺一样得疼。"等一会儿。"

"你要说什么？"孟刚问。

"我……不成了……是吗。"许志辉咳嗽起来，从嗓子里涌出很多微咸的液体，流了一身，他不知道那是什么，但是觉得舒服很多。

孟刚没有说话，但是许志辉感觉到他在轻轻点头。

"能让我再打个电话吗？"

"好的。"

许志辉说了一串数字，那是宋歆的号码，有人拨通了，把电话送到许志辉耳边。

听筒里的音乐循环了一遍又一遍，没有人接听。

"我……能再打一个吗？"

"打吧。"

他打给了自己家，电话很快就接了。

"找谁？"是那个男护工。

"是我。"

"许先生，我一直在等你，你怎么样，声音听起来很虚弱。"

"我……还好。"

"有什么事情需要我做的吗？"

许志辉想了想，男护工是世界上最后一个还在想着他的人了，但是他却没有什么要说的。许志辉深呼吸了几次，说："没什么，就这样吧。"

"等一下，许先生，"趁许志辉没挂断电话，男护士抢着说，"有一个人来找你了，我说你不在，可是她不走，在这里等了好几天了。"

"什么人？"

"一个孕妇。"

许志辉觉得自己的心缩成了一团，又猛地跳动起来，一种感觉像是电流一样传遍全身，让他微微颤抖，并且浑身酥麻。

"让她接电话。"他努力不让自己的声音发颤，但是并没有什么效果。

"志辉。"

"你……"许志辉张了张嘴，又闭上。

"你怎么样了？"

"我很好，它们……要找的人，就是我。"

"它们能够治你的病吗？"

"不能。"

"哦。"

听筒沉默了很久，许志辉说："你来找我了？"

"是的。"

"秦朝东呢？"

"他没来。"

许志辉没有继续问下去，有些问题以及它们的答案，现在已经不重要了。

"保重。"

"你也是。"

他轻轻点点头,电话挂断了。

"我准备好了。"许志辉用无法视物的双眼看着右前方说,孟刚的声音就是从那边传过来的。

"对不起,在这种情况下还需要你做那么多事。等这件事完了,立刻给你安排最高级的医疗条件。"

"不需要了,我们还是说正事吧。"

"好吧,我们讨论出几个结果,你一定要记住,第一,要问明白宇宙的状况,联盟议会和那些外星人的实力。我们需要对那些外星人进行防备。这是最早达成共识的一点;第二,要它们的星际穿越技术,穿越原理、引擎技术、飞船结构,所有的都要……"

"这么多条件?"

"我还没说完,它们是来向你道歉的,筹码在你手里。"

"我觉得这样……"

"我们不需要你觉得……许先生,你要清楚这一点,你是替全人类谈判,而不是为了你自己。"孟刚接着说,"还有……"

孟刚滔滔不绝地说了许多,但是许志辉记不清了,眼前的黑暗好像有了色彩,幻化出飘逸而玄妙的图案。许志辉的意识在那些彩色水母一样柔软的图形中穿梭,完全忘记了外面的世界和身体的痛楚。

"许先生,许先生!"

"啊?"许志辉从幻想中醒来,"我做了个梦。"

"我刚才说的你都听明白了吗?那很重要。"

"明白了。"

"记住,我们还不知道外星人如何兑现自己的承诺,如果有机会的话，留下一两种技术给我们自己，我是说，我们自己，你明白我什么意思吗？"

许志辉深深吸了一口气，又咳嗽了一阵："知道。"

"好，祝你好运。"

有人过来，牵住许志辉的手，许志辉配合着，想要坐起来。可是那人并不是来扶他的，而是在他手指上一刺。

这突然起来的疼痛又让他清醒几分，他呻吟一声。一阵风吹过，许志辉打个冷战，他的触觉告诉他，又来到了外星飞船里。

"你来了，做好决定了吗？"外星Siri说。

"是的。"

"你的身体状况很不好。"

"谢谢，我感觉到了。"许志辉摸索着坐起来，可是他的左肩像放在木炭上的烧烤一样疼。他只好并拢双腿侧躺着，这样才舒服一些。

"你想要什么？"

"你们的技术，星际航行的技术、能源技术还有建造飞船使用的……"许志辉停住了，人类需要这些吗？会议室里的争吵还历历在目，"等一下。"

这些技术会将人类变得更好吗？许志辉问，治愈癌症这么好的条件摆在眼前，但是谈判组的人连半秒钟的时间都没有用在这个选项上。他们想要更多，癌症是身体上的病，而自私则是人类精神上的癌。人类一路磕磕碰碰好不容易活到了现在，也许该让他们的脚步放得慢一些，而不是更快。

"我还能选择治愈癌症吗？"

"可以，如果你同意的话，我们会回收所有的生物片段，让癌症在你们的星球上彻底消失。"

"可是你说过，那些生物片段已经和我们的基因融合了。"

"是的，如果我们剔除了这些生物片段，你们的下一代将会恢复四十万年前的样子，不过人类的基因已经经过了这么多代的自然筛选，最终结果是什么样的，我们也无法确定。"

许志辉累了，他放下身子，平躺在地板上，思考让他头疼欲裂。

他想起了宋歆，想起之前匆匆一瞥时她的样子，她充满希望的眼神，她微微隆起的小腹。写在基因里的繁殖本能，表达在脸上就是欣喜和幸福，那是爱。

如果做了这个选择，宋歆的下一代，可能会变成一只毛茸茸的猴子，还有其他人，所有人都将面临这样的局面。他们会爱下一代吗？并且，那退化了的下一代，会懂得爱吗？

他长叹一口气："你们能带我走吗？让我看看外面的世界？"

"不能，我们的航行方式不适合你的身体。"

他又叹了一口气，说："我原谅你们了。"

"什么？"

"我原谅你们了。"许志辉用尽全身力气说。

不管怎么样，人类都是靠自己的力量和智慧一路前行，之前是，之后也是。会有困难，也会有挫折，但那些傻乎乎的生物还是会一边折磨自己，一边继续走下去的。

不需要任何改变。

眼前的黑暗亮了起来，像是闪闪星光，他还看见阳光、绿草，看见一个孩子欢快地奔跑，扑进宋歆的怀里。

他看不见东西的眼睛闭上了，再也没有睁开。

守门人

1

理查德坐在狭小的售票亭里，面前大窗户的玻璃上结了厚厚的一层水汽，把他和外面的世界隔开。他就这么坐着，等待着可能永远不会来的顾客，凛冽的寒风从小小的窗口灌进来，发出呜呜的声音。

他伸出手，擦了擦玻璃，水珠浸湿了袖口。玻璃外面，马路对面的充电站里有几辆电动车正在充电，几个车主在充电站隔壁的小咖啡馆里等着充电完成。一个蓝色福特车的司机在车旁站着四处张望，不住地跺着脚来向寒风示威。那个司机突然发现了街对面的展览馆，他抬着头，看着展览馆上方的全息屏，一时间忘记了跺脚。然后他的目光又投向理查德所在的售票亭，理查德连忙坐正了身子，希望那个司机能够利用等待充电的时间到展览馆长长见识，了解一下超光速飞船的点点滴滴。然而那个司机最终还是收回了目光，缩着脖子走向了咖啡馆。理查德搓了搓自己的右手掌，叹了口气。

在这座展览馆初建成的那几年辉煌时期，无数游客前来瞻仰那艘超光速飞船。那是人类史上的第一艘，也是唯一一艘从深空返回的飞船，还带回了大量从35光年外拍摄到从另一个角度观察宇宙的珍贵照片。曾经还有几个大导演来这里为他们的科幻片取景，理查德也有幸在大银幕上露过一两次面。然而没过几年，空间跃迁技术的发现使得成本高昂的超光速飞船迅速没落，现在已经很少有人再提起这里的荣耀了，超光速这个词汇只不过是人类征服宇宙过程中小小的一段岔路而已。

小窗口外传来了说话声，理查德立刻打起精神，看见几个年轻人站在售票口外小声地交谈，一个戴着黑色胶框眼镜，鼻梁上有雀斑的小伙子递进来几张钞票。理查德点点，收好，把零钱和票递出去，他想向这些久违的顾客微笑一下，可是那个小伙子却将目光移向了别处。

理查德看着几个年轻人带着敬仰的表情走进展览馆，一股自豪的感觉涌了上来。现在，至少这些科幻迷还把这里当成他们的圣地。

展览馆的大门在几个年轻人身后慢慢关闭，理查德微笑看着那里。又过了一会儿，他才收回目光，从抽屉里掏出账本，准备把刚才那三张票的收入记下来。他抬头看了看表，10点20分，他忽然想起需要打一个电话。于是他拨了一个号码，电话响了9下，没有人接。理查德叹了口气，按下了重播键，当电话响到第3声时，一阵悬浮摩托紧急制动的长啸声从小窗口传进来，在售票亭外嗡嗡作响。

理查德抬起头，看到瑞恩正从摩托车上下来。他眼眶黑青，面色苍白，头发蓬乱，再加上脸上有些扭曲的怒容，活像刚刚复活的厉鬼。

"你这个老家伙，是你把我的朋友都轰走了吧？"瑞恩站在售票口的窗外怒吼着，手重重地拍在玻璃上，发出沉闷的声音。

"他们都是些蹭吃蹭喝的家伙，哪里是你的朋友。"理查德抽抽鼻子，不紧不慢地回答。随着瑞恩的声音传来的，还有一股酸臭的酒气。

"那是我的party，你管不着。"瑞恩弯着腰，侧着头，透过售票口的小窗户怒视着理查德。

"我这是为你好，"理查德并不畏惧瑞恩的眼神，他抬起头，与瑞恩对视着，"你不能再这么放纵下去了。"

"我怎么……"瑞恩把重心换到另一条腿上，"我怎么放纵了？现代人的生活方式就是这样。"瑞恩直起身子，揉了揉有些发酸的腰。"你出来，我要和你说清楚这事。"

理查德叹了口气，开始揉搓右手掌上厚厚的老茧。几秒钟之后，他转动了一下身子，左腿使劲踩在地上，右手用力撑住桌面站了起来，小心地挪动着右腿，然后一瘸一拐地走出售票亭。

门外的寒风扑面而来，理查德打了一个寒战。他紧了紧身上的衣服，抬头看着正双手抱胸，一脸愤怒地站在那里的瑞恩。瑞恩的身上穿着当前最流行的聚合材料纤维材质的衣服，虽然颜色鲜艳而且弹性十足，可以很明显地看出瑞恩仍然保持着不错的身材，但理查德还是不能理解现在的年轻人为什么喜欢这种看上去像橡胶套子一样的东西。他跛着脚向瑞恩又走了两步，发现对方盯着自己的右腿，紧皱的眉头稍有些放松。

"你要和我说什么？"理查德等了一会儿，最后不得不先开口打断瑞恩的沉思。

"你别再干涉我的私生活了。"瑞恩舔了舔嘴唇，"我有我的生活方式。"

"什么生活方式？每天和不了解甚至不认识的人花天酒地，就这么堕落一辈子吗？"

"为什么不？现在的人已经不需要像以前那么勤奋、那么努力了，科学的发展给了我们享受的权力，为什么不好好利用呢？"

"别人可以，但是你不可以！"理查德提高了嗓门。

"我怎么就不可以了？"瑞恩反问道。

"你……你……"理查德试着克制自己的情绪，最终还是失败了，憋在心里的话脱口而出，"你是家里的骄傲！是全世界的英雄！你为了追求你的事业，把我们留在地球上。整整五十年，这么多年爸爸妈妈和我的心情从为你骄傲变成了为你的孤独而悲伤，最后终于坚信了你付出的一切以及我们付出的一切都是值得的，我们最终接受了你是为了一个伟大的事业而牺牲了亲情、不会再回来的事实。这五十年里我一直在向人们讲述你的故事，诉说你的点点滴滴。我崇拜你，崇拜了五十年，然后你回来了，变成了现在这副鬼样子，你知道这对我来说意味着什么吗？"

"这么说你宁愿我一直留在宇宙中自生自灭，就算死了也好过像现在这样活着是吗？"

"见鬼，我可没有那样说过。我只是希望你能像以前一样充满活力，去干一番事业。你知道有多少人把你的照片挂在自己的床头，然后成功了吗？你才三十岁出头啊。"

"我已经七十五岁了，没有什么地方会给一个七十五岁的人提供一个职位的。"

"别胡说了，你的生理年龄才三十三岁。"

"我已经落后时代太多了，"瑞恩挥起一只手臂，好像理查德的话像一群恼人的苍蝇。"对于我来说，一切东西都要重新学才行。上次我居然被我自己家的电子管家锁在厕所里出不来，最后还是我砸掉了马桶逼得它报警，才有警察把我救出来。"

"你喝了太多的酒了，上个厕所都会摔得鼻青脸肿，也不怪电子管家认不出你。"

"不管怎么说，我现在有了五十年的积蓄，还有一大笔国家给的奖励。这些钱足够我用了，我为什么还要逼着自己去和比我年轻五十岁的人去竞争呢？"瑞恩挥舞着双手，发表着他的"享受"宣言，可笑的是，几十年前他告诉年轻人要去奋斗、要去追求目标的时候，也是这套动作。

理查德长叹一口气，他低下头看着一阵风卷着地上的纸屑从两个人身边掠过，纸屑擦过他皱巴巴的灯芯绒裤子，翻滚着越飘越远。他缩了缩脖子："真冷啊，这该死的天气。"说完他转过身，一瘸一拐地向售票亭走去。

快走到门口时，理查德转身看着还在原地站着的瑞恩："进来吧，喝点热茶。"

瑞恩显得有些惊讶，他答应了一声，也跟着走进售票亭。

2

屋子里还保存着一丝热气，窗玻璃上的水雾已经凝成水珠滑下来，画出一道道扭曲的水印。理查德端起保温瓶，给自己倒出一杯热茶，又倒了一些在瓶盖里递给瑞恩。

瑞恩接过瓶盖，打量了一下四周。售票亭很小，只够放一把椅子和一张办公桌，椅子背后的墙上是瑞恩身穿宇航服的大幅照片，瑞恩故意扭过头不去看它。这时理查德已经在椅子上坐下，于是瑞恩一侧身坐在了办公桌上。

理查德捧着杯子，享受着蒸汽夹着茶香扑到脸上的感觉。理查德看见瑞恩正仔细端详着桌上的相框，那里面是他的妻子凯瑟琳和儿子杰克的合影。

"杰克很像你小的时候，对什么事情都特别认真，一旦认准的事就一定要做到底，谁劝都听不进去，像头驴一样。"理查德喝了一口茶，他知道瑞恩正在看着他，等待他接着讲下去。但理查德的双眼一直看着售票亭的大玻璃，仿佛那是一块银幕，正上映着他儿子的一生。

"记得有一次，他非要去见卡尔·安德森。"理查德顿了一下，他突然意识到卡尔·安德森这个名字对瑞恩毫无意思。于是他解释道："卡尔·安德森是环球互联的首席执行官，是当时世界上公认的最有才华的人。杰克那傻孩子坚信他有一个点子可以卖给安德森，于是打算自己去纽约见他。无论我说什么他都听不进去，结果有一天他偷了我200块钱就自己跑了。"

"还真的跟我一样，"瑞恩露出会心的笑容，"我也干过这种事，不过那次我是为了去看'暴风雨'乐队的巡回演出，你还替我打掩护来着。"

"结果我被爸爸痛打了一顿，而当离家出走了一个星期的你脏兮兮地出现在门口的时候，妈妈却给了你一个拥抱。"

瑞恩撇了撇嘴，做了一个举杯的动作。

"那孩子还真的去了纽约，不过他根本连环球互联的大厦都进不去，于是他打算跟踪安德森，还拦过安德森的车。那孩子妄想着当安德森的生意伙伴，其实他只不过是一个自以为是的小屁孩。"说到这里，理查德突然干笑两声，"最后还是我从警察局里把他领回家来，从纽约回来的路上，他还一直坚信安德森错过了一个大好的机会。于是他终于下决心自己做出个样子，在那之后他终于不再胡思乱想，开始脚踏实地地计划他的未来。"

"如果不是那该死的卡车司机撞向我们的话……"不可避免地，理查德又开始做这种重复了无数次的假设。

理查德叹了一口气，左手的大拇指在右手的老茧上使劲搓着，但右手却没有任何感觉。他再次看向大玻璃，不过这次，他的目光穿过玻璃，落在了瑞恩的那辆悬浮摩托车上。

那是一辆"游者7型"摩托，全钛合金的车架，粗犷而且线条感十足的黑色碳纤维外壳上喷涂着红色的火焰，车身下的四个悬浮模块在静止状态下也发出幽幽的蓝光，一旦爆发起来，这辆车的最高时速能达到350公里/小时，极端条件下甚至可以悬浮至5米高的高空。这些数据突然出现在理查德的脑海里，尽管他对这种刺激的玩意毫无兴趣，但是有一段时间杰克很想要一辆这样的车，反复在他面前描述了无数遍它的优点，在无意识中，这些数据已经牢牢地烙在他的脑子里了。

理查德再次把目光投向正在看着相框发呆的瑞恩，突然发现瑞恩与杰克之间确实有很多相似之处，他们的倔强、他们的叛逆。一直以来理查德把瑞恩当成偶像，当成他心目中的英雄。可实际上瑞恩到现在只不过是一个三十岁出头的毛头小子，和普通人一样愚蠢，一样不知道天高地厚。

也许正是理查德自己对瑞恩的偏执看法造成了两个人现在的矛盾，其实责任在他自己。理查德想着，又长长地吐了一口气。

瑞恩看向理查德，发现他正目不转睛地看着自己，他慌忙转开视线，试着找些其他的话题。

"爸爸妈妈，他们怎么样？"

"你走了之后的一段时间里，大概有两三年吧，他们会时不时地，在晴朗的晚上，去郊外的草地上一边看星星，一边猜测你到了什么地方。为了了解你的旅程，他们两个人读了很多天文学方面的书，差不多算半个专家了。甚至每天吃饭的时候都能听到他们两个人在争论超新星、白矮星什么的。"理查德欠了欠身，挪动了一下有些发麻的腿。

"可是时间越长，对宇宙了解得越多，他们就越明白你已经不会再回来了，已经在他们的生命中消失了。妈妈开始埋怨爸爸，而爸爸渐渐变得沉默起来。我越来越受不了家里的气氛，但是我最受不了的是他们对我的忽视。他们会用好几个小时来争吵你的离开是谁的原因，然后又坐在一起回忆你的童年。但是每次我拿回了全是A的成绩单时，他们连看都不看一眼。于是我离开了家，想到大城市找找机会。"

理查德停下来，啜了一口茶，他看了看瑞恩，但瑞恩的目光盯着眼前的一片虚无，没有回应。

"又过了几年，他们终于接受了你再也不会回来的事实。他们卖掉了老房子，把所有和你有关的东西都寄给了我，之后他们搬到了乡下，那里没有人知道他们的儿子是宇航英雄，时间长了，他们自己也不记得有你这么个儿子，有好几次，都把在你身上发生的事，安在了我身上。"理查德的眼前有些模糊，他扭过头，使劲眨了眨眼睛，"总之，尽管他们忘掉了一些事情，但是他们的晚年确实过得很幸福。"

一种说不出的感觉出现在这小小的售票亭。一时间理查德仿佛又回到少年时代，和瑞恩一起在自己家阁楼里，为了一些鸡毛蒜皮的小事吵架后，就这样沉默着躲避彼此的目光。理查德保持着自己的姿势，不想打破这种感觉。

"嗨！"一张红彤彤、胖乎乎的脸突然出现在小窗口，喘着粗气，"有没有……几个，像我这么……这么大的人进去？"

"有，其中有一个戴着眼镜，脸上这里还有雀斑。"理查德比画着形容出刚来的那个年轻人的样子。

"对，对。"窗口外的脸上露出遗憾的表情，"该死，来晚了。"说着转身向展览馆的大门跑去。

"等等！"理查德对着窗口大吼道，吓得瑞恩一哆嗦。

"怎么了？"那张脸又回到窗口前。

"买票。"理查德一副严肃地说，"十块钱。"

"还会有人来这里？"瑞恩一脸不可思议地看着理查德把电子门票递出去，"我以为超光速飞行早就被人抛弃了呢。"

"还是有些科幻迷之类的人对它感兴趣。"这是几个月来的第一批游客，不过理查德没把这些也告诉瑞恩。

"我倒要去看看他们为什么还会怀念那堆垃圾。"嘴上虽然这么说，但是一丝笑意已经挂着了瑞恩的嘴角上。他放下手里的相框，开始整理自己的衣服。

"你打算干什么？"理查德问。

"也许他们会有些技术问题想问，我可以给你当当义务解说员。"

"这里有互动解说员，有关超光速旅行的知识他们都知道。他们的数据库里甚至包括有关你的一切，不信你去问问他们你是多大才不尿床的。"

"那些机器只会死板地回答问题，我想他们还是更想和真正了解超光速旅行的人，比如说宇航员本人聊一聊"

"你只不过想再过一次偶像的瘾罢了。"

"随你怎么说。"

"我说你……"理查德还想再阻拦，不过转念一想，还是放弃了。"把这个拿上。"

"那是什么？"

"门票，没有这个，就连'宇航员本人'也进不去。"

理查德把门票递给瑞恩，期待着会有一个默契的微笑，然而得到的却是获胜之后挑衅的表情。

这个小鬼。

售票亭里剩下了理查德自己，突然之间他不知道该干什么。他喝了一口茶，翻开笔记本，拿起笔却什么都没写又放了下来。他左右看了看，想找找是什么让他如此心神不宁。

　　"见鬼。"最终理查德自言自语道，"我还真想看看他吹牛的样子。"

　　于是，理查德打破了自展览馆成立五年以来一直遵守的准则，在不到中午的时候就关掉了售票亭上的宣传显示屏。他随手收拾了一下桌上的东西，锁好了门，一瘸一拐地走进展览馆。

3

　　展览馆分三个厅，最前面的大厅陈列着一些飞船上的零件，比如回归大气层时烧毁的隔热层，着陆时减速用的降落伞，还有飞船各个功能部分的拆解模型。四面的墙壁上有瑞恩在35光年外拍的太阳系以及编号HD85512B行星的照片，有的已经褪色发黄了。本来一号展厅还有一台全息投影仪用来滚动播放飞船升空以及回归时的影像资料，不过那已经很久没开启过。

　　二号厅被理查德称为"瑞恩厅"，里面展出的全是瑞恩个人的东西。瑞恩穿过的宇航服，参加训练以及与当时的各界名流会见的照片，还有其他一些瑞恩使用过的小物品。在展厅的中间是一尊瑞恩穿着宇航服眺望宇宙的铜像，而此时瑞恩正斜靠在自己雕像的腿上，诉说着他的经历，同时享受着年轻人崇拜的目光。理查德犹豫了一下，决定不去参与那些年轻人的聊天，而是在门口静静地看着，就像许多年前，他也曾这样远远地看着瑞恩和一群看上去很酷的大孩子们到处疯狂一样。

　　"……飞船上的计算机显示我已经到达了目的地。我从睡眠舱里爬出来，有半边身子还没恢复知觉。"瑞恩右手向前伸出，左手耷拉在身子旁边，模仿着当时靠着一只手一只脚艰难爬行的样子。"按照标准的操作规则我应该立刻对自己的身体状况进行评估，可是不知道为什么，我就那样连滚带爬地挪到舷窗下，迫不及待地向外看去。"瑞恩正讲到他刚从休眠中醒来的情形，淡黄色的射灯照在他的脸上，反射出一种虔诚的光晕。"外面的星空虽然看上去和从地球轨道上看没什么区别，但是我知道，这是人类第一次到达这么远的地方，看到这样的星空。"

"过了很久，我才从舷窗旁离开，走到驾驶台前，用照相机对周围拍了几十张照片。然后我把这些照片输入电脑，开始运行计算程序。如果不收集新的信息进行定位，我连地球在哪都不知道。接下来是第三步……"瑞恩严肃起来，他站直身体，做出坐在驾驶台前的姿势，"我打开了无线电，用所有的波段对那片空间发出了人类的第一个信息……"

"我是来自地球的人类，我代表地球上的全体人类……"理查德默默地跟着瑞恩念，这一段话他已经听过无数遍了。有时在闭馆以后，理查德偶尔也会心血来潮地坐在飞船的驾驶室里，想象着自己和瑞恩一样，面对着未知的宇宙，说出人类向它们的问候。

正手舞足蹈的瑞恩突然停止了他的叙述，他张着嘴，保持着说话的样子，双眼直勾勾地看着前方某处，一动不动，仿佛变成了和他身后的雕像一样质地的东西。理查德顺着他的目光看去，那是一个破旧的棒球手套，理查德记得那是瑞恩十来岁时爸爸送给他的礼物。

瑞恩一直盯着那只手套，一个年轻人小心翼翼地上去拍了拍他的肩膀，瑞恩才如梦方醒般抬起头，潇洒、自信和高高在上的表情不见了，他看起来有些迷茫。

"嗨，你怎么了？"那个穿着淡蓝色运动服的年轻人问。

"唉，我这是骗谁。"好像是突然失去了力量一样，瑞恩顺着雕像滑坐在地上，"参加远航任务的时候我才20岁出头，一心想做一番大事业。我放弃了一切，终于得到了这个地球上唯一的职位。没错，我完成了我的工作，去了深空，又回来了。我得到了掌声，得到了赞美，还有人以我为榜样。但那又怎样呢？我去了人类能够到达的最远的地方，但是回来之后，却连一个家都没有了。"瑞恩仰着头，顺着雕像手指的方向看去，仿佛在自言自语，"更惨的是，德国人一夜之间掌握的跃迁技术让他们仅用了一个月的时间就到达了我花五十年才到达的地方，结果发现HD85512B根本不适合人类居住，这意味着我所有的努力只不过是徒劳。现在，人类只用4个小时就能到达开普勒22B，那里距离地球600光年远，据说明年就要在那里建立基地。提起超光速，只不过是人类犯过的一个错误罢了。而我宁愿牺牲一切换来的结果，也是一钱不值。"

一个瘦高个子的年轻人似乎想说什么，他张了张嘴，最终脸一红，又闭上了。瑞恩意识到了这点，他看着那个年轻人，目光里透露出交流的渴望。

"其实在很多人眼里……呃……有一部分人眼里，超光速飞船并没有你说得那么没价值。"瘦高个看了看身旁的同伴，还是说出了他的想法，他的脸更红了，"在我们看来，超光速飞船是人类技术的高度结晶，是整个人类共同努力追求的结果。而现在，跃迁技术可以轻而易举地让人或者货物在宇宙各处穿梭。不过跃迁技术虽然应用广泛，其中的原理仍然没有研究明白。很多人认为，人类在跃迁技术上走了一条捷径，但是人类的精力已经从深度向广度转变了，他们兴奋地通过跃迁门奔向宇宙各处，各类科学也全力转向开拓新领土的应用类研究。于是人类在科学上的进步相当于停止了，地球上的资源将被分散到宇宙的各处，不久的将来，等人类意识到这一点时，已经没有挽回的机会了。而超光速飞行，将是人类最后的丰碑。"瘦高个看了看同伴，几个年轻人凝重地点了点头。

"这个……这是真的么？"瑞恩显得有些吃惊。

"这是科幻小说里写的。"年轻人尴尬地笑了一下，"不过，我们认为这样的事很可能发生。"

"因为超光速旅行所带来的时间债效应，带给很多科幻作家灵感。最近在科幻小说界出现了一个叫作'时空朋克'的流派，主要描写超光速旅行之后的种种事情。很多故事的原型就是你。"

"是吗？"瑞恩苦笑了一下，"里面的主人公有我这么惨吗？"

几个年轻人沉默了，瘦高个不安地揉着自己的衣角。

"你的内心定义不了你的价值，你的行为才能。"突然，雀斑脸的男孩朗声说道。

"生命不会赋予我们目标，而是我们赋予生命意义。"瘦高个庄重地说。

"明知道会失去一些重要的东西，但仍然义无反顾地去做，这就是英雄。"

"能力越大，责任越大。"小胖子喊道。

"你们这是干什么？"瑞恩被几个年轻人突如其来的表现弄得有些发懵。

"历史上的英雄们都失去了许多东西，也正是因为这样，他们才更加坚信自己所坚持的东西。蝙蝠侠、超人、闪电侠，他们都是。"穿运动服说的男孩说。

"还有蜘蛛侠。"小胖子补充道。

"我说的都是超级英雄，蜘蛛侠只不过是个普通人。"运动服瞪着眼睛对小胖子说。

"蝙蝠侠才是个普通人。"

"现在不是争论这些的时候。"站在一旁的雀斑脸走到两个人之间，制止了他俩的争论。

"一个人也能创造奇迹。"雀斑脸上前一步，俯视着瑞恩。几秒钟之后，雀斑脸俯下身子，坐在瑞恩对面的地板上。"这句话是美国队长说的，他在'二战'时因为飞机失事而被冻到冰山里，等人们再次发现他的时候，已经是七十年之后了。他和你差不多。"

瑞恩认真地听着，点了点头。

"尽管有七十年的差距，但是他在'二战'时期的战斗经验以及他所坚持的正义精神使他成了复仇者联盟的精神核心。"雀斑脸停顿了一会儿，似乎在等待自己的话在瑞恩的脑子里沉淀下来，然后他接着说，"你也可以。"

瑞恩紧闭双唇，盯着眼前的一片虚无，仿佛真的在思考那个男孩的话。半晌之后，他抬起头，吸了口气，好像要说些什么。

理查德感觉到瑞恩的目光从自己身上扫过，然后看到瑞恩脸上的表情有了变化，瑞恩突然大笑起来。

"我像美国队长？"瑞恩站起身，现在换成他俯视着雀斑脸的男孩。"真是可笑。"

"可是……"男孩也跟着站起来，两颊有些激动地发红，脸上的雀斑反而显得淡了。

"你的好意我心领了，但是我没有超能力，也没有拯救地球的觉悟，我还是老老实实地当一个过时的老古董好了。"

"可是……"雀斑脸还想再说，但是瑞恩的手重重地拍在他的肩膀上，打断了他。

"听着，孩子，现实世界可不像漫画书里画的那么简单。"瑞恩双手按着年轻人，看着他已经憋得通红的脸。"也许你们应该多出门走走，去见识见识外面的世界有多黑暗。"

说完，瑞恩又向其他三个年轻人扫视了一眼，故意展示出轻蔑的目光。

理查德不忍再看着瑞恩挖苦这几个真诚的年轻人，他轻咳一声，一瘸一拐地走进二号展览室。

"好了，尊敬的游客们，"理查德故意扬起手臂，露出胳膊上的表，"本展览馆闭馆时间到，请您带好自己的随身物品，排队从出口离开展览馆。本馆真诚地期待您的再次光临。"

几个年轻人露出失望的表情，但是仍然顺从地转身走向出口。雀斑脸的年轻人回头看了看瑞恩，又向出口方向走了几步，仿佛下定了决心，他飞快地转过身，走到瑞恩的面前。

"赢得你在乎之物的方法就是为之而战！这是绿灯侠说的。"雀斑脸注视着瑞恩的眼睛说。

瑞恩还想再出言讥讽，但是理查德正怒视着他，于是他收起了脸上戏谑的笑容，"嗯……谢谢你的忠告。"瑞恩严肃地伸出右手，"我会想一想的。"

年轻人犹豫了一下，也伸出手，重重地握了一下瑞恩的手，然后转身向出口处等待他的同伴们快步走去。

4

走出展览馆的大门，此时浓密的乌云已经渐散，透过缝隙的阳光照在地面上，带来一丝温暖。

瑞恩和理查德并肩站着，目送那几个年轻人离开。

"竟然把我比作漫画里的人物。"瑞恩干笑了几声，轻声说。

理查德不知道该怎么回答，只能陪着瑞恩干笑。

"我在他们心中就像那些超级英雄吗？"这次瑞恩的声音更轻，不知道是在和理查德交谈，还是在自言自语。

理查德什么也没说，只是看着马路对面的充电站，一辆银色的卡迪拉克正停在那里充电，车身上反射的阳光有些刺眼。

"那么我也该走了。"瑞恩向自己的摩托走去。

"嘿！等一下。"理查德说。

瑞恩站住了，他转过身看着理查德，双手下意识地抱在胸前，但没多久又放了下来。

"刚才那些话，"理查德轻声说，"你怎么从来没有和我提起过。"

"你都听到了？"瑞恩显得有些意外，他侧着头，牙齿咬着上嘴唇，仿佛对这种对话很不适应。

"见鬼，我是你哥哥，那些话我当然不会对你说。"瑞恩耸了耸肩。

理查德笑了，他知道瑞恩说的是实话。

"这太不公平了，我想知道你真正的历险故事，而不是那些经过官方美化修饰过的宣传辞令。"理查德顿了顿，"我想我有这个权利。"理查德突然发现他正在用几岁小孩的口气和瑞恩说话，而他现在已经68岁了，他哈哈大笑起来，直到不小心把重心挪到了瘸腿上险些摔倒才停止。

瑞恩看上去有些不知所措，他呆呆地看着脸上仍带着笑意的理查德，不知道该说些什么。

"不如这样吧，"理查德接着说，"我们挑个时间，要不就今天晚上，到我家去。我们一起吃顿晚餐，你好好给我讲讲你那些故事。"

"这个……"瑞恩还有点犹豫。

"我可以给你做你爱吃的柠檬鸡。"

"什么?"瑞恩的脸上终于有了些笑容,"你学会了妈妈的柠檬鸡?"

"甜点还有苹果派。"

"你怎么不早说!"瑞恩重重地在理查德肩膀上拍了一下。

"那就这么定了,明天晚上我等你过来。"理查德咧着嘴,"你轻点,我已经是一把老骨头了。"

"不过……"瑞恩脸上露出羞愧的表情,"还有一件事情。"

"怎么?"

"我不知道你住在哪。"

"什么?"

"你这是第一次邀请我去你家,我从来都没去过。"

"你也从来没有邀请过我去过你家,可是我知道你住在哪。"理查德愤愤地说,"我一个星期至少要去你那里三次!不然你早被垃圾和酒瓶埋住了。"

"好吧好吧,是我的错。"瑞恩摊开双手表示认输。

"真没办法,一会儿我把我的住址发给你。"

"那么,晚上见!"

有那么一瞬间,理查德以为瑞恩会给他一个拥抱,不过瑞恩只是抬起拳头,在他胸前轻轻地点了一下,这让理查德轻松不少。

瑞恩走到自己的悬浮摩托旁边,又回头仔细看了看这座展览馆。

"你把这里管理得很不错,真的。"瑞恩说。

"当然!"理查德笑了,"这是我的骄傲。"

剪　纸

　　每次驾驶跃迁飞船，我都会想起奶奶。

　　奶奶是个很普通的家庭主妇，一辈子都没怎么出过门。虽然那时绕地球一圈只用一天时间，但我奶奶的整个世界大概只有菜市场到家的这一片区域。

　　没事的时候，奶奶就喜欢在窗边，伴着午后温暖的阳光，挥舞着手中的剪刀，在红纸上剪出奇妙的图案。

　　奶奶喜欢用传统的方式来做这些，听她说过，那些剪纸的技巧，还是在她小的时候，由她的奶奶教给她的。

　　奶奶也曾想教我剪纸，将一张红纸按照某种方式重叠在一起，然后剪掉边缘，待展开后，便成了一大幅栩栩如生的年画。

　　可惜我没什么天分，除了能剪出几个手拉手的小人以外，更复杂的就做不出来了。再加上妈妈不喜欢我学这种"女里女气"的东西，奶奶只能遗憾地停止传授我这门技术。

打那之后，剪纸成了奶奶一个人的语言，在这座百万人的城市里，只有她一个人会这门手艺。但是她并不孤单，反而充满了激情和活力。

我以为奶奶会始终那样，坐在金色的阳光中，红色的剪纸在手中飞舞，不多时手中便生出一幅幅生动的画面。

所以，当我收到邀请函，让我陪奶奶参加高能物理研究所研讨会时，我足足用了一个星期才确定这不是我那些无聊的同学开的玩笑。

那时我刚刚考入航空学院，学院的请假制度向来严格。教导员盯着邀请函上的红章看了半天，又用同样的眼神看了我更长的时间，才给了我一个星期的假。

请假不是最困难的，难的是说服我奶奶出门。任我好说歹说，她也不肯离开家门半步。

无奈之下我只好以我自己的学业相威胁，我说如果不去的话，就是骗了教导员，会被退学的。当我慌慌张张地说出那套谎言之后，她叹了一口气，勉强答应了。

我无论如何也不相信奶奶能和陈博士扯上关系，奶奶也同样是一头雾水。

直到见到了研究所的陈博士才解开我心中的疑惑，原来是多年前的一次文艺联谊会中，作为手工艺人的奶奶和科学家的陈博士都受邀参加。在联谊会中，无聊的奶奶独自在角落里做她的剪纸，二维的纸在三维空间折叠，经过奶奶的妙手天工，变成一幅幅生动的图画，这场景让陈博士对一直困扰着他的多维空间问题有了新的想法。

回去之后，陈博士将想法完善起来，提出了一个新的理论，并且在几年之内设计了能够验证这项理论的实验。

那天正是第一次实验。

为了报答奶奶给予的启发，我和奶奶两个无关的人被安排在嘉宾席的位置，就在直播大屏幕的下面，左右是神情凝重的科学家。

奶奶对这场科学盛宴毫无兴趣，憋了很久以后，终于掏出她的宝贝，开始剪纸消磨时间。

这时实验开始了，远在六十公里外的多维空间生成器启动。展示的内容复杂，我完全听不明白，最直观的形式就是大屏幕中心的合金立方体。据陈博士说，如果多维空间存在，那么立方体会在高维移动，那么投射在我们三维空间的形状就会改变，就像用CT做人体断层扫描一样。

立方体静止了一会儿，开始变化。这种变化是圆润但毫无常识可言的，因为它并不像想象中那样保持着质量或者体积不变，它渐渐长大，变得扁平，然后又成了一片扭曲着的古怪形状。

全场发出热烈的欢呼，掌声经久不息。

但是，一声惊呼打断了正在庆祝的人们，发出惊呼的是我奶奶。

她手中的剪纸，就像那块立方体，在不停变化着形状。

"怎么回事？"奶奶抬头看着我，目光奇怪。

"怎么了奶奶？"我握住奶奶的手。

"我看见……"奶奶想了想，觉得不好说，于是她低头开始剪纸。

我没办法说出奶奶剪出的东西，它就像我小时候做的手拉手的小人，但是那些小人所有的部分都连接在一起，却又彼此分开，这不是这个世界应该有的东西。

"我看见你们都变成了这样。"

"这……应该是我们在高维状态下的样子。"陈博士饶有兴趣地把玩着手中的剪纸小人。"您还看到了什么？"

奶奶认真地描述了她所看到的画面，但是只有中专文凭的她，只能够用平常的口语描述那些场景，在场几十位世界顶尖的物理学家都无法理解。

陈博士说："三维世界的人，本身就很难想象高维空间的样子，只能用数学的方法进行推算。但是奶奶一辈子都在和剪纸打交道，对高低维互换颇有心得，所以她在实验中突然领悟了高维空间。"

接下来的一段时间里，陈博士和他的团队成天围着奶奶，设计了一项又一项的实验，奶奶顺从地按照他们的指示去做，将之前的理论一一印证。

这是物理学界前所未有的丰收。

奶奶那时已经八十多岁了，连续数周都要与那些亢奋的科学家们打交道，用她本来就有些贫乏的语言来描述目前最高深的知识。我知道她很累，但是陈博士一再恳求我再宽限几天。

直到一个再平常不过的下午，奶奶拒绝了实验的请求，说想出去晒晒太阳。她带着她的宝贝小包，走出实验室，从此消失不见。

面对陈博士惊慌失措的道歉，我无意为难他。我想我知道奶奶去了哪里，只是无法前去找她，不过以我奶奶的性格，加上她能够在更高维度穿梭的能力，想必已经找到一个安静的地方安心地做她的手工了。

如今我已成为第一批跃迁飞船的驾驶员，高维空间理论的完善让我们的技术得到了飞跃式的发展。不过，自我奶奶以后，再没有任何一个人，无论是科学家，还是裁缝，都无法凭他三维的脑子想象高维空间，即使学习两年剪纸也不行。

这一切的理论基础，都是在我奶奶的剪刀下产生的。

梦　镜

1

　　路原站在病房中央，看着心率监控器上的线条有节奏地跳动着，鼻子里满是酒精和消毒液的味道。

　　算起来，路原在这间病房进进出出已经有三年多了，他甚至记得房顶上每一块霉斑的大小和位置。

　　午后的阳光从窗口照进来，在床头柜上留下一大块亮斑。那上面摆着一束康乃馨，还胡乱扔着几本杂志。中午吃完的饭盒还没有洗。

　　路原给花浇了水，收拾完屋子，所有的地方都看了一遍，确实没有需要干的活了。他这才鼓起勇气走到病床前，第一次把目光投向缩在白色被子下的人，他的妻子。

　　沈悦静静地躺在那里，稀疏得如同枯草一般的头发下是一张早已走形的脸，常年的疾病让她骨瘦如柴，原本圆润的脸蛋现在只剩下一张满是皱纹的皮，在重力的作用下耷拉着。

　　正当路原以为沈悦还在熟睡的时候，她缓缓睁开眼皮，时间和疾病没有让她的眼睛失去神采。现在，如同宇宙般深邃纯净的瞳孔正注视着路原。

路原从那眼神里读出了沈悦的意思，她在鼓励他，给他勇气。

路原的心陡然狂跳起来，他的双腿不停地发抖，他不得不伸出一只手扶着床头柜来稳住身体。一根翘起的木刺扎入他的手掌，但他没有感觉到。

"悦……"他轻声地呼唤，又像是在哀求，他希望从那眼神里看到哪怕一丝退缩或者犹豫的神情，给自己一个退出的理由。然而那目光如同钻石一般坚定。

被子的一角动了动，那是沈悦的手指。自从六年前患上卢伽雷氏症之后，她渐渐地失去了对自己身体的控制，现在只剩下右手的两个手指能够勉强移动。用这两个指头夹着笔在便签纸上写字，是她和外界沟通的唯一方式。

谢

沈悦在纸上写道。

这个字破灭了路原最后的一线希望，他的泪水涌出来，模糊了一切。他举起双手，在阳光的照耀下他的双手几近透明。一丝鲜血从手心的伤口流出来，眼泪滴在上面，稀释了血液，红色渗进手掌的纹路里，变成复杂的图案。

终于，路原不再颤抖。他走回床边，认真地看着沈悦的眼睛。

"对不起。"路原在心里默念，然后拿起雪白的枕头，轻轻地按在妻子的脸上。

不知道试了多少次，路原终于将钥匙塞进钥匙孔。他撞开门，却没有进去，而是用头顶着门框，大口地喘气。血管里奔腾的酒精让他感觉像是被扔进了抽水马桶一样，整个世界正在疯狂地旋转。

初夏的晚风吹进这间小小的教师公寓，弄得窗帘飘摆，将书桌上堆放着的层层草纸拂得更乱。书桌的一角摆着一个精致的木相框，尽管相框玻璃已经破碎，布满了蜘蛛网般杂乱的裂纹，但依然可以看到相框里的照片，那是路原和妻子的合影。

路原眼神涣散，他的目光在屋子里四处游移。最终，他发现了那个埋藏已久的相框。他像触电一样猛地站起来，快步走向书桌。他向相框伸出手去，却在半空中又缩回来。他的身体凝固在那里，像是一尊石像，只有手在微微地颤抖。但是片刻之后，他突然狂暴起来，冲上前去，将桌上的东西全都扫落在地。他看着空荡荡的书桌，心里同样是空荡荡的。

"路原？是你吗？那是什么声音？"卧室里传来妻子沈悦的声音。那声音很轻、很慢，语调里混合着爱意与责备。

路原被吓了一跳，他呆呆地看着卧室的方向，可是那边只是一片仿佛能够吸收光芒的黑暗。他脸上满是茫然，似乎想要努力分辨这到底是真实世界，还是醉酒后的幻觉。

"你是不是喝酒了？快去给自己弄点热蜂蜜水解解酒。"声音继续传来，温柔、耐心。

路原却如临大敌般退了两步，正好踩在刚刚掉下来的相框上。相框发出吱嘎的响声，路原低头，看到照片里的沈悦正向他微笑。他大惊失色，从相框上跳开，跌跌撞撞地向大门冲了出去，一路跑出公寓楼。

路原浑浑噩噩地跑在林荫道上，没有目标，只是任由自己的双脚漫无目的地前进。

手机响了，路原没有理会。但铃声固执地响个不停，在深夜的校园里显得格外刺耳。

路原放慢脚步，接起电话。

"路老师，你在哪？"焦急的声音从电话里传出来。是苏晓，他的学生，也是他的助手。

"我……我……"路原犹豫片刻，然后不耐烦地说，"我散步呢，怎么了？"

"刚才你喝了太多酒，突然一声不吭就走了，吴老师正在找你呢。"她停了一下，"明天是我们'梦镜'系统的第一次实验，可别忘了。"

"忘不了。"路原打断苏晓的话，"今天晚上咱们不就是为了这个庆祝的吗？不用你嘱咐，你只管把你的准备工作做好就行了。"

"路老师。"苏晓轻声说，像是在试探，"你的外套没拿，我给你送去吧。"

"不用了！"路原粗暴地挂断电话，把手机使劲塞进裤兜。他抬起头，发现自己站在学校操场的看台上，有两对趁着黑在这里约会的学生正惊讶地看着他。他想了想，突然知道了自己想要去什么地方，他向那几个年轻人抱歉地笑了笑，然后绕过他们向看台的西北角走去。

西北角是看台上最偏僻的地方，这个时候那里空无一人。路原直接横躺在五张看台椅上，仰望着漫天繁星在他眼前铺开，伸向无限远，这个时候路原才觉得完全放松下来。

路原掏出手机，拨了一个最熟悉的号码，然后微笑地等待着。

"我就知道你会打电话过来。"电话几乎立刻就接通了，听筒那头的女声带着自信的语气说。

"你怎么知道。"路原笑了。

"我还知道你现在不是在第十一教室，就是在操场看台。"女声停顿一下，像是在思考，"操场看台，我说得没错吧？"

"嘿嘿。"路原傻笑。

"你现在又躺在那看星星吧，今天是个好天气。"女声得意地说，"你啊，就没别的地方可去。以前你老是带我去那个地方，可是说不了两句话就开始看星星，要不然就是发呆，把我一个人晾在一边。还记得有一次我问你为什么一起出来你却不理我吗？你说'你在我身边我觉得很舒服。'你知道吗？这是我从你嘴里听到的最好听的话了……"听筒那边滔滔不绝地说着，曾经的一幕幕在路原眼前浮现。他没有说话，只是一边微笑一边默默地听着，直到眼皮渐渐变沉。

　　阳光暖暖地照在路原的眼皮上，将他从熟睡中唤醒。他想翻身坐起来，但是马上又咧着嘴躺下——前一夜的宿醉让他的脑袋像是被斧子砍过。他摸索着找到自己的手机，但是手机不知道什么时候已经耗尽了电，大概是昨晚聊得时间太长了吧。他慢慢坐起来，眯着眼看了看东方，金色的太阳已经升到半空，大概十点钟的样子。

　　"坏了，实验！"路原突然想起今天要做的工作，他跳起来，忍着头疼向实验室跑去。

　　实验室是一座陈旧的二层小楼，坐落在学院的一角，还是最早的砖混结构的老房子，几间闲置的房间甚至连窗玻璃都没有，就这还是路原四处游说后好不容易申请下用来做他课题的场地。之前的实验室，只不过有几个模型，几张挂图，一些陈旧不堪的试验器材，学院批了点经费，也是杯水车薪。好在路原说动了老同学吴若飞，拿了资金资助他的研究。短短两个月，许多实验需要的高端设备，或买或租，都置办齐了。不过老吴的资助是有条件的，就是必须全程监督路原的实验。

　　快到实验楼的时候，路原加快了脚步。别看他和老吴是老同学、好朋友，可现在老吴是他的"老板"，而且"老板"数落起路原来可是毫不客气。

转过一排久未修剪的冬青，路原看见苏晓正着急地在门口来回踱步。

"路老师你可来了，给你打电话怎么也打不通。"一看见路原，苏晓赶紧快步迎上来。"吴老师都着急了。"

"这是咱们的实验，他着急个什么。"路原没底气地说。

苏晓吸吸鼻子，打量着路原。这时的路原蓬头垢面，眼睛里全是血丝，衬衫布满皱纹，从嘴里还飘出浓浓的酒气。

"路老师，你……"

"都准备好了吗？"路原抢过话头，他自知理亏，所以不想让苏晓多问。

"准备好了，就等你来了。"苏晓肯定地说。

"可是我现在心情不太好，今天还是取消吧。"一个声音从实验楼门口传来。

路原抬头看去，一个年轻人正站在台阶上，双手抱怀俯视着自己。

"一号实验体，你这是什么意思？"苏晓问道。

"路老师。""一号试验体"向路原露出微笑，好像想表示自己在开玩笑，不过不太可信。"昨天晚上，我们为了今天的实验举行了一个小小的庆祝活动，还记得吧？说是为了向我为科学献身的精神致敬。可是吃饭的时候酒也不让喝菜也不让吃，说要为了今天保持良好的状态，这我理解。可是你们一个个喝得昏天黑地的，今天我一大早就到这了，你猜怎么样？大门紧闭！我在这干等了半个多小时。现在我情绪低落而且感觉有些虚弱，恐怕不适合今天的实验了。"

路原苦笑，不知道该如何作答。"一号实验品"叫周群，是纳米科学应用系的博士生，被苏晓忽悠过来的。这个年轻人头脑敏捷，牙尖口利，在大学时代一直是系辩论队铁打的一号辩手。不仅如此，他的身体素质也好，运动神经发达，在篮球队和足球队都是主力。简直是完美的实验品，不，简直是个完美的人。不过这个小伙似乎雄性激素过剩，有着很强的攻击欲望，尤其是对路原。

"一号！"苏晓提高了嗓门，路原知道这是苏晓替他接招了。"你少来这套，适合不适合参加实验等会儿用数据说话，想喝酒就直说，实验顺利的话，咱俩单挑都没问题。不过现在你要是胡思乱想试图破坏试验，哼，可别怪我跟你不客气。"

苏晓曾经也是辩论队的，在大学时代和周群有过数次交锋，各有输赢之后成了好朋友，颇有英雄惜英雄的味道。本来路原正苦于找不到合适的实验对象，结果苏晓一个电话就把周群搞定了。

"别一号一号地叫，我是有名字的，请对我表示尊重。"

"你现在的身份是实验器材，请摆正你的位置。"

……

两个人进入了激烈的唇枪舌剑状态，路原在旁边站了一会儿，发现这里已经没自己什么事了，于是他绕过两人，走进实验楼。

一楼的一间会议室现在被改成了实验室，老吴已经在里面了。他正戴着脑神经元扫描仪，全神贯注地盯着屏幕，用意念操作着自己的角色和对面的AI打乒乓球。

路原重重地拍在老吴肩膀上："这些可都是几十万元的设备，你用它来玩游戏？"

趁老吴转头看路原的那一瞬间，老吴的对手抓住机会抽了一记刁钻的旋球，小球划着弧线直奔老吴的右下角飞来。老吴集中精神，连身体都跟着倒向右边，但仍然没有够到球。

"妈的。"老吴骂道，他摘下扫描仪，然后站起来，一脸严肃地看着路原，"你觉得这样合适吗？"

吴若飞和路原从五六岁开始就是好朋友，大学毕业之后，头脑灵活的他没有选择继续深造，甚至连本专业的工作都没考虑，毅然决然地下海做生意去了。刚开始不顺的那几年，路原总是感慨老吴走错了路，可是现在，老吴已经小有所成，而路原的研究还是一筹莫展，甚至连经费都得厚着脸皮从老吴那里要。

"不就是输了一盘游戏嘛，有什么合适不合适的。再说那设备是租来搞实验用的，你用它连上你自己编的程序，万一出现故障影响了实验怎么办？"

"实验？你还知道实验？"老吴向前走了一步，"我说的就是实验，你看看几点了？"

路原下意识地缩了一下，手不自觉地去摸下巴。几个月前，老吴在他下巴上来了一拳，到现在好像还时不时地疼那么一下。虽然因为什么而打起来的路原早就记不清了，可是那一拳，再加上实验的投资，让路原乖乖地低下了头。

"那好吧，我们这就开始吧。"路原回避了老吴的目光，他从实验室探出半个身子，看见苏晓和周群的"二人时间"还在继续。他大声叫道："你们两个打住吧，小苏，让一号……让周群冷静一会，准备开始实验了。"

争论停止了，周群挑衅地看了看苏晓，昂着头先走进实验室，苏晓毫不示弱地在他后腰上掐了一把。

实验室被一扇大玻璃窗分隔成操作室和观察室，路原站在玻璃窗前，等着苏晓对周群进行常规检查。

"没问题。"苏晓的声音从头顶的喇叭上传来。

路原对苏晓点点头，于是她开始将全息头盔、脑神经元扫描仪以及各种生理监控传感器戴在周群身上。现在的周群就像是被困在蜘蛛网里的小虫。

苏晓很熟练地完成了准备工作，路原看看身旁屏幕上的各种数值和曲线，一切正常。

　　"好了小苏，你过来吧。"路原通过话筒对观察室里的人说，"周群，那么我们准备开始第一阶段的实验了。"

　　周群的脸完全覆盖在全息头盔之下，看不到表情。他竖起右手的大拇指，表示准备好了。

　　路原又看看苏晓和老吴，然后轻轻按在表示启动的绿色图标上。

　　全息头盔开始向周群展示精心挑选的图片、声音以及模拟出的气味，每一个场景都带着或多或少的暗示信息，会激起被试者的情绪反应。而脑神经元扫描仪忠实地记录着周群大脑里每一个神经元的动作，大量数据通过不同的电缆源源不断地传输到七百公里外由480颗处理器组成的独立服务器中，再将这些数据通过"梦镜"系统建立起周群的初版性格模型。

　　路原、苏晓和老吴三个人都不说话，只有屏幕上的图形在不断地跳动，显示着周群的身体信息。

　　"路老师，很顺利啊。"苏晓突然开口说。

　　"别急，这才第一阶段。"

　　"一定会成功的，那样的话……"

　　"小苏。"一直坐在角落里的吴若飞突然开口，打断了苏晓。

　　苏晓回头，和老吴交换了一个眼神，老吴轻轻地摇摇头。

　　路原看着大玻璃中自己模糊的身影，完全没有注意到老吴和苏晓之间的交流。

　　实验室里再度陷入沉默。

　　老吴第一百次从兜里掏出烟盒又塞了回去，最后他仍然没有战胜烟瘾，跑出实验室去抽烟了。

路原抬头看看屏幕上的进度，离第一阶段结束还有二十分钟。

二十分钟之后，数据将经过整合运算形成初期性格模型。之后是第二阶段，"梦镜"系统会诱导周群进入深度睡眠状态，然后根据初期性格模型有针对性地再次进行模拟环境的投射，激发他更深层次的记忆和情感。第二阶段结束后，"梦镜"系统会再次进行整合，第三、第四阶段都是同样的过程，但每一次都比前一次更详细、更准确，越来越多的细节会填满之前粗糙模型留下的缝隙，直到性格模型和周群的同步率达到90%左右。如果想再进一步的话，所需要的时间和得到的数据会呈指数级上涨，而且周群将面临随时崩溃的局面。也许有一天，技术手段的提高能够更容易达到新的标准，但对于路原来说，90%就足够了。

路原犹豫了片刻，转头对苏晓说："这里暂时没我的事了，你按之前的方案操作就行，我走了。"

"你说什么？又打算开溜？路原，你是不是有些过分了。"抽完烟回到实验室的老吴正好听到路原的话。

经过老吴的时候，路原的步伐似乎放慢了些，但他仍然没有回应老吴的质问，直接走了。

"吴老师，我们打算瞒到什么时候？路老师他……"确定路原离开了，苏晓才开口问。

"等这次实验完成吧。"老吴看着操作室里的周群，"希望路原能够成功，我们的时间不多了。"

2

风吹得路两旁的梧桐树沙沙作响，阳光透过树叶照在路面上，小小的光斑跳动着，像是正在奔跑的金钱豹。

路原走在小路上，蓬头垢面的形象引起不少人的注意。但他毫不在意，反而面带微笑地越走越快。明天的这个时候，实验就能够完成了，一切将会改变。他想把这个消息告诉那个人，于是他掏出手机，可是看到的只是黑漆漆的屏幕。

电池早就没电了。

路原拍拍自己的脑袋，向教师公寓跑去。

公寓的大门仍然大敞着，保持着路原前一天晚上逃命似地离开时的样子。好在校园里没有什么不怀好意的人到处乱逛，再说他的公寓里也没什么东西值得一偷。

路原走进屋里，看着一屋子的狼藉苦笑。他从抽屉里找出备用电池换上，然后弯下腰开始收拾一地的书本和演算纸，当那个相框出现在他的目光范围时，他的动作停止了。

相框里的照片还是路原和沈悦结婚之前照的，那是他们第一次也是唯一一次旅行。不习惯照相的他一脸不自然的紧张表情，而身边的沈悦大方地搂着他的脖子，脸上带着由衷的笑容。照片的背景，是纯净得像蓝宝石一样的天空。

路原把相框在书桌上摆好，久久地看着照片上的妻子，突然他像下定了什么决心一样，扔下手里刚捡起来的书，转身向卧室走去。

路原停在卧室门前，却没有伸手开门。不锈钢门把手将他的脸映得肥硕古怪，仿佛在嘲笑他的神经质和懦弱。

"唉……"不知过了多久，一声长叹将发呆的路原唤醒，"路，你可以和我在电话里说一整晚的话，却不愿意见到我吗？"

"我……"路原舔舔嘴唇，张了张嘴却不知道说些什么。他深吸一口气，推开了卧室的门。

卧室很小，一张简单的双人床占据了大半的空间，床上的被褥随便团成一团扔在床脚，已经很久没有人收拾过了。床头边是一张电脑桌，桌上放着几本书，还有一台电脑。路原坐在电脑前，却不知道看向哪里。

卧室里很安静，只有摄像头对焦时发出微微的咔咔声。

"你看你的样子，也不拾掇拾掇。"音箱里传出沈悦埋怨的声音。

"我……"路原摸摸脸，傻笑两声，盯着桌子边缘的一处磕痕，不敢抬头。

"你还是不敢看我。"音箱里的声音幽幽的。

"我……对不起……我……"

路原鼻子有些酸。电脑里运行着沈悦的人格镜像，她完全复制了沈悦的记忆和感情。但是由于路原的个人电脑机能的限制，这个镜像无法将短期记忆向长期记忆区转移，也就是说她只能保存最近40多个小时的记忆，然后就被新的记忆所覆盖。

每次沈悦都会这样埋怨路原，重复了几百次，而每次路原只能小声地道歉。因为他现在越来越无法将那只塑料摄像头和他妻子的眼睛联系起来，他不敢看她。

"我……对了，告诉你，我们的实验今天已经启动了。"

"什么？"

"'梦镜'现在已经开始进行实验了。"路原说着，眼睛却盯着自己的指甲，"如果成功的话，我们就是世界上第一个复制人类人格模型的人，我们会改变世界的。"说到实验，路原兴奋起来，"等筹到专项资金，我就可以有自己的实验室，有自己的专属服务器。到时就可以解决你的记忆问题了。而且……"路原换了个姿势，看着房顶的一角露出了笑容，"我想到那时我就有时间多陪着你了。"

"是吗！实验很顺利吧？"

"应该没问题。你还记得周群吗？我找来他做第一个实验对象，他各方面条件都很棒，错不了的。"

"周群？就是那个总是和苏晓在一起的小伙子吧，我见过几次，挺精神的。"

"没错。"

"苏晓总在我面前提起他，你说他俩是不是有点那个啊。"相对于实验，沈悦显然对这些八卦的消息更感兴趣。

"我哪知道，操你的闲心。"路原笑了，他低头，寻找妻子的眼睛，这时她的眼睛应该笑成了一道缝。然而他看到的，是那个黑色的摄像头。他的动作停住了，笑容凝结在脸上。然后他摇了摇头，像是想把脑子里的摄像头形象甩开。

"我……我要走了，去看看实验怎么样。"他不等沈悦回应，便起身向卧室门外走去。他在门口处停下脚步，背对着电脑说，"实验一定会成功的。"

"嗯，我相信你，只是……只是别给自己太多压力。"音箱里响起沈悦嘱咐的声音，却无法模拟她默默的哭泣。

"路，谢谢你。"这句话被路原关在门后，他靠着门，试图驱散那个咔咔作响的摄像头的样子，但那图像却越来越清晰。而那个曾经发誓相守一生的可爱面容，渐渐地模糊了。

路原走出公寓楼，发现厚厚的乌云不知道在什么时候已经遮住了太阳，天地间一片铅灰色。风里夹杂着一丝潮气，这是个多雨的季节。他裹紧衣服，快步向实验室走去。

实验楼门口已经扔了一堆烟头，其中有一个还亮着微弱的火光，看来老吴刚刚还在这里抽烟。

走进实验室之前，路原趴在门上的小窗口看了一眼。老吴仍然全神贯注地玩他的乒乓球游戏，苏晓正目不转睛地看着观察室里的周群，紧张地咬着大拇指。路原走进去的时候，两个人都没有明显的反应。

实验已经进入第四阶段，"梦镜"和周群之间的交流已经不再是正常人类的方式了，根据前三个阶段的数据收集和分析，"梦镜"不再向周群随机地投放信息。而是选择那些最能够刺激周群潜意识的环境。一张图片、一段声音、一种气味，都会唤醒周群脑部的一系列反应，有的记忆甚至是周群自己都已经忘记了的，现在都被挖掘、被捕捉、被记录。

此时屏幕上显示着周群的大脑皮层活跃信息，被激发的神经元瞬间点亮，又立刻熄灭，让路原想起新闻发布会上记者们的闪光灯。

"多长时间了？"路原问。

苏晓看看表："第四阶段开始了十五分钟。"

由于第四阶段的信息量十分巨大，这一阶段的时间最短，必须保持在三十分钟以下，否则被试者的大脑很可能因为负荷过大而受到影响。第四阶段结束后，再经过"梦镜"系统十个小时的整合运算，就可以模拟出周群的性格模型了。

"应该能够成功吧。"苏晓像是自言自语地说。

"一定没问题的。"路原干脆地回答。

"这么有信心？怪不得实验的时候自己撒手不管了。"老吴在背后插嘴，故意拖长音调表达自己的不满。

路原不自在地缩缩脖子，没有回答。

"到了明天，我是不是能从'一号人格'那里套出点周群的小秘密啊？"苏晓想试着换换话题。

"那也不一定，"路原故作神秘地笑了，"如果达到了预期的效果，'一号人格'的脾气秉性和周群完全一样，到那时你可要同时对付两个周群了。"

"不会吧。"苏晓吐了吐舌头。

实验结束的灯亮了，苏晓走进观察室，轻手轻脚地移除连在周群身上的各种线缆。

摘掉全息头盔后，周群缓缓睁开眼睛，眼神里带着迷茫。这一整天他有一半的时间处于强制睡眠的状态，同时还做着复杂奇怪的梦。

"嗯……你在干什么？"周群看着苏晓在自己身上忙活，含糊不清地问。

"别装傻。"苏晓在周群脑袋上轻轻一拍，"来，转个身。"

"好吧。"他答应地爽快，但是身子软绵绵的，没动。

"小苏，别刺激到他，慢慢来。"路原隔着玻璃对苏晓说，"把他带到隔壁去测试一下各方面的能力。"

"你听见了，快跟我走吧。要是考100分我给你买糖吃。"苏晓在周群头上胡乱摸着，这样的机会可是少有的。

路原目送苏晓拉着还没清醒的周群去了隔壁测试，一转眼发现老吴正双手抱胸看着他，一副"该谈谈正事了"的样子。

"怎么？"路原率先开口了。

"你到底是怎么想的？"

"你什么意思。"

"我说的是实验。"老吴猛拍桌子，"当初是你来找我，求我资助你的实验。我二话不说答应了，你需要的全给你搞来。可是你呢，最近不是故意喝醉就是玩失踪。我知道沈……"老吴猛地停住，在实验完成之前不提这件事，这是他自己定下的规矩。

"说下去。"路原的脸上像结了一层霜。

"没错，沈悦的事对你打击很大，但是你必须集中精力。这个实验

298

到底是为了什么，请你认真点。你的时间不多了。"

"这才是第一次实验，服务器的租期还有两个月呢。"路原耸耸肩。

"路原你……"老吴上前一步，"你不要太过分。"

路原心头也冒起一股怒火，和老吴认识了二三十年，吵架的次数数都数不清，但老吴从来没有像今天这样过，吞吞吐吐地更让人生气。

"吴若飞！"路原也上前一步，直视着老吴的眼睛，"现在我要让你知道：第一，尽管实验的资金是你的，但这个实验是我的实验，你少插嘴；第二，我和沈悦的事，你更管不着！"

"好，好。"老吴无奈地点点头，"那我也告诉你两点：第一，你的时间真的不多了；第二，总有一天你会明白，这件事跟我们每个人都有关系。"

老吴气冲冲地向外走去，迎面碰上做完检查的苏晓和周群。

"吴老师，咱们去庆祝一下吧。"苏晓兴高采烈地说。

"是啊是啊。"周群应和道。

"呃……不了，我公司还有事。"老吴侧身从苏晓身边蹭过去，头也不回地走了。

"吴老师！"苏晓这才发现这里的气氛不对，她看看老吴的背影，又看看路原，"路老师？"

"我也不去了，今天都很辛苦。你们先回去吧，明天早晨早点来。"路原挤出一丝生硬的笑容。

周群拍拍苏晓的肩膀，拉着她悄悄地离开了实验室。

实验楼里只剩下路原一个人，他坐在电脑前，看着屏幕上变化着的屏保发呆。

外面下起了雨，实验楼里的某处也传来滴答滴答的声音，像是什么地方漏了。

路原站起身，走到楼门口，外面一片漆黑，楼里的灯光映着雨丝，像是密密麻麻的银线。

3

酒精和消毒水的味道让路原知道自己又回到了那间病房，心率仪发出的嘀嘀声震耳欲聋。路原感觉到后背发凉，他猛地回头，发现一双手正伸向他的脖子。路原转身就跑，但医院的走廊似乎没有尽头，他自己的脚步声在走廊里回荡，仿佛有无数只脚在跟在他身后。终于，面前出现一扇门，但路原却死活开不开它。手越来越近了，那双手干枯、消瘦，像鸡爪子一样，伸向他的脖子，这是……

路原猛地醒了，原来是个梦。但是对于他来说，那也是一段真实的回忆，他曾经被束缚在那个病房，许多年来过着同样的日子：给沈悦念书，帮沈悦翻身，全身按摩擦洗，倒屎倒尿……

"梦镜"的想法就是在那个时候产生的，路原独自开发了初版的梦镜系统，复制了沈悦的人格模型。当电脑的音响传出沈悦的声音时，路原已经五年多没有和妻子说过话了，那一刻他激动地哭了，像个孩子，弄得沈悦的镜像都不知所措。

然而问题随后出现了，沈悦的镜像无法将短期记忆转存到长期记忆的存储区，只会被新的记忆覆盖。

但是她有沈悦所有的记忆，路原就这样一遍一遍地和沈悦的镜像一起回忆过去。他们不停地聊天，沈悦的镜像会忘记之前说过的话题，就像得了阿兹海默症的人一样，聊天的话题不断轮回。

即使这样，也让路原觉得无比幸福。幸福到几乎忘了那个仍然躺在病床上的人，只有在梦中才会找到那种熟悉而压抑的感觉。

路原看看四周，发现自己是趴在实验室的桌子上睡着了。雨已经没了声音，窗外的天空发出青灰色的光芒，天快亮了。屏幕上的倒计时显示，离整合运算完成还有一个多小时。

路原索性不睡了，他在走廊里活动活动了一会腿脚，简单洗漱了一番。当他回到实验室时，苏晓已经到了，还带了热腾腾的馄饨。路原这才想起自己已经一天多没吃东西了。

路原狼吞虎咽地吃完馄饨和油饼，一抬头发现周群不知道什么时候也来了。

"路老师。"周群客气地点头。

"早。"路原微笑，"紧张吗？"

"我不知道，一会会出现什么情况？"

"你就当是自言自语好了，只不过这次有我们在旁边听着。"

周群撇撇嘴："我还是想象不出那种场景。"

"到时候就知道了。"

整合运算完成了，屏幕出现了一个对话框，只要轻点一下，就可以唤出周群的性格镜像了。

"请吧。"路原示意由周群来启动程序。

"不等吴老师吗？"

"不用等了，他不一定会来。"路原头也不回地说。

周群舔舔嘴唇，按下了按钮。

一张3D模拟的脸在屏幕上浮现，这是按照周群的模样做的，但是有些偏卡通风格。

那张脸保持着严肃的表情，沉默不语。

"呃……你好。"周群试探着问好。

得到的回答仍然是沉默。

大概过了一分钟，周群有些沉不住气，他看看苏晓，耸耸肩。

"你好。"苏晓说。

"呃……你好！"音箱里传出来的模拟声音比周群的要低沉些，还带着金属的感觉，"是苏晓吗？"

"是我，你还好吗？"

"嗯，感觉有些奇怪，刚才有个陌生的男人的声音向我说话，我没理他。"

"……重色轻友。"周群小声嘟囔。

"那是因为你之前听到的自己的声音是通过你的头骨振动传播的，而现在你的声音来自于另一个人。"路原解释说。

"另一个人？这么说……"声音停顿了一下，"实验成功了，我是那个镜像？"

"是的，你是世界上的一个人格镜像。"苏晓笑笑，看向周群，"你终于拿了一次第一。"

"是啊，现在你看我是不是更眼红了。"周群和他的镜像同时说，愣了一秒钟之后，他们同时大笑。路原满意地点点头。

"别开玩笑了，你只不过算是路老师的实验成果而已，成绩应该算在我头上。"苏晓觉得自己的话有些不妥，她吐吐舌头，"至少四分之一算在我头上。"

"那个……我……周群，这么叫真是奇怪。"人格模型没有理会苏晓的辩解，"你能往前走几步吗？为什么我看你这么别扭。"

"这个大概是因为你平常在镜子里看自己都是平视，可是现在通过放在桌子上的摄像看，所以觉得需要仰视才行。"路原再次充当说明书的角色。

"那为什么看苏晓没有问题。"

"因为她的个子比较低，差异没那么大。"

"嗯，好，好。"

苏晓突然反应过来："好啊你，借路老师的嘴挖苦我！"

苏晓一脚踢在旁边正笑呵呵旁观的周群小腿上，周群单脚蹦了起来："疼死了，是他说的你踢我干什么？"

"我不管，你们本来就是一个人。"苏晓还想再踢，周群蹦着躲开了。

嘀，嘀，嘀。

从音箱传来的警报声让苏晓和周群停止了追逐，屏幕上的卡通脸一副疑惑的表情。

路原呼出"梦镜"系统的后台界面，数据显示，有大量无法解读的信息正在溢出。

"这是……一个死循环？"苏晓凑过来，看着数据说。

"你好，你还在吗？"路原对着摄像头招招手。

"还在还在，别吵！"周群的镜像说。

路原和苏晓看向周群，周群摊开手："他听上去有些不高兴。"

"你现在感觉怎么样。"苏晓问。

"我不知道，从刚才开始，就好像缺点什么，这让我很烦躁。而且那种缺失的感觉越来越明显，但是我不知道那到底是什么。我试着想这个问题，或者试着忽略这种感觉，都没用，它就在那里，这让我浑身难受。"

"默数十下。"周群说，"我……咱们想冷静的时候，就用这种方法，记得吗？"

"默数个屁！"镜像突然爆发了，音箱里传来的声音震耳欲聋，震得实验室中间那块大玻璃嗡嗡作响。"谁跟你是咱们？我们是一个人吗？不是，我只是你拿来向苏晓示好的礼物罢了。你把我贡献出来，像小白鼠一样观察，将来还会被拆开、分解、研究。这些你当然不在乎，因为你根本感觉不到。但是我知道，因为我现在就被关在一个黑箱子里。"

路原皱起眉头："你冷静一下，没有人会再来解剖你，你已经是一个完整的人格模型了。而且以后我们会给你开放一些互联网端口，你所能拥有的空间会比我们所有人的都大。"

"闭嘴！"镜像吼道，"你也想给我开空头支票吗？你曾许诺给苏晓一个大好的前途，结果呢，她最宝贵的几年时间在做什么？伺候病号！现在，你老婆刚死，你就开始缠着苏晓做研究了。我什么时候给她打电话，她都说你找她有事。别看你日子过得一团糟，没想到你趁你老婆病着的时候就留好了后手，也不撒泡尿照照……"

路原的脸色变了，他扭头看着屏幕，数据溢出越来越严重。

"你……"

镜像还想再说，苏晓冲上前去关掉了程序。

"够了！"苏晓对着屏幕叫道，然后狠狠地看了周群一眼，哭着跑出实验室。

"等等！"周群跟了出去。

周群跟着苏晓跑出了实验楼，她在花坛前停下。周群看着她因为抽泣而抖动的肩膀，不知所措。

"对不起，我，呃，我不知道该怎么说，我没那个意思，真的。"周群支支吾吾地道歉，"要不，你踢我两脚？"

苏晓叹了口气，转过身来，脸上还挂着泪珠。

"我知道这不怪你，不过这确实是你心里的想法吧？"苏晓说。

"我……"

"我知道你的心意，但是这里有个误会，其实我早应该告诉你的。"苏晓擦擦脸上的泪，"路老师的妻子没有死。"

"什么？这是你们亲口说的，而且，如果没有死的话，他怎么有时间搞研究。"

"这也不怪他。"苏晓垂下眼睛，"沈悦姐病了六年，路老师一天天看着她变成那个样子。大概是不想她再受苦了吧，路老师打算帮助她解脱。"

"你是说……"

"路老师想让沈悦姐安乐死。"苏晓叹了口气，"可是他那么做的时候，正巧被吴老师看见。吴老师一拳打在他的脸上，他从地上爬起来跑了，我们找了三天都没找到他。可能是那时候的压力太大，三天后他自己回来时，完全忘了他想杀掉沈悦姐这件事，而是向吴老师提出了一套理论，就是'梦镜'系统。我和吴老师商量了一下，如果'梦镜'完成的话，也许能够真的复制沈悦姐的人格镜像，这样他们两个还能重逢。所以我们开始全力支持他的研究，而且还要代替他去照顾他的妻子。我有时候跟你说在忙研究的事，实际上是在医院陪沈悦姐。"

"我明白了。"周群郑重地点点头，"对不起，我错怪你和路老师了。我一直以为他……"

"我知道，你这个傻瓜。"

"那我们赶紧回去吧，早点找出问题，这个实验就能早些完成。"

"你必须向路老师道歉，你的话太过了。"

周群和苏晓正准备返回实验室，这时小路上跑来一个人，是老吴。

"吴老师，你怎么……"苏晓停住了，因为她看到了老吴脸上的表情。

路原检查了两遍系统，仍然找不到原因。所有的程序和在家模拟沈悦那套一模一样，但为什么会有这么多系统无法解读的数据，而且周群镜像的脾气为什么会变得那么火爆。

路原正准备检查第三遍，门开了，老吴走进来，后面是苏晓和周群。

路原看了一眼老吴，转过头继续检查数据，一只手却按在他肩膀上。

"我们走吧，路原。"老吴说。

"去哪？我还要再检查一遍，一定是哪有问题，明明成功了的。"路原头也不回。

"走吧，去医院，不然来不及了。"

"你到底什么意思！"路原烦了，猛地甩开老吴的手。

"沈悦快不行了，你现在过去还能见她一面。"

"沈……"路原站起来，看着老吴的脸，"你胡说，她……她……"

"她已经死了？没错，你是想杀了她，但她没死。"

"我想杀了她？"

"吴老师，别这样刺激他。"苏晓喊道。

"我还有更刺激的。"老吴冷笑，"听说这叫场景重复。"

老吴说着，抡起一拳打在路原的脸上，将他打翻在地。

脸上的疼痛像一记闪电刺入路原的脑海，将一切照得清晰无比，他想起来了。

"我……"路原躺在地上，背叛和离弃的罪孽像一根烧红的铁条一样贯穿了他，他痛得无法控制自己的身体。

"想起来了？"老吴俯视着路原，"那就快走吧。"

老吴拖起路原，和苏晓对视一眼，向门外走去。

"开快点！让开让开！"老吴开着车在车流中挤来挤去，嘴里不停地嚷嚷。

路原缩成一团坐在车座上，低头不语。

上了环城高速，前面的路开阔许多，老吴才停止咒骂。他冷眼看着路原说："你都想起来了？"

路原无力地点头。

"六年，对你来说真的不容易，亲眼看着沈悦一天天变成那个样子。所以，你想帮助她解脱，虽然方法太过了，但我们都能理解，包括沈悦也谅解你了。不过，幸好当时被我看见，不然你现在早就进去了。"

"呵呵。"路原冷笑，"收起你们的谅解吧，你们都猜错。"

"你这话什么意思？"

"我并不是想让她解脱，你明白吗？"路原坐直身体，看着车窗外，"我那时已经失去了理智。那个时候，我真的讨厌她，只想摆脱她。"

"路原，现在不是犯浑的时候。"

"真的。"路原深吸一口气，"我复制了沈悦镜像。"

"什么？"老吴一惊，转向路原，车子打了个晃，老吴赶紧稳住，"那你为什么还要耗时间找我弄这个实验？"

"我不想让她走到台前，她一直是一个比较内向的人，应付不来公共场合的。所以我需要另一个成功的人格镜像。而且，沈悦的镜像还有些瑕疵。"

"瑕疵？"

"她的记忆系统有些问题，我猜测和我电脑的性能有关，短期记忆实时大量地涌入，电脑无法同时处理这么多的数据。但是除了这一点，她有沈悦所有的记忆。你知道，那时我已经四年没有和沈悦说过话了，那个镜像让我又回到从前。我们聊着所有在一起时的故事，感觉又回到了过去。我们越聊，我越觉得这才是真正的沈悦，那个我爱的沈悦，而不是一个只能吃喝拉撒的躯体。"

"所以你……"

"是的，我那时真的迷失了。"路原不再说话，只是看着外面单调的风景发呆。

车停在医院的停车场，路原下了车，却不敢迈步，他踌躇地看着老吴。

"你还有道歉的机会。"老吴说，"你自己不去的话，我就揍你一顿，然后把你拖进去。"

路原盯着自己的脚尖，犹豫不决。但是在老吴动粗之前，路原走了进去。

医院的走廊像梦中那样幽暗而漫长，路原在这里来回了无数次，他毫不费力地找到了那间他曾逃离的病房。白色的木门虚掩着，门把手上的电镀已经脱落得差不多了，露出底下黄褐色的锈迹。他提着门把手，轻轻将门推开。他知道，直接推门的话，老朽的合页会发出刺耳的叫声。

路原走进病房，放久了的被褥发出的霉味和排泄物的气味混合着扑面而来。对他来说，这是再熟悉不过的气味了。

一个矮胖的人影从他身边走过，出了门，应该是老吴请的护工。

现在病房里就剩他们两个了。路原向前迈了一步，然后又是一步。

雪白的被单勾勒出沈悦瘦弱的躯体，她的头露在外面，比记忆中的更加干扁，只有眼睛还是印象中的那样深邃。

沈悦的眼睛就有那样的魔力，路原渐渐冷静下来，他跪在床边，握住沈悦的手。

路原张开嘴，却不知道说什么，只是小声地重复着"对不起"三个字。

手心里传来微微的颤动，过了好一会路原才意识到那是沈悦的手指。

路原松开手，看着她颤颤巍巍地在便签纸上写字。

她

路原沉默片刻，说："她很好，和你简直一模一样。她记得我们之间所有的事，连脾气和你都一样。就连我说的那些蹩脚的笑话，她都会像你似得笑个不停。"路原不由露出一丝微笑，"但是我的'梦镜'系统还有些缺陷，她一直不能产生长效记忆。不过实验就快成功了，到那时有了专门的服务器，她就……"

路原絮絮叨叨地说着，一会儿哭一会儿笑，有时还挥动两下手臂。他一直说着，直到一只手按在他肩膀上。他心里一凉，但是他还是继续说着他和她之间的故事不肯停下，肩膀上的手加重了力量。

路原停下，看向沈悦，眼泪让他面前一片朦胧。妻子纯净的双眼已经失去了光泽，心率监控器上滑过一条笔直的线。路原看见一滴眼泪挂在沈悦的眼角，那里倒映着他的整个世界。

几个护士冲进病房，将路原推在一边。路原眼睁睁地看着，那滴眼泪落在地上，摔得粉碎，又被无数只脚踩过。

同样被踩过的，还有沈悦的便签纸，那上面是她还没写完的最后一个字：

谢

4

一个月后。

"这还有三个星期，服务器的租期就到了。"周群跟在苏晓身后，走进教师公寓。

"你又来了。"苏晓有些无奈。

"实验一筹莫展,你那位路老师自从他老婆去世后一句话也不说,每天就坐在那里发呆,等着你伺候。"周群嘴里不停,"我是说你也得为你自己考虑考虑了。你看你现在,哪像个博士,整个一个保姆。"

"得了得了,这不是还有三个星期吗?说不定路老师就想出解决的办法了。"苏晓转过身,严肃地对周群说,"一会儿进去,你把嘴管牢啊。不老实的话,我就去收拾你的人格镜像。"

"太过分了吧。"周群撇嘴。

苏晓打开路原公寓的门:"路老师,饭来了,今天食堂有土豆烧牛肉哦。"

没有人回答,苏晓在公寓里转了个遍,没有路原的踪迹。

"你看这是什么?"周群叫道。

书桌的正中,摆着那个相框。相框里的玻璃已经换成了新的,闪闪发亮。一张纸压在相框下面,上面写着苏晓的名字。

苏晓:

作为一个研究性格和记忆的人,却弄丢了自己的记忆,还有比这更讽刺的事情吗?

周群的镜像那天说得很对,作为导师,我在事业上没有给你更多的帮助,反而耽误了你这么长时间,这让我很惭愧。

这段时间我重新检查了沈悦和周群的镜像,发现了错误的原因:"梦镜"系统是在沈悦的镜像基础上修改而成的,因为沈悦得病多年,掌管运动的大部分神经元已经萎缩,不再活跃。而从我的内心却拒绝承认沈悦是一个残缺的人,正因为这样,以她为基础开发的"梦镜"系统

310

从本质上就是残缺的。所以，在周群的镜像产生想活动肢体的意识时，系统数据溢出，发生了错误。

我知道对于你来说，解决这个问题不难。所以我已经将"梦镜"的权限全部开放给你了，希望你能将它完善。

我还有必须要办的事情，所以，我再一次逃避了自己的责任，真是不好意思。

希望我们的研究取得成功，祝你一切顺利。

PS：替我向老吴道谢，我不敢见他，怕他揍我。

路原

几个月后，苏晓和吴若飞对外公布了完成版的"梦镜"系统。周群和他的镜像在发布会上的完美配合给人留下了深刻的印象。

在实验楼新安装的服务器组里，无数数据在硬盘、内存、处理器、线缆里流动。其中一组有规律的数据，组成了这样一段对话。

是你吗？

是我，多亏了苏晓，她将"梦镜"完善到了一个我之前没有想到的高度。我终于可以来陪你了。

你的研究都交给苏晓了？

是啊，你走了，我也没什么可留恋的了。

那你……

他们把咱俩撒在海里了，一直说带你看海，没想到最后以这种方式去的。现在咱俩的身体在一起，精神也在一起。那句话怎么说来着？尘归尘，土归土。

傻瓜，那句话不是这么用的。

一阵短暂的沉默。

谢谢你，为了我做到这样。

不，谢谢你，世界上还有谁能让我这样。

无数个新年

1

"来，拿着。"奶奶微笑着，伸出捏着红包的手。

"不用了奶奶，我都毕业两年了，还给什么红包啊。"我假意推托，眼角的余光却盯着我爸。

"拿着吧，早都准备了，明年就不给了。"奶奶执意要把红包塞到我手里。

我等着老爸脸上的表情放松，大概是看到我秉承了他谦让的美德，他露出笑容，我便不再推辞，把红包放进口袋。

"谢谢奶奶！祝您新年快乐。"

我坐到一边，看着奶奶去追着蛋仔——我表哥家的孩子，我的表侄子——塞红包，那孩子理都没理，把红包扔在地上，大姑悄悄地捡起红包收起来。

这场景我看了几百遍？

三百六十四遍。

我不用数就知道红包里有多少钱，还知道如果我不去拦的话，蛋仔一分钟之后就会撞在桌子角上，足足哭21分钟，直到电视里郭冬临光着头出来，满场找媳妇，蛋仔才会流着鼻涕笑出声来。

我知道这一天之内发生的所有事。

因为我被困在了这里，被困在了大年初一

准确地说，从大年三十的下午五点四十八分，到初一下午五点四十七分。时间在这两点之间结成了环，我成了在这个环里狂奔的仓鼠。

我不知道这是怎么发生的，当时我正和二姑、二婶还有堂哥四个人一起打麻将，我已经连坐了三庄，然后又摸到一张七条——自摸。我想当时我可能说了"真希望我的日子每天都像今天这么好"之类的话，这话大概被哪个路过的神明听去了，突发奇想地满足了我这个小小的要求。于是我打完了那场麻将，全家人一起吃了年夜饭，边看春晚边吐槽，放鞭炮。第二天起来全家人相互拜年，看重播的春晚，吃午饭，打麻将加闲扯，然后，眼前一花，我手里拿着一张七条正在傻笑。

第一次循环的时候，我还没弄清楚什么状况，两场麻将之间简直是无缝对接，过年吃的饭菜也都雷同，重播的春晚和首播也没什么区别，再加上睡眠不足，我就那样浑浑噩噩过了三次大年初一，才猛然醒悟过来事情有什么不对。

于是他们再叫我打麻将时，我拒绝了，趴在阳台上看外面飘起的雪花，结果"啪"的一下，我又坐回到麻将桌前，手里捏着七条、

每到下午的五点四十七分，无论我在做什么，都会回到前一天的麻将桌前。

我看了上百遍春晚，打了几千圈麻将，吃了上万个饺子，还从我奶奶手里接过了合计十几万元的压岁钱，但是始终没机会花出去。

除夕夜我和堂哥在客厅打地铺。我们整个家族的人这天晚上都住在奶奶家那九十多平方米的房子里，任何能躺下的地方都塞满了人。

这个时候我不得不佩服奶奶的先见之明，十几年前我父亲这一代凑钱给奶奶买了这套房子，老太太把所有超过一米见方的地方都摆上了床，尽管一年里有三百六十天都没有人睡，但是每到过年我们全家人都回来的时候就不愁住的地方了，就算是在外出差的大姑父、回南方娘家探亲的表哥表嫂还有外出旅游的表姐表姐夫一起回来，也一样能够住得下。

过年嘛，就得这样热热闹闹。

除夕夜零点的时候要去放炮（我们三线县城的限制不多），这样的事自然落在家里的年轻小伙身上，就是我和堂哥。炮一放完，长辈们便对本来就很无聊的春晚失去兴趣，纷纷去睡了，我和堂哥顶着一头的火药味在客厅打地铺。

堂哥比我大三岁，在我们这一代人之间岁数相差最小，两家离得又近，于是每到寒暑假我便会被送到二叔家住，或者堂哥过来我家。那时候生活简单，路上也没有许多车，堂哥带着我几乎整天在外面玩，进行着一场又一场的冒险，多出的三年阅历在我眼里几乎就是一切，我所有的问题他都能够解答，不能解答的他都会微微一笑，胸有成竹地说："在乎那些干什么，没用！"

后来堂哥高考失利，二叔二婶把堂哥安排进了本地技校，学了一门手艺，现在在一家汽修厂当大师傅。

堂哥躺在被窝里，夸夸其谈，讲述着汽修厂里的见闻。在大老板的奔驰手套箱里发现的秘密U盘、外地司机鬼鬼祟祟地来修保时捷卡宴、二奶的捷豹……

各种车、各种人，但都有一个共同点：豪车+不可告人的秘密。

表哥讲得生动，虽然这些故事只是临睡前的闲话，是真是假都无所谓，堂哥也许不过随口一说。但听过几十次之后，我总是觉得这些故事里面有别的意思。

每个故事都有同一个开头，讲到中途的时候，堂哥会停一停，我就会评价一番，再提出一些猜测，然后接下来的故事就会变向，就像火车驶上不同的道路，重复几百遍下来，那些故事都会演化出几十种不同的版本，有好的结局，也有坏的结局。

结局并不重要，重要的是他用出乎我意料的故事来证明我猜不透这个世界。

我上了大学，毕业后留在一个中等城市打工，家里谈起的时候，有些以我为荣的意思。但是在堂哥眼里，我仍然是他的弟弟，理所当然要比他矮一些。

我们就像拿故事打牌，他说一段，我来猜，然后堂哥用我猜测之外的故事来压住我，以此来证明留在县城的自己比走出家门的我要见多识广，好像无常的命运站在他这一方。

那些故事，在讲述人嘴里说出时还是崭新的，可是听到我耳朵里，却已经重复了无数遍。我尊敬堂哥，但也对他的吹嘘感到厌倦。我胡乱对付两句，便翻个身睡去了。

3

大年初一的早晨总是从鞭炮声开始，但是那点声音还不会吵醒我，直到蛋仔把昨晚剩的凉茶泼在我和堂哥脸上，每一次。

占据着客厅中央的我们是全家起得最晚的，我们爬起来，把弄湿的褥子收进衣柜——大年初一可没地方晾。

早起的奶奶已经做好了早饭，年夜饭剩下的饺子，煎得又焦又脆。我举起筷子比划两下就放下了，吃了几百顿同样的饭，早就腻了。

距离奶奶家小区不远，有一间很小的杂货铺。这是我在大年初一能找到的唯一一家还开门营业的地方，每隔那么几天，我就会跑去换换口味。那家杂货铺里所有的零食都被我吃了个遍，从儿童果冻到五香辣条，还有动物饼干、各种薯条虾片，当然，最好吃的还是方便面。

我还记得我第一次发现这里，简直就像哥伦布发现了新大陆。我狂奔进来，求看店的阿姨给我泡一碗老坛酸菜面。我捧着碗坐在她家门口的台阶上，稀里糊涂地连面带汤吃了个精光。

阿姨问："孩子，你为什么哭了？"

我说："烫的。"

我知道自己的吃相难看，在阿姨眼里，我大概像是电影《甲方乙方》里那个被送到农村吃不上肉的倒霉鬼。

从某种意义上说，她是对的，只不过我和那人相反，几百顿年夜饭连着吃下来，确实腻。

早饭吃完，全家人相互拜了年，一天中最受煎熬的时间就要来了。

我的二婶凑过来，坐在我身边："小飞，有对象了吗？"

有那么几次，我真想逃离这里，我也确实尝试了。

可这一天是大年初一。

火车票早就卖光了，长途大巴全部停运，马路上连出租车都没有。

我只有一辆很久没有骑过的破自行车，奶奶刚给的五百块压岁钱，还有门外零下十摄氏度的低温。管他的，来一场说走就走的旅行吧。

4

街道上几乎没什么人，路两旁的商铺门上都贴着大红的对联，可是店门紧闭，卷帘门反射着冷冷的光。空气中弥漫着鞭炮爆炸后火药和纸张燃烧的味道，车轮轧过地面上厚厚的红色炮纸，沙沙的声音像是走在雪地上。远方被隐藏在薄薄的雾霾中，我漫无目的地蹬着车，家乡在白色的哈气中时隐时现。

这里的变化可真大。

我从高中的时候就被送到外地去上学，只有逢年过节才有机会回来，假期基本上待在家里。谁能想到我的家乡在短短的十几年里竟然变成了这样，高耸的大厦、开阔的广场，还有外观奇特的购物中心，所有的一切都和我记忆中那荒芜、破败、出门三步就是荒草地的家完全不同。

我在这样的城市里骑行，想在无限重复的日子里找到一些新鲜感。但是很快，那些忽然长出的高楼就变得不再神秘，高大而冰冷的建筑和其他地方没什么两样。车轮下是双向四车道的水泥马路，可在我脑海里，它和十几年前每到下雨就泥泞不堪的黄土岭没什么区别。这座城市变化再大，我也能够凭着说不出的感觉找到记忆中的痕迹，我记得它，就像记得家里亲人的脸。

我意识到了一件事，这个家，这座城，没有区别，我被束缚在了这里。我这任性的逃跑不再是一场冒险，而是在自家后院的瞎胡溜达。

每个大年初一五点的时候，都会下起雪。这时，无论我骑着自行车走到哪里，我都会停下，坐在马路牙子上歇着。我不知道家里的人是在火急火燎地四处找我，还是在热火朝天地打着麻将，根本没有意识到我的离开。

我只知道当地面被一层薄薄的雪花覆盖的时候，我就会回到暖烘烘的家，手里捏着那张傻逼的七条。

外国人说，要经过五个阶段才能接受一件不喜欢的事：否认、愤怒、协商、绝望、接受。

当我意识到自己无法逃离之后，便再也没有了出走的欲望，除了偶尔去那家零食的宝库打打牙祭之外，我一直待在家里。

按道理说我应该进入愤怒这个阶段了。

但是我该向谁发火？

二婶就坐在我身边："有女朋友了吗？"

我二婶是个热心人，对我也十分得好。小时候我爸妈出差或者我放假的时候，经常把我送到二叔家住，除了跟堂哥玩耍，就是和二婶聊天。她做的饭比我妈做的好吃，说话也比我妈好听——我不是说声音，二婶从来没说过我笨得像猪一样——她还特别能保密，我小时候的心里话都告诉过她，但她一次也没有外传，比如说我爸妈到现在也不知道我初一时学习不好的原因是数学老师穿得太少。

在众多亲戚中，二婶是对我最好的人了。

但是二婶现在对我的关注简直让人无处可逃："小飞，你可不能再等了，你看你都这么大了，工作也稳定了，该花心思找女朋友了。你别这个表情，你怎么不着急啊。你看，你今年25岁，从现在开始找，总得挑几个吧，等找到称心如意的，也得二十七八岁了，再谈上一年半载，相互熟悉一下，两家走动走动，结婚怎么也得三十岁了。这都很晚了，最好在三十二岁之前要孩子，趁你爸你妈还有精力，可以帮你带带孩子。而且啊……"说到这里她总会用胳膊肘顶顶我，"这三十岁之后，男人女人的能力就下降了，你不为你爸你妈着想，不为你着想，也得为孩子着想吧，给他一个健康的体魄不比什么都好，不能让孩子输在起跑线上啊……"

二婶一直絮絮叨叨地，替我从相亲安排到我的孩子大学毕业。而且，不能只生一个，一定要两个，一男一女，响应国家号召。

无法忍受时，我确实发怒过几回，照着网上传授的反制方法反问回去："堂哥怎么样啊，听说女朋友是个厨师？怎么还不结婚？房子准备好了吗？……"

一连串的问题噎得二婶说不出话来，我看似取得了局部战争的胜利。但是接下来的一整天，堂哥对我怒目而视，二婶的眼神则更让我难以接受，我的话像是戳在她的心窝上，让她痛苦不堪，我后悔了。二婶是真心对我好的。

幸好我有弥补的机会。

8

打那以后，我便不再顶嘴，最多只是迎合这二婶的话哼唧两句算是回应。

但是很快我又发现了另一个问题：我快要相信了。

在这日复一日的循环中，我以为只是应付差事，那些话左耳进右耳出，能够熬过这一天就算完事。可谁又能想到每天一个半小时的深刻座谈，其威力比得上传销组织的洗脑。润物细无声，二婶的话春雨一般留在我脑子里，生了根，发了芽。当我意识到时，发现自己正向二婶大吐苦水，声泪俱下地声讨那些从我生命中路过却没有留下来陪我的女人们，从小时候青涩的暗恋，到大学时没头没尾的几段感情，心里还有一些对已婚同事说不清的好感没来得及说出口。

我突然停下，开始审视自己，发现二婶的理念已经被我全盘消化吸收了。我的父母年纪已经不小了，他们虽然没有明说，但是在和我的交谈中也透露出希望我早结婚好让他们抱孙子的想法。我的工作虽然刚刚起步，但是也算收入稳定，用二婶的话说："长相、个头、家庭、工作，没得挑！"

咳咳，这些我倒是不否认。

二婶的话听上去那么有说服力，我甚至开始为自己没有一毕业就带着女朋友和两个孩子回家来拜望父母而羞愧，让他二老望眼欲穿了那么多年，单身狗的我却不以为耻反以为荣。

这简直是不孝！

我必须抓紧时间弥补错过的这么多年，要请亲朋好友放出风去，说我想找对象了。自然有一大帮适龄美女排着队等着我挑，我只要找一个对得上眼的，身体健康，知书达理的就好了。然后就是风风光光地结婚，生孩子，先生男孩后生女孩，让我爸我妈退休之后有个事干，我安心地奔事业，走上人生的康庄大道。

很有道理啊。

等一下。

好像有什么不对。

我对结婚倒是不抗拒，但是不应该等找到真正的另一半，两情相悦、水乳交融的时候，再考虑厮守终生的事吗？这家族的荣誉感、自豪感和责任感是怎么回事？

看过动画片里掉进沼泽里的人吗？我就这样被二婶声情并茂的理论悄无声息地淹没了，幸好我还有一丝理智支撑着我做出正确的选择。

我把自己关进厕所，对着镜子对自己进行反洗脑。要自由，要真爱，我的父母是爱我的，他们希望我自信、坚强、并且有判断力，会在合适的时候找到正确的女人，他们不会逼我结婚。

这看起来很傻，但是，在循环的日子里，我就靠着这样的方式来和二婶抗衡，幸运的是，我赢了。不但恢复了自信，并且对我父母也有了全新的认识，他们相信我，不会把我看成找不到对象的废物（三年无人问津不代表什么）。

二婶的关怀仍然每天重复，幸好我找到了应对之道。

秘密武器就是蛋仔。

6

那孩子是这无限的大年初一里唯一摸不到规律的人，他就像是薛定谔的猫，像是测不准的量子，像是掀起风暴的那只蝴蝶。

如果世界上有熊孩子培训学校，蛋仔的巨型雕像一定会矗立在学校大门口。

蛋仔集顽皮和萌蠢于一身，既胆大包天，又胆小如鼠。醒着的时候，蛋仔没有一刻处于静止，即使大姑始终跟在后面，他也可能随时发生状况。

有时候蛋仔会在一只拖鞋上绊倒，趴在地上大哭。第二天我提前将那只拖鞋踢开，他会因为钻到床下找鞋而卡住，继续哭。就算是我把拖鞋都收起来，蛋仔会因为那个时间段无事可做而去翻抽屉，结果拉脱了抽屉砸到脚。

在循环的三百多天里，我还没有成功地让蛋仔不哭不闹度过一天。他是我在这无聊的日子里唯一的挑战。

在最初的时候，看到蛋仔我就头疼，他像个定时炸弹在屋里跑来跑去，还发出消防车一样刺耳的尖叫。在那些日子里，所有的东西都被他打碎过，小到二姑的老花镜，大到客厅的55寸彩电，所到之处一片狼藉。

我曾因此对大姑心怀不满，对这个孩子太惯着，养出了一身的坏毛病，以后上了学准是个挨揍的料。

后来我在一遍又一遍的轮回中慢慢收集信息，从家里人遮遮掩掩的交谈中才知道，大姑的日子过得并不好，大姑父并没有出差，而是欠了一屁股赌债跑了，已经半年多没有回过家。表哥也过得不顺，蛋仔刚三岁表嫂就有了别人，离婚后表哥气不过，去跟那个第三者打架，反倒被人家给揍了。最后表哥觉得在家待着丢人，丢下蛋仔离家出走。好好的一个家就剩下大姑和蛋仔两个人相依为命，大姑要打零工赚钱养家，能够喂饱孩子就已经很不容易，根本没有考虑过蛋仔在德智体美劳上有什么发展。

我不再讨厌那孩子了，但依然要防着蛋仔在家里四处破坏，每次我都稍微改变一些东西摆放的位置，或者在不同的时间把他放到不同的房间，争取让他高兴而且安静地过一个好年。

后来我找到一个窍门：趁早饭前大家排队等着用厕所洗漱的时候，我用胶带把装糖果的盒子缠起来，放在小卧室的床边，这样蛋仔会在吃完早饭之后发现那个盒子，但是无论怎么弄都打不开。他会哭，会叫，会把盒子扔在地上，然后我会从沙发上跳起来，跑到小卧室去救驾，这个时候二婶还没进入正题，才刚刚说到现在的年轻人太孤单，应该早点找女朋友。

这个方法我用了一百多次，屡试不爽。

我拆掉自己缠上的胶带，打开盒子，剥开一粒糖塞到蛋仔的嘴里。他的哭声渐渐止住，看我的眼神里也不再有浓厚的敌意。我用纸巾擦掉他的鼻涕和眼泪，跟他在小卧室玩一会，等着他把嘴里的糖吮完。

好了，这就够了，三分钟之内蛋仔会将一口混着糖汁的口水吐到我的衣服上，我必须在这一刻到来之前将他转手。

大姑接走了孩子，二姑和其他人都在客厅里看重播的春节联欢晚会，而我终于能够得到一点点独处的时间。

干点什么呢？电视里所有的台都在重播春节晚会，我背会了每一句台词，唱会了每一首歌。网上的新闻在我眼里已经成了陈年往事，微博上大部分知名博主五年内所有的微博我也看了个遍。

我试着找同事、同学、朋友聊天，可惜他们都忙着过年，没时间和我多说话。不过我发现有两个女同学回复得很快，似乎也没有什么其他的事情打扰我和她们之间的聊天，这是个好现象，也许将来我们之间能够发生些什么。但很快我与她们之间就没有什么话题可聊了，我开始厌倦，最后懒得理她们了。

奶奶家没有Wi-Fi，幸运的是我的6G流量从理论上讲是无限使用的。我补了很多以前记下来但是没时间看的动画片和美剧，对，我有无限的时间，所以我就是这样来丰富自己的。

自由的时间总是很短暂，刚刚够看一集《神秘博士》，我原本对这片子不感兴趣，拍摄的时间太早，特效差，像素低。可是自从我被困在大年初一之后，突然就对这个穿越时空到处乱跑的胡博士产生了惺惺相惜之情。只不过他的身边总有美女陪伴，而我在这时间旋涡里只有孤身一人。

7

转眼到了午饭时间，家里人都行动起来，摆桌椅，拿碗筷，各司其职，有条不紊。这是每次过年的固定模式，把我们培养出部队一样有组织有纪律的家族传统。

大家坐到桌上，等着我爸把装好的火锅端上来。这是老爸的拿手菜，用木炭烧得热腾腾的大铜锅，以白菜粉条海带为底，中间是炸红薯炸酥肉炸丸子，最上层是铺满油光水滑的烧肉片。用骨头汤炖好，咕嘟咕嘟地端上桌来，大家举杯说吉祥话，祝彼此在新的一年里心想事成。

我吃得不多，只是坐在雾气腾腾的桌子前面看着。我的家人离我很近，又好像很远。桌上的一派热闹场面仿佛与我无关，很快他们都会各奔东西，而我还是留着这里看他们吃饭。

当大家都吃得差不多，开始闲聊的时候，我下了桌，领着蛋仔去另一个屋看电视，好让大姑安心吃点东西。

酒足饭饱之后，奶奶一声令下，家庭流水线再次启动，餐桌上的残羹冷炙瞬间被撤下，铺上一层绒毯之后，这里就成了下午麻将的战场。

老爸老妈一整天都在厨房，准备午饭，洗碗，再准备晚饭。有时候我进去想替他们干点活，但很快就被轰了出来，理由是我奶奶看不得我干活，大过年的别惹老太太生气。

这一天里我几乎和自己的爸妈说不上几句话，不过这样也好，我还不知道在这样的循环里每天都见到老爸老妈会是什么样的感觉。

他们又叫我了，我勉为其难地坐到麻将桌前，打算在四面围城中度过这一天剩下的时光。

但是我算错了一件事。

8

这是我循环的第三百六十五天，大年初一的一周年纪念日，终于出现了一件我没有料到过的事情。

麻将打到下午四点多的时候，在小卧室午休的二姑父睡醒了，在家里待得有些闷，他打算出去转转。

二姑父从衣架上摘下大衣，然后变魔术一样，从兜里掏出两块肥肉片。

想都不用想，这是蛋仔不愿意吃肉而偷偷藏起来的。

二姑父沉着脸看着客厅里的人，他中午喝了点酒，酒劲没过，现在脸上红得发黑。

"没事没事，一会洗一洗就好了。"二姑知道他喝了酒脾气怪，赶紧凑过去安慰。

"洗什么洗！洗了能干吗？明天就要走了，你让我穿这样的衣服去加拿大？"二姑父提高嗓门说。

我知道二姑和二姑父只回来待一天，却不知道他们已经订好了去加拿大的机票。还是二姑命好，嫁给二姑父的时候他还是个打工的，可现在他名下有两个公司，经常带着二姑到处旅游。每次二姑带他回来过年，二姑父都是话不多地坐在一边，偶尔说上两句话，都是掷地有声。我们其他人自知和二姑父没有什么共同语言，也很少主动找他聊天。

大姑也凑过去说："都是孩子不懂事，来，现在脱下来我给你洗一洗，明天什么时候走，肯定能干。"

二姑父白了大姑一眼，想说什么，但是忍住了。

"姐，你就别掺和了，他喝多了，没事。"

二姑挡在大姑前面，但是大姑自己觉得理亏，还是想替二姑父把衣服洗干净。

"姐，这衣服是羊毛的，不能水洗，你就别添乱了。"二姑把大姑推开。

"哎，我怎么是添乱了，我们家孩子弄脏的，我给洗了，怎么添乱了！"大姑见二姑一个劲往外推自己，心里开始不高兴。

"好了好了，没事没事。"二姑父不耐烦起来，他猛地转身，这时衣服的一角还在大姑手里抓着。

大姑被他一带，向前踉跄一步。没想到蛋仔听到他们争吵，已经从小屋跑出来，刚好站在大姑腿边。

大姑被蛋仔绊了一下，两个人都摔倒在地。

蛋仔像往常一样开始放声大哭，我站起来，打算去扶大姑和蛋仔，可是这时堂哥已经蹿了过去。

"你想干什么！"堂哥吼道，他使劲一推，二姑父重重地撞在门上。

"阿闯！"二叔叫堂哥，"快回来。"

二姑一手扶着二姑父，一个手推着堂哥："阿闯你要干什么……"

"不就是有两个臭钱吗，有什么了不起的。"堂哥不依不饶地站在原地，瞪着二姑父骂道，他中午还和二姑父一起喝了不少酒，现在酒劲上来又开始犯浑。

"你们闹什么呢！大过年的像话吗！"我爸听到外面吵架，从厨房里出来。他是家里的老大，说话还是有点分量的。

大家安静了几秒钟，可是老爹那一嗓子声音太大，把刚刚平静下来的蛋仔又吓哭了，所有的人又躁动起来。

我冷冷地看着他们为了鸡毛蒜皮的事吵架，心里没有任何想法。因为很快这一切又将重新开始，刚才发生的事在他们脑子里都不复存在。

亲戚们挤在大门口的玄关处，相互怒视着，谁也不肯第一个退出这场赌气的争斗。

然而有细微的声音从另一个方向传来，我转向那边，看到奶奶坐在客厅角落的沙发上，正在小声抽泣，眼泪从她满是皱纹的脸上滑下。窗外灰色的天空开始飘落雪花，就像奶奶瑟瑟发抖的满头白发。

我的心像是被针刺了一下，似乎停了几秒钟。这时我忽然想起，在这么多次的循环里，从来没有注意到奶奶。没事的时候，她老人家总是坐在客厅角落的沙发上，因为那里靠着暖气，暖和。她安静地坐着，看着这一大家子人来来往往。

有时候家里的东西不知道放在哪，二叔或者我爸就会过来问，奶奶怕他们找不到，总是自己去拿，然后慢慢地走回来，继续坐着。

爷爷去世得早，倔强的奶奶平时都是一个人过，只有过年的时候，大家才从全国各地返回老家，聚在一起。

我每年只见奶奶这一次，记忆中的奶奶全都是安静微笑的样子。

但是现在奶奶却被气哭了，被他们每一个人。

"别吵了！"一股怒火突然从胸口爆发出来，我跳起来吼道。"你们……"我伸手指向前方，无数咒骂的语言正要脱口而出，可是眼前的景象忽然变了。

"小飞你怎么了？"二婶问。

我环视左右，二姑、二婶、堂哥正围坐在桌子旁，我的手里捏着一张麻将牌——七条，我又回到了那一天开始的时候。

9

我把牌扣在桌子上，向奶奶那里看去，奶奶仍然坐在客厅一角的沙发上，微笑着，嘴里说着什么。

"奶奶，您在这自言自语说什么呢？"我走过去，坐在奶奶旁边。

"我说……"奶奶拉着我的手，满是老茧的手掌像砂纸一样粗糙，

"要是你们天天都在家里，都这么高兴就好了。"

我猛然醒悟，一直以来我都是以自己为中心来思考所发生的一切。然而我错了，错得离谱，原来我并不是主角，奶奶才是。

二叔、二婶、堂哥、二姑父……我转头看向我的家人们，也许他们也因为奶奶许下的心愿，而在某个时空体验和我一样的却又不同的大年初一。

"奶奶啊……"我鼻子发酸，眼泪流了出来，可是这傻逼的命运却又逗得我笑个不停。我攥紧奶奶的手，心中积攒了三百多个新年的烦闷忽然烟消云散。

奶奶也笑了，她并不知道我为什么突然凑过来却又一言不发，也不知道我为何又哭又笑地像个傻瓜。奶奶只是发自内心地笑，看到我，看到其他家人，看到她的子子孙孙都健康快乐，她就这样笑了出来。

一年之中只有这个时候，全家的人都会聚在一起，无论他们在外面是怎样的人，回到这个家，都会想从其他人的身上找到自己在这个家的位置，无论他们用什么样的方法。

堂哥想成为年少时我眼中那个成熟可靠的大哥，二婶想继续做我的知心朋友。尽管第二天就要去加拿大旅游，但是二姑和二姑父仍然赶回来陪老太太过年。还有我爸，在家的时候从来不下厨，回到奶奶家却一头扎进厨房不出来。

我也不过是个在外地求职的打工仔，住在不满十平方米的出租屋里，给网站做做设计，时不时地被总监骂得狗血喷头，回到家里却心安理得地享受着其他人的表扬和夸奖，好像我真的做了什么光宗耀祖的事一样。

在这个家里，每个人都隐藏起在社会中磨砺出的性格，按照自己的角色表演。但从另一个方面来看，我们终于可以放下自己在社会中的伪装，做真正的自己。

有时候，我们会分不清自己是什么身份，被压抑的那一面会爆发出来，就像刚才我看到的那一幕。

但尽管这样，我仍然相信我的家人彼此之间是相亲相爱的，就像我相信第二种说法，我们的本意是善良的。

"哗"的一声，麻将掉了一地。这又是蛋仔干的好事，刚才没打完的那把牌算是废了。

我拉着奶奶的手，扶着她站起来："您也来玩麻将吧。"

"我老眼昏花的，字都不认识，玩什么啊。"

"很简单的，学一学就会了。"二婶站起来，抱过一个靠垫，把椅子垫得舒舒服服的。

"那好吧。"奶奶竟没有推辞，大概她对这种活动向往已久，更重要的是，一家人能够坐在一起了。

于是家里凡是手里没活的人全都参与到这场麻将里来，小小的桌子围满了人，像是街头的象棋摊子。

"您看，您有两张六饼，我哥又打了一张六饼，您就可以碰了。"二姑教奶奶打牌。

奶奶顺从地从自己的牌堆里拿出那两张六饼，放在桌子对面，轻轻一碰。

"可以了吗？"奶奶问。

大家哄堂大笑起来，奶奶也笑了。

我们每个人都有两种身份，出门在外时，是老板、是老师、是修车师傅、是IT民工。回家时是儿子、是女儿、是孙子孙女。

而奶奶的两种身份，是过年时在家高高在上的老祖宗，是平时孤独的空巢老人。

我不知道如何跳出这个循环，但是我想我知道了自己应该做些什么，我了解这家里的每一个人，他们的想法，他们的情感，他们想表达的一切。

10

快到吃年夜饭的时候，老太太已经学会了什么叫和牌，她正玩得高兴，我们好说歹说才把她从牌桌上劝下来。

热腾腾的饺子也端上饭桌，冯巩也出来了。我突然有了食欲，连"想死你们了"这样的台词都觉得特别下饭。

趁吃饱喝足大家都看春晚的时候，我把蛋仔拉到另一个屋，相处了那么多天，我对他的脾气也有个了解，他是个聪明的孩子，只是没有和别人沟通的习惯，幸好让他放松警惕并不是太难，只要有零食就可以了。

晚上放完炮，我主动和堂哥聊起了他的女朋友。讲起恋爱史的时候，堂哥就不像之前那么流利了，每说几句就会停下来，连呼吸的声音都透露出他心中的幸福。

我和堂哥聊了一夜，说得我确实想找一个人共度一生了，没想到堂哥比二婶还管用。

二婶还是我的知心朋友，早上起来我就拉着二婶聊天，这次还带上奶奶。其实她心里比谁都着急，我也好，堂哥也好，赶紧生个重孙子给她抱抱。

我说快了快了，堂哥那边就快准备好了。我透露给二婶一些堂哥消息，剩下的时间，二婶都在跟奶奶讨论怎么准备结婚时的被褥。

蛋仔这时跑到客厅中央，开始拍着手唱歌，昨天春晚的时候我都在给他排练，这孩子学得真快，都学会了，还没有出错。

大家这才发现蛋仔除了破坏，还有另一门天赋，连大姑都觉得吃惊。

我悄悄地告诉大姑，蛋仔喜欢唱歌，让他听听音乐可以安静许多。

然后我去了厨房，在外打工这几年，我也自学了几道拿手菜，可是一直没有机会在老爸老妈面前露一手，不如就现在吧。

我们一家三口挤在厨房里，一边闲聊一边准备午饭，这还是第一次这样交流，却仿佛没有任何障碍，一直横亘在我们之间的那些小矛盾都烟消云散了。

饭桌上我敬了二姑父两杯，问起他去过哪些旅游胜地。他刚开始还绷着脸不愿开口，可是架不住全家人的起哄，他开始讲起那些在国外发生过的糗事，逗得我们前仰后合。

原来堂哥故事里讲得是对的，有钱人是挺笨的。

午饭比平常多吃了一个小时，残席还没撤下，奶奶就占据了一个位置，等着其他人收拾完开始战斗。

我打听过了，离奶奶家几百米之外就有一处麻将摊子，全是她这么大年纪的老太太在那里集中，她要是上瘾了就可以溜达着去打牌，总比在家里闲着强。

家人们全都聚在那张麻将桌旁，相互闲聊，时不时地指点别人出牌。有时候奶奶赢了，有时候二婶输了，没人在乎输赢，只要在一起就很高兴。

"孙子！"奶奶叫了两遍我才意识到是在喊我。

"什么事？"

"来帮我摸张牌。"

"怎么？我的手气好？"我拿起一张牌，捏在手里，探头去看奶奶的牌，短短一天时间，她已经学会了单吊。

那张牌的手感如此熟悉，我竟然有点恍惚。

“快点啊，什么牌！”奶奶着急了，连着催我。

“好牌！”我把那张牌放在桌上。

“又和了！”有人说，全家人都欢呼起来。

时钟走向六点。